DE GEUR VAN LAVENDEL

Ine ten Broeke-Bruins

DE GEUR VAN LAVENDEL

UITGEVERSMAATSCHAPPIJ J. H. KOK — KAMPEN

CIP-GEGEVENS KONINKLIJKE BIBLIOTHEEK, DEN HAAG

Broeke-Bruins, Ine ten

De geur van lavendel / Ine ten Broeke-Bruins. — Kampen: Kok. — (VCL-serie)
ISBN 90 242 1703 2 geb.
UDC 82-31   NUGI 340
Trefw.: romans; oorspronkelijk.

© Uitgeversmaatschappij J.H. Kok - Kampen 1988
Omslagontwerp Hans Sturris

HOOFDSTUK 1

„Hé, wat heb ik nu aan m'n ladder hangen?"

Ruud van Houtum laat de spons terugvallen in de emmer, die door zijn onverwachte beweging hevig heen en weer wiebelt. Oei, dat was onvoorzichtig! Straks komt hij zélf nog met een gipsen poot te liggen, net als dat kleine joch daar in die kamer...

Ruud klemt zijn hand om de grijs geschilderde balustrade en tuurt opnieuw door het grote raam.

Nu kijkt het joch op van zijn plaatjesboek. Ruud steekt joviaal een hand omhoog, maar dat is blijkbaar te veel ineens. Hij ziet alleen nog maar een blonde kruin, en ook wanneer hij de ladder verplaatst heeft, pál voor het raam van de woonkamer, kijkt het kind niet eenmaal op. Te verlegen zeker. Maar Ruud weet wat hij weten wilde en tot bevreemding van meerdere flatbewoners schuift hij zijn ladder in, na alleen de ramen van de middelste woning op de tweede verdieping een grondige beurt te hebben gegeven.

Hij bevestigt de ladder weer op de imperiaal en brengt hem linea recta terug naar zijn zuster, die hem hoofdschuddend beziet. „Mag ik nú misschien weten..." probeert ze nog eens. Maar haar broer lacht haar vierkant uit. „Nieuwsgierig aagje... ik heb voor glazenwasser gespeeld, dat is alles." Fluitend tilt hij de ladder op de haken tegen de schuur, zet emmer, spons en zeem erin en is verdwenen vóór Andra nog méér hinderlijke vragen kan stellen.

Zodra hij in zijn snelle sportwagen is gestapt, vervaagt de lach op zijn aardige, open gezicht.

„Een klein joch in het gips..." mompelt hij tussen zijn tanden. „Geen wonder dat je me steeds weer ontglipt. Nu begrijp ik óók, waarom je zo zorgelijk kijkt, mijn koele sfinx. Het is niet, zoals iedereen op de redactie zegt, omdat je je boven ons verheven voelt, maar omdat je, zodra de deuren van de krant achter je dichtzoeven, weer de zorg voor dat jochie op je voelt drukken..."

Toch eens proberen, of er niet voor één keer een uitzondering gemaakt kan worden, die de regel bevestigt, dat je iedere avond thuis moet blijven... Een mens kan niet altijd op z'n tenen lopen. Ik ga proberen je te strikken voor het personeelsfeestje van volgende week.

Want Ruud van Houtum kán en wíl zichzelf niet langer zand in de ogen strooien: die kleine, stille vrouw, die alweer geruime tijd op de redactie van de krant werkt, heeft zijn belangstelling gewekt. Misschien juist omdat ze, in tegenstelling tot de meeste vrouwelijke collega's, geen aandacht aan hem schenkt. Hij weet best, dat ze stuk voor stuk blij zijn als hij na een buitenlandse reis weer tijdelijk is teruggekeerd op zijn plaatsje „buitenland". Als het aan hen lag, had hij zich allang laten verstrikken in één van hun overigens charmante netten. Maar de gedachte aan een vaste relatie heeft hij nog steeds verre van zich weten te houden: hij met zijn ongeregeld leven. Wat wil hij met een vrouw en een paar kinderen, als hij hen zoveel alleen moet laten, omdat dit nu eenmaal het leven is, waarvoor hij gekozen heeft, met hart en ziel?

Nee, alsjeblieft geen blok aan het been, geen handenbinders... hij ziet dat wel bij Andra, die lieve meid. O, hij is dol op z'n beide neefjes en op zijn zuster zelf niet minder. Ze heeft een fijne man, maar wel één, die iedere dag op dezelfde tijd weer voor haar neus staat... En zo hoort dat, als je getrouwd bent. Ruud knikt nadrukkelijk in het autospiegeltje...

Ruud, ouwe jongen, bega geen domheid. Die blonde sfinx heeft haar portie verdriet wel te pakken, daar hoef jij geen extra schep bovenop te stapelen. Denk aan dat gipsen pootje... dat kleine kereltje moet weer een váder hebben... iemand die er altijd voor hem ís.

Want dit zijn de enige gegevens die hij van de secretaresse van personeelszaken heeft losgepeuterd: mevrouw Versloot is weduwe. Haar man is twee jaar geleden dodelijk verongelukt, doordat een dronken automobilist frontaal op hem botste. Bij ditzelfde ongeluk werd zijn zoontje zwaar gewond. Dat moet dus het ventje zijn met dat gespalkte been.

Verschrikkelijk... maar waarom weet niemand dat? Waarom is die nog jonge weduwe zo schuw en houdt ze iedereen op een afstand? Moet ze persé haar verdriet alleen verwerken? Ruud weet zeker, dat iedereen heeft geprobeerd haar op haar gemak te stellen toen ze door de nood gedwongen bij de krant kwam werken.

In gedachten ziet Ruud weer de balkondeuren opengaan van de flat naast die van Lisa Versloot. „U vergeet míjn, glazenwasser!" De kijfstem van een buurvrouw. De lach is alweer terug op zijn gezicht. In de typische groen-bruine ogen dansen lichtjes: zijn handelsmerk, waaraan de andere sexe bijna nooit weerstand kan bieden... Ruuds zonnige lach, zijn grote charme...

„Ik zal jou beter leren kennen, dappere vrouw," profeteert hij. En dan remt hij, omdat hij plotseling voor zijn vrijgezellen-flat in de Topaasstraat staat.

„De hunker-bunker" zoals de bewoners van dit stadsge-deelte spottend zeggen.

Ruud kent deze benaming wel en hij schiet er voor de zoveelste keer onbedaarlijk om in de lach... Hunker-bun-ker... ach, misschien hebben ze wel gelijk...

Op haar tenen, om geen geluid te maken, sluipt Evie Versloot naar Tommy's kamertje, om zich er van te overtuigen, dat hij wérkelijk slaapt. Zijn rustige ademhaling en zijn karakteris-tieke slaaphouding: één arm loodrecht omhoog, de andere met Tor, de lappenpop tegen zich aangeklemd, stellen zijn zusje gerust. Ze kan er met haar vriendin Ellen best een uurtje tussenuit knijpen. Stel je voor: ze heeft zelf meegeholpen om die klasseavond tot een succes te maken en dan zou zij er niet bij kunnen zijn, omdat ze op haar broertje moet passen. Te gek! Aan de andere kant heeft ze haar moeders uitje ook niet willen torpederen.

Het is voor zover Evie weet de eerste keer, dat mammie een avond weggaat, na pappa's ongeluk... Een avond van de personeelsvereniging van de krant waar haar moeder werkt.

Matteke, haar oudere zus, heeft aangeboden thuis te blij-ven, maar daar wilde moeder niets van weten: „Jij gaat naar Ilse. Ik ben veel te blij, dat haar broer jou helpen wil met wiskunde. Het zal fijn zijn als je dit jaar slaagt, dan heb je misschien kans op een baan. Zonder diploma lukt je dat niet."

Zo is Matteke om half acht, tegelijk met haar moeder, de deur uitgegaan, en zij, Evie, is de pin op de neus gezet om op Tommy te passen...

Tommy, die sedert dat afschuwelijke ongeluk vaak huilend wakker wordt en probeert zijn bedje uit te komen. Nu zijn been in het gips zit, hoeft ze daar echter niet bang voor te zijn. Tommy is niet in staat zonder hulp overeind te komen.

„Kom je nu? We zijn toch al veel te laat," maant Ellen zenuwachtig, de knop van de buitendeur al in haar hand.

„Joe-hoe, even m'n tas..."

Als hazen sluipen ze de deur uit en over de galerij naar het trappenhuis.

Beneden, in het halve donker van het portaal, kijken ze elkaar grinnikend aan. „Dat hebben we 'm mooi geleverd," gniffelt Ellen, nog steeds op een fluistertoon. „Zeg, laten we hollen."

Hijgend staan ze een paar minuten later voor het schoolgebouw, waarvan enkele lokalen hel verlicht zijn.

Lisa Versloot staart met brandende ogen naar het toneel, waar het doek wordt opgehaald voor het eerste bedrijf van het toneelstuk, dat hun door de directie wordt aangeboden. Er is een eersteklas toneelgezelschap voor aangezocht, dat borg staat voor een cultureel hoogstandje, waarin zeker de humor overvloedig aanwezig zal zijn.

Maar bij Lisa wil de juiste stemming niet komen. Haar gedachten cirkelen steeds om de twee kinderen, die ze voor het eerst alleen heeft achtergelaten. Sedert de dood van Tom is ze met geen mogelijkheid te bewegen haar drietal alleen te laten. Ze is nu immers vader en moeder tegelijk? En o, stel toch eens dat haar iets overkomen zou... nee, nee, daaraan wil ze eenvoudig niet denken. Hoe overstuur zijn ze nu nog altijd niet, Tommy vooral... Nee, ze had nooit moeten ingaan op Thea's smeekbede. Thea, de enige met wie ze nog wel eens praat. Haar naaste medewerkster...

Maar... was het Thea wel alleen geweest, die haar over de streep heeft getrokken? Over Lisa's bleke gezicht waast een rossige schijn.

Op dit ogenblik voelt ze een tikje op haar schouder.

„Hoe vindt u die decors, mevrouw Versloot?"

„Schitterend. Zijn die hier ontworpen?"

„Welnee, het heet een amateurgezelschap te zijn, maar ze hebben hun spulletjes prima voor elkaar."

„Ik ben benieuwd of ze goed spelen."

„Dat doen ze zeker. Heeft u ze nog nooit gezien?"

„Nee, nooit." Afwerend! Ruud van Houtum neemt haar van opzij even scherp op. Als hij vorige week niet voor glazenwasser had gespeeld en zó ontdekt had wat, of beter gezegd wíe die zorgelijke rimpel boven Lisa's ogen veroorzaakt, zou hij haar misschien ook wel als „stug" en „koel" hebben bestempeld. Nu is er alleen een diep medelijden met haar.

Hoe oud zou ze eigenlijk zijn? Achterin de dertig, schat hij. Even ouder dan hijzelf. Hoewel... als ze zo zorgelijk kijkt, zoals nu... ja, dan lijkt ze véél ouder...

Ruud blijft in haar nabijheid en daardoor komen er direct meer op hun tafeltje af.

Zodoende is Lisa Versloot samen met de journalist al gauw het middelpunt van een jolig troepje. Gelukkig is Thea er ook bij en van lieverlee raken haar huiselijke beslommeringen wat naar de achtergrond.

Lisa betrapt zich erop, dat ze voor het eerst sedert de dood van Tom weer een paar keer lacht, om een dwaze opmerking van Ruud van Houtum. Met zijn knappe, vrolijke kop, heeft hij natuurlijk de lachers weldra op zijn hand. En als je daarbij dan ook nog geestig en ad rem bent en bovendien een uitstraling hebt van jewelste, tja...

In de pauze troont Ruud haar met een zoet lijntje mee naar de kantine, waar een verlokkelijk uitziend koud buffet gereedstaat. Ook kunnen er op de consumptiebonnen andere lekkernijen verkregen worden: warme hapjes, snacks en praktisch ieder drankje dat men verkiest.

„Wat mag ik voor u halen, mevrouw Versloot? A propos: zullen we dat 'ge-u' maar eens achterwege laten? Iedereen jij't en jou't hier immers bij de krant?"

„Graag," zegt ze. „Ik heet Lisa, maar dat wist je natuurlijk al."

„Hoe kan er bij ons dagblad iets verborgen blijven?" spot Ruud. „Mijn naam ken je ook, al ben ik hier dan niet vaak."

Als Lisa zijn warmkleurige ogen ziet, waarin pretglimpjes flikkeren, kijkt ze vlug van hem weg. Deze Ruud van Houtum verwart haar, ondanks het feit dat hij een stuk jonger moet zijn dan ze zelf is. Ze voelt zich plotseling in het nauw gedreven. Al die mensen, die lachende, pratende mensen met hun glazen in de hand, beklemmen haar ineens. Nee, sterker nog: ze staan haar tegen. Ze voelt een misselijk makende golf opkomen.

Ze grijpt haar tasje en rukt nerveus aan de ritssluiting. Open... dicht... open...

Ik moet hier weg, denkt ze gejaagd. Ik moet naar huis. Wie weet wat er gebeurt nu ik daar niet ben... Evie is pas veertien... ik had nooit mogen gaan. Stel je voor dat Tommy weer één van zijn angstdromen krijgt en dat Evie hem uit bed tilt en laat vallen. Het zou hem weer zoveel achterop doen raken... mijn kleine jongetje...

9

Ruud van Houtum heeft zijn metgezellin nauwlettend in het oog gehouden. Hij ziet haar verwarring en nerveuze gewriemel aan de tas wel.

„Wat mag ik voor je halen, Lisa?" vraagt hij nog eens en met een warmte in zijn stem, die ze niet misverstaan kán. „Eh... gewoon koffie maar, als die er nog is," stottert ze. Hij lacht vrolijk om haar verwarring en omdat ze nu op dit ogenblik meer weg heeft van een verlegen meisje dan van een raadselachtige sfinx.

„Tot uw orders, hoogheid," buigt hij en verdwijnt tussen de vele medewerkers en hun introducés in de richting van het buffet.

Lisa kijkt hem na, zover ze hem kan zien. Achter zich hoort ze druk fluisteren, maar wel net zo hard, dat ze volgen kan wat er gezegd wordt.

„Hé, zag je dat? Ons Ruudje probeert de sfinx te versieren. Wat hij daar nu in ziet? Ze is veel ouder en zo'n stijve trut. Snap jij dat nou?"

„Jij kunt de zon niet in het water zien schijnen, liefje. Hij heeft van jou nog bijna geen notitie genomen. En je hebt nog wel die chique jurk aan. Pftt, allemaal voor niets..."

„Toe, zeur niet. Snap jij...?"

„Joh, dat gaat toch alleen om de sport. Misschien heeft hij wel een weddenschap met één van de lui buitenland dat hij haar voor één avond weet te versieren!"

Lisa staat abrupt op van haar stoel. Een moment spieden haar ogen naar de hoek waar de dranken geserveerd worden. Ze ziet Ruud van Houtum halverwege de rij wachtenden staan...

Ze tast naast zich naar haar zwarte tas, die ze zolang op de lege stoel van haar begeleider heeft gelegd en begint haastig naar de uitgang te lopen. Ze ziet niet meer, dat de beide typistes elkaar aanstoten.

„Zeker naar het toilet."

„Welnee, meid, die gaat er vandoor. Let maar eens op. De sfinx laat zich niet versieren. Zelfs niet door Ruudje..."

Pas als ze met bonzend hart in het fietsenrek achter het gebouw van de plaatselijke krant haar fietssleuteltje op de tast in het slot heeft gestoken, vraagt ze zich af, wat haar collega wel van haar denken moet. Maar wrevelig duwt ze deze gedachte weg. Ze wil niet langer dat leuke, vrolijke gezicht zien. Het ernstige, serieuze gelaat van Tom schuift al weer voor dat van de flierefluiter Ruud van Houtum.

Want zoveel heeft ze wel over deze enthousiaste, vol invallen zittende journalist opgevangen, dat ze weet, geen al te serieuze zaken met hem te kunnen bespreken. Hij moet steengoed zijn met zijn pen en prima verslagen leveren voor de krant. Ook bij de andere sexe heeft hij veel succes... maar iemand om op te bouwen, zoals haar Tom was, dat is hij in geen geval... en daarom is het goed, dat ze bijtijds is ontsnapt aan de gevaarlijke charme die deze Ruud uitstraalt...

Zij zou daar op haar leeftijd nog door in de war raken, idioot die ze is. Ze mag niet vergeten, dat ze moeder is van twee tienerdochters en een zoon van zes, die nog zoveel zorg en aandacht vragen. Dat verklaart ten volle haar overhaaste vlucht, nee, rechtvaardigt deze. Ruud van Houtum hoeft maar één tafeltje naar achteren te verhuizen. Daar zal hij met open armen ontvangen worden en een tobberige weduwe met drie handenbinders binnen de kortste keren vergeten zijn...

Als bezeten trapt Lisa naar het zuidelijk deel van de stad, waar hun flat staat. De onrust, die haar al parten speelt vanaf het moment dat ze de deur achter zich dichttrok, slaat om in paniek als ze eindelijk voor de deur van nummer 48 staat. Omdat deze wagenwijd openstaat. En dat bij avond!

Trillend over haar hele lichaam zoekt Lisa in de gang naar het knopje van het licht. Ze ziet dat alle deuren die op de smalle gang uitkomen, openstaan, net als de buitendeur.

Het eerst holt ze naar Tommy's kamertje, naast die van haarzelf.

Wat ze al gevreesd heeft wordt bewaarheid: hij ligt niet in zijn bed. Maar, o, gelukkig ook niet op de grond ervóór. „Tommy," roept ze vertwijfeld, „Tommy, mammie is hier. Waar ben je?" Daarna pas denkt ze aan Evie. „Evie," roept ze nu schril en naast angst stuwt toch ook boosheid omhoog, omdat Evie haar plicht zo grandioos verzaakt, terwijl ze haar zo op het hart gebonden heeft haar broertje niet uit het oog te verliezen.

Er komt geen enkele reactie. Noch van Evie noch van Tommy. Met bonzend hart inspecteert Lisa de andere kamers en ook dat levert geen resultaat op. Van haar beide kinderen ontbreekt ieder spoor. O, wat is er toch gebeurd? Tommy kan immers zonder hulp nergens komen? Hij mag bovendien de eerste weken nog helemaal niet op zijn gipsbeen staan. Hij moet dus hebben „gehinkt". Maar hoe hij dat heeft klaargespeeld?

Schreiend valt Lisa op de keukenstoel neer. O, laat er toch niets gebeurd zijn. Ik had ze nóóit alleen mogen laten. . . O, en ik ben Tom óók al kwijt!

Lisa weet niet anders te doen, dan bij de buren links en rechts aan te bellen om te vragen of ze iets gehoord of gezien hebben. Ze heeft nauwelijks contact met hen, maar nood breekt wet en ze is zo vreselijk ongerust. Maar links is niemand thuis en rechts doet een jonge vrouw open. „Nee, niets gezien," zegt ze verveeld. „Goedenavond."

Zou Evie misschien naar haar vriendinnetje zijn gegaan en Tommy tussen hen in hebben genomen? Ellen woont in dezelfde flat op de begane grond. Het is te proberen. Maar ach, als ze aan de galerij boven en beneden denkt. . . onmogelijk dat Evie daar met Tommy langs is gestrompeld.

Bij Ellen is alleen een oudere broer thuis. „Nee, niet gezien. Mijn ouders zijn er niet. Wacht eens. . . ik geloof dat ik iets gehoord heb over een schoolavond. Ellen zei aan tafel zoiets. Ja, nu weet ik het weer: ze zijn daar nogal druk voor geweest."

Lisa bedankt beverig. Terwijl ze zich terugjacht naar de tweede verdieping, herinnert ze zich dat het de avond van de bewuste schoolfuif is. Hoe hééft ze die kunnen vergeten? Is ze zo vervuld geweest van haar eigen uitgangetje? Evie heeft het er immers dagenlang over gehad? Samen met Ellen en nog meer klasgenootjes heeft ze heel wat vrije uurtjes gespendeerd aan versieringen en het uitdenken van programma-onderdelen.

Maar. . . als Evie daar met Ellen naar toe is gegaan, waar is Tommy dan? De angst om hem komt opnieuw met volle hevigheid opzetten.

Eenmaal weer binnen, doorschokt het haar ineens: het balkon. . . haar grote angst al zolang ze hier wonen. Al weet ze dat Tommy met zijn stijve been niet over de rand kan komen, hij is verder toch weer gezond, en soms toont hij weer iets van zijn vroegere ondeugende streken. Vóór het ongeluk gebeurde, was hij immers al een echte boef, ondanks zijn vier jaar.

Onbeweeglijk staart Lisa in het gapende zwarte gat beneden haar. Ligt daar. . . O nee, haar verstand zegt haar dat het niet kan, maar haar hart. . . dat bonkt alsof het barsten zal.

Dan ineens hoort Lisa de bel. Ze stapt van het balkon waar

een gure wind waait, naar binnen.

De politie, flitst het door haar heen. Daar staat de politie en die vertelt me... net als toen...

Wanneer ze met trillende vingers de deur heeft opengemaakt, ziet ze daar Ruud van Houtum staan. Zo groot is haar opluchting, dat er nu iemand is wie ze haar zorgen kan meedelen — en niet de politie — dat ze in een nerveuze proestlach schiet. „Kom-kom je me de koffie hier brengen, soms?"

Ruud ziet onmiddellijk dat ze finaal van de kaart is. Zonder antwoord te geven stapt hij over de drempel en drukt de deur achter zich in het slot. „Zo, dat praat gemakkelijker dan op die tochtige galerij," meent hij. „En vertel nu maar eens wat er mis is. Of nee... eerst waarom je er zo maar vandoor bent gegaan, zonder mij te waarschuwen. Ik heb je overal gezocht, toen ik zag dat je niet meer op je plaats zat."

„Hebben de dames die achter ons zaten niet verteld dat ik weg ben gegaan? Ze hadden het zo druk over ons, ze moeten het wel gezien hebben."

Ruud fronst zijn donkere wenkbrauwen. Maar hij laat zich niet op een dwaalspoor brengen.

„Wat is er aan de hand, Lisa?"

Ineens valt de angst om Tommy weer als een zware steen op haar borst. „Tommy... Tommy is weg," stamelt ze.

„Tommy? Is dat jouw zoontje?"

Lisa knikt. „Hij heeft zijn rechterbeentje in het gips. Hij kan zijn bed niet eens alleen uitkomen en nu... hij is weg."

„Had je hem alleen thuisgelaten?" vraagt Ruud verwonderd.

„Nee, nee. Evie zou op hem passen," snikt Lisa.

„En wie is Evie?"

„Mijn dochtertje," fluistert ze.

Opnieuw fronst Ruud zijn wenkbrauwen. „Zeg eens... Tommy... Evie, straks vertel je me nog dat je een dozijn kindertjes hebt, Lisa."

Even beeft een lachje om haar mond. „Geen dozijn, maar ik heb ook Matteke nog. Dat is de oudste, ze is zeventien."

Ruud blikt zwijgend op haar neer. Een dochter van zeventien... hamert het door zijn hoofd. En nóg een dochter en dat kleine ventje... Ze lijkt ineens ver, heel ver van hem vandaan, al is de werkelijke afstand maar een enkele stap.

Lisa Versloot... het zijn niet een handjevol jaren dat hen scheidt: kínderen, waarvan twee al tieners, díe maken haar onbereikbaar voor hem, de vrolijke flierefluiter. Hij weet best, dat men hem zo ziet. En is hij tot nu toe ook niet zorgeloos en vrij door het leven gefladderd? Hij kan immers gaan en staan waar hij wil? Terwijl Lisa al zoveel jaren haar leven heeft gegeven aan haar drietal...

Omdat hij blijft zwijgen, dringt het langzaam tot Lisa door, de koude werkelijkheid: Ruud heeft gedacht dat ze vrij was. Een weduwe weliswaar, maar van kinderen wist hij niets. Evenmin als de andere collega's. Ze heeft immers nooit over hen gepraat? Haar huiselijke omstandigheden heeft ze strikt gescheiden gehouden. Ze hoeft geen medelijden. Ze heeft die baan met beide handen aangenomen, omdat ze wel móest.

De meisjes kosten handenvol geld. Ze kan ze evengoed lang niet geven wat andere ouders blijkbaar wel kunnen. Vooral Evie is de laatste tijd ontevreden en mokt dat ze nooit eens iets nieuws krijgt. Matteke is veel gemakkelijker, die heeft meer begrip voor de situatie en zeurt nooit over kleren of uitgangetjes. Maar de laatste tijd maakt ze zich toch ook over háár zorgen. Ze is zo stilletjes... En Tommy...

Vóór de angst haar opnieuw overmeestert, hoort ze Ruuds stem, rustig, kalmerend: „Heb je geen enkel idee waar je dochter zijn kan, Lisa?"

„Ze is waarschijnlijk samen met haar vriendinnetje naar een schoolavond gegaan. Ik had er niet meer aan gedacht, dat die vanavond was... De broer van Ellen — zo heet Evie's vriendin — zei me dat ze er naar toe waren."

„Waar staat die school?"

„Hier dichtbij. Je kunt hem vanuit het raam in de kamer zien."

„Dan ga ik daar naar toe. Blijf jij hier, voor het geval er gebeld wordt of zo..."

„Nee, toe, Ruud, ga niet weg. Ik ben zo bang... Ik heb net al op het balkon gekeken... Stel je voor dat Tommy... o, ik durfde niet naar beneden te kijken..."

„Dat doe ik dan. Om jou gerust te stellen. Heus, dat joch kan toch met zijn gipspootje niet over de balustrade klimmen?"

Ruud is binnen de kortste keren terug van zijn inspectietocht, beneden aan de voorzijde van het flatgebouw.

„Niets te zien, beneden. Helemaal niets, bezorgde mamma. Ik ga nu naar die school van Evie. Zet intussen maar een pot sterke koffie."

Met een hart boordevol bange zorg, gaat Lisa naar de keuken om het koffieapparaat in te schakelen. Automatisch giet ze water in het reservoir en schept koffie in de filter, intussen vurig hopend dat haar kind niets is overkomen...

Het duurt niet lang, voor Ruud van Houtum terug is, met een heel timide Evie. Wild snikkend stort ze zich in haar moeders armen. „Het is mijn schuld... mijn schuld... maar hij sliep rustig en toen ben ik toch maar met Ellen meegegaan. Ik wilde echt niet lang blijven... maar het was zo leuk, en... o, mám!"

Lisa's handen strelen Evie's blonde krullen. Net als Tommy heeft ze het zachte, blonde haar van haar moeder. Matteke is donkerder, net als Tom was.

„Heb je dan helemaal geen idee, waar hij is? Toe, Evie, denk eens goed na. Sliep hij toen je wegging?"

„Ja, dat weet ik zeker." Opnieuw begint ze hartbrekend te snikken.

Ruud doet een stap naar voren. „Met huilen komen we niet verder, Evie, en bovendien maak je je moeder nog erger van streek."

Evie kijkt hem aan, vijandig. „Wie bent u eigenlijk? Ik ken u helemaal niet," zegt ze met een venijnig ondertoontje.

Ruud kijkt niet al te vriendelijk. Vóór hij iets zeggen kan, legt Lisa haastig uit: „Meneer van Houtum is journalist bij de krant. Ik ben in de pauze weggegaan, omdat ik geen rust had. Meneer van Houtum is hier naar toe gekomen, omdat hij dacht dat er iets niet pluis was... en hij misschien ergens mee zou kunnen helpen..."

„Oh," doet Evie schouderophalend, alsof haar eigenlijk het wat en hoe niet interesseert.

Ruud kijkt haar strak aan. Hij heeft geen enkele ervaring met tienerdochters vanzelfsprekend, maar dit brutale, eigenzinnige meisje doet zijn handen jeuken. Een flinke draai om haar oren, Lisa, raadt hij onhoorbaar, daar zou ze vast van opknappen.

Lisa's wanhopige blauwe ogen dwingen hem echter tot iets heel anders. „Koffie, Lisa. Ik ruik ze," zegt hij opgewekt. „En als we daarna nog eens de flat centimeter voor centimeter gaan napluizen?"

„Er zijn hier maar weinig hoekjes en gaatjes. Ik heb alle kasten al nagekeken."

15

„Geen één overgeslagen?"

Lisa schudt haar hoofd. „Nee. Zoveel zijn het er niet. Op iedere kamer een losse kast en op onze... mijn slaapkamer een kastenwand. Daar zijn drie... O, wacht eens," onderbreekt ze zichzelf. Meteen loopt ze al naar de gang, waar tussen badkamer en toilet een werkkast is. „Daar heb ik niet gekeken, maar daar zou Tommy toch nooit...?"

Ze gooit de deur wijd open. Ruud en Evie kijken over haar schouder mee. En daar ligt of liever gezegd zit het kereltje tegen de achterwand geleund te slapen. Zijn rechterbeen staat loodrecht vooruit. Het gaat net: tussen de stofzuigerslang en de zwabber door...

Tommy wordt wakker door het licht dat plotseling naar binnen valt. Of misschien wel door de kreet van zijn moeder, als ze zich op haar knieën laat vallen en hem voorzichtig overeind probeert te sjorren.

Ruud trekt zich discreet in de kamer terug. Hij wil ook liever niet dat Tommy hem als de glazenwasser zal herkennen.

Tommy, nog brooddronken, kijkt lodderig om zich heen. Als hij zijn moeder ziet, steekt hij zijn armpjes naar haar uit en dan komen er toch tranen. „Ik was zo bang," huivert hij. „Ik werd wakker, ik droomde zo naar van pappie en toen... er was niemand... ik riep je, ik riep je, maar er kwam niemand en toen... ben je boos, mam? Ik durfde niet in m'n bed te blijven..."

„Nee, lieverd, mamma is niet boos. Mamma belooft je dat je nóóit meer 's avonds alleen zult zijn, hoor."

„Echt?"

„Echt! En nu breng ik je weer gauw naar je bedje."

Ze tilt het kereltje op. In haar armen valt hij alweer in slaap.

Evie heeft er bedremmeld bij gestaan, maar als haar moeder weer in de kamer terug is en ze ziet hoe „die journalist" het heft in handen neemt en, of het de gewoonste zaak van de wereld is, haar moeder commando's geeft, verzet alles in haar zich tegen deze indringer.

„Ik hoef geen koffie," bitst ze, als Ruud de koffiebekers van Lisa overneemt.

„Alstjeblieft, aanpakken," gebiedt Ruud en buigt Evie's vingers om de hete mok.

„Au."

„Eigen schuld. Moet je hem maar neerzetten."

Lisa ziet het met een bekommerd hart aan. Je bedoelt het vast goed, maar je pakt het totaal verkeerd aan, denkt ze. Van opgroeiende meisjes heb je geen kaas gegeten, Ruud van Houtum. Eerlijk gezegd vindt ze zijn optreden zelf ook nogal hautain, voor iemand die voor het eerst ergens te gast is. Maar hij is natuurlijk gewend altijd zijn boontjes alleen te doppen en met niemand rekening te houden... maar hij doet het om háár zorg te verlichten, denkt ze er vergoelijkend achteraan...

Als Evie al gauw welterusten zegt, blijven Ruud en Lisa samen achter. Er valt ineens een stilte tussen hen.

Lisa schenkt de koppen nog eens vol. Ze voelt zich beverig van de doorstane schrik en ook gespannen, omdat Ruud haar met zijn warme blikken volgt wáár ze gaat.

„Kom nu ook eens zitten, Lisa, en vertel dan eens wat er nog méér is. Komt het nog door die schrik om Tommy? Maar die ligt nu toch weer veilig in zijn bed? En Evie ook."

Lisa kijkt van Ruuds zonnige gezicht, dat nog iets kwajongensachtig onbezorgds heeft naar de Zaanse klok naast de eettafel.

„Matteke is er nog niet," zegt ze verontschuldigend. „Zolang ze niet alle drie thuis zijn, voel ik me niet gerust. Dat heb ik na de dood van Tom gekregen... ik loop altijd met de angst, dat er weer zoiets ontzettends zal gebeuren." En dan vertelt ze hem iets over het ongeluk dat Tom het leven heeft gekost.

„Dat is toch geen leven voor jou, Lisa. En voor je kinderen lijkt het me ook niet goed, zo'n gespannen moeder..."

„Ik weet het. Maar wat doe je eraan? Ik moet nu ook Toms plaats innemen."

„Je hebt veel van hem gehouden?"

„Heel veel. Kijk, dat is Tom. Daar, die grote foto."

Ruud loopt naar de televisie en neemt de kleurenfoto in zijn handen.

„Had hij donker haar?" informeert hij om toch iets te zeggen. Want het mannengezicht op de foto — nogal zorgelijk en een stuk ouder dan hijzelf — onderstreept de gedachte die al méér zekerheid in hem wordt: Lisa is onbereikbaar voor mij. Er scheiden ons te veel zaken.

„Ja, Tom was donker, hoewel hij hier niet veel haar meer heeft... deze foto is kort voor zijn dood genomen. Op zijn laatste verjaardag."

„Hoe oud was hij?"

„Eenenveertig."

Ruud had hem jaren ouder geschat, maar gelukkig houdt hij die opmerking binnen. Hij zal moeten proberen zijn impulsieve manier van praten in te tomen. In zijn werk, dat veelal uit interviewen bestaat, komt hem die eigenschap opperbest van pas, maar met Lisa zal hij zorgvuldig dienen om te springen. Hij wil haar niet bezeren...

Nadenkend zet hij de foto terug. Zijn gezicht heeft nu niets jongensachtigs meer. Hij weet dat er heel wat barrières te nemen zijn, wil hij Lisa voor zich winnen.

Wil hij dat nog altijd? Ook nu hij weet dat hij vier harten te winnen heeft? Zwaar drukt hem deze wetenschap.

Maar als hij haar stille, serene gezicht ziet, haar lieve, dappere glimlach, stroomt er iets warms zijn hart binnen.

Het moet mogelijk zijn, denkt hij. Alleen... het zal een moeilijke weg worden. Een van verkenning en voorzichtig aftasten. Zal ik dat geduld kunnen opbrengen? Ik ken mezelf zo goed. En... ik weet immers nog helemaal niet hoe Lisa denkt over enkele kardinale levensvragen? Ik weet niet eens, of zij in haar verdriet steun en hulp zoekt waar die te vinden is. Zo goed als zij vast niet vermoedt, dat ik met al mijn luidruchtige opgewektheid ook serieus kan zijn. En dat ik heb ondervonden dat God overal is, wáárheen ik voor mijn krant ook word gestuurd. In de meest benarde omstandigheden ben ik God tegengekomen, de enige Helper, die een mens rest...

„Lisa," vraagt hij ingehouden, „kan ik nog iets voor je doen? Wil je dat ik wacht tot je andere dochter ook thuis is?"

Lisa's ogen lichten op. Maar vóór ze vragen kan: „Zou je dat voor mij willen doen?" horen ze al hoe een sleutel in het slot wordt gestoken.

Even later maakt Ruud kennis met de enige van Lisa's gezinnetje, die hij nog niet heeft ontmoet: Matteke, een pittig, donker meisje van bijna achttien.

„Mam," zegt ze wat ademloos, „wat doe jij hier? Je was toch weg? Er is toch niets met Tommy? Of Evie?"

Ruud onderkent dezelfde angst in de stem van het meisje, die hij ook bij haar moeder heeft ontdekt. Uit hetzelfde hout gesneden, denkt hij gerustgesteld. Een heel ander type dan haar jongere zusje.

Hij steekt joviaal zijn hand naar haar uit.

„Dit is een collega... nou ja, collega... meneer van Houtum, hij is journalist bij de krant en hij heeft geholpen Tommy te zoeken. Hij had zich uit angst in de kast verstopt," vertelt Lisa druk.

„En Evie dan? Zij zou toch oppassen?"

„Ze is met Ellen naar dat schoolfeestje gegaan. Bemoei jij je er nu maar niet meer mee, ik denk niet dat dit nog eens gebeuren zal."

„Het mispunt," stampvoet Matteke. „Mam, als je weer eens weg wilt, dan blijf ik thuis, hoor." En daarbij kijkt ze de onbekende meneer veelbetekenend aan. Ze begrijpt best, dat hij hier niet zó maar is. Hij wil moeder natuurlijk beter leren kennen. Kijk die ziel nu eens verlegen staan blozen . . . Nou, ze heeft verdriet genoeg gehad en tenslotte is ze nog niet oud.

Dat alles flitst door Matteke heen, terwijl ze aandachtig het gezicht van meneer van Houtum in zich opneemt.

Aardig, determineert ze, maar nog wél erg jong. Voor mammie dan. Nou enfin . . . zij zal geen moeilijkheden maken. Vader krijgt ze er toch niet mee terug en ze hoeven hem toch nooit te vergeten? Dat zouden ze niet eens kunnen, moeder zelf ook niet . . .

Ruud van Houtum herademt. Hij voelt dat hij het met dit meiske wel zal rooien. En voor de rest . . . moet hij dat ook maar niet overlaten aan zijn God? Anders geformuleerd: zou hij Hem ook hier maar niet over aanspreken? Hem vertellen, wat er aan schort? Wat Lisa en hem nog scheidt?

Dan is het Ruuds beurt om te glimlachen.

Want Hij, die ieder mensenhart doorschouwt, weet immers allang wat er bezig is in hem te ontluiken? Lang voor hij zijn problemen in een gebed heeft omgezet.

„Ik ga nu, Lisa. Maar als het goed is, kom ik terug."

Hij kijkt hierbij echter Màtteke aan. Een ondeelbaar ogenblik is er een grote spanning tussen hen.

Dan knikt Matteke eerst Ruud en daarna Lisa hartelijk toe.

„Als mammie het ook graag wil?" zegt ze dan met dezelfde zachte lach als haar moeder.

„Ja hoor," hoort Ruud Lisa's stem en die twee woordjes zijn hem als een belofte.

HOOFDSTUK 2

Sedert de dood van haar vader is er in het leven van Matteke Versloot veel veranderd. Die ijzige februarimiddag van twee jaar geleden staat voorgoed in haar hart gegrift. Zou ze ooit kunnen vergeten de snijdende kou die door haar heen vlijmde, toen ze daar stond, niet ver van hun huis, waar in de sneeuw-witte pracht de rode sporen waren van dood en vergankelijk-heid?

Vader, háár vader, die ze na veel inspanning uit het wrak hadden bevrijd en naast hem, in de sneeuw, haar kleine broertje, zwaar gewond . . .

Gelukkig dat moeder en Evie déze aanblik bespaard is geble-ven. Maar háár heeft het beeld niet meer losgelaten, al heeft ze dat voor moeder verzwegen, om haar verdriet niet nog groter te maken . . .

Lieve, dappere moeder Lisa, die al spoedig een baantje vond als administratieve kracht op de redactie van het plaatselijke dagblad. Moeder, die zo dapper afstand deed van hun genoeg-lijke huis in de schildersbuurt en de flat, tweehoog, zo gezellig mogelijk inrichtte voor hun drietjes: Evie, Tommy en zij-zelf . . .

Als Matteke denkt aan hun tegenwoordige woonruimte, bekruipt haar een golf van tegenzin. Alleen al die etensluchtjes als je langs de galerij loopt en ál die mensen, ál die kinderen, het geschreeuw en geruzie . . . O, wat verlangt ze terug naar hun mooie twee-onder-een-kap huis . . . Maar financieel kon moeder dat na vaders dood niet bolwerken. Ze moet wel doen, alsof ze het reuze naar haar zin heeft in de Irisstraat. Zoveel andere mensen moeten er immers óók wonen? En moeder mag ook dit niet weten: dat het haar benauwt om samen met Evie in de slaapkamer aan de galerijkant te moeten slapen, terwijl ze vroeger alle drie een prachtige eigen kamer hadden.

Energiek zet Matteke de borstel op haar springerige, warm-bruine haar. Haar mooie, blauwe ogen met de donkere wim-pers zien kritisch naar het meisje in de spiegel.

Volgende week word ik achttien, denkt ze in stille verwon-dering. Mijn tweede verjaardag al zonder pappa . . . en mamma staat erop, dat ik wat lui uitnodig.

Ze laat de hand met de borstel even werkeloos zweven boven haar donkere hoofd. Waar moet ze haar vrienden en

20

vriendinnen laten? In de flat is immers amper ruimte voor hun viertjes? Laat staan voor een stel luidruchtige klasgenoten. . .

Misschien een paar. . . Ilse, ja, Ilse moet vanzelfsprekend komen. . . En misschien Petra en Esmé. . . Ach nee, die maar niet. Zij zal vast en zeker laatdunkend haar neusje ophalen als ze die volgepropte kamer ziet. En van de jongens Wibo, die is altijd fideel, en Jaap en. . .

Matteke begint verwoed haar borstel door haar pruik te halen. Nee, niet verder denken nu. Ze wil niet terugdenken aan die keren, dat ze haar vriendin vergezeld heeft naar de zolderverdieping van een bouwvallig alleenstaand huisje aan het Jagerspad. . .

De broer van Ilse had haar beslist niet met vlag en wimpel binnengehaald. Hij had zijn zusje zelfs toegebeten wat haar bezielde zomaar iemand mee te nemen, zonder dat hij dat wist.

Nu begrijpt Matteke pas, dat hij zich hevig gegeneerd moet hebben, dat ze zijn armoedige boeltje heeft gezien.

Ze had maar vlug verzekerd, dat zij er bij Ilse op had aangedrongen mee te gaan. Hij had het trouwens gevraagd, op een warme septembermiddag, toen ze met een stel van school in een ijssalon waren neergestreken. Ilse's broer was daar even later ook binnengekomen.

Ze hadden Bert Prins, die werkeloos was en op dat moment blut, gezamenlijk een sorbet aangeboden en hij had hen daarop geïnviteerd met Ilse mee te komen. „Maar dan wel graag van tevoren laten weten."

Nu weet ze, wat hij daarmee bedoelde. Hij woonde toen nog in een onbewoonbaar verklaard pand, dat inmiddels al is afgebroken. Daarná is hij naar het Jagerspad verhuisd.

Vreemd, dat ze ook dát beeld niet kan kwijtraken: het beeld van die armoedig uitziende jongen met zijn stugge, trotse gezicht. Bert Prins, zonder diploma's, zonder werk en zonder illusies. . . Dat laatste had ze begrepen, na dat mislukte bezoekje onlangs. Het had haar tóch een naar gevoel gegeven van binnen, iemand te zien, maar enkele jaren ouder, die voor de toekomst geen enkele verwachting meer koesterde. Een diep medelijden, vermengd met. . . ja, wát, had ervoor gezorgd dat ze nog méér aan hem dacht dan vóór die tijd.

Gelukkig weet Ilse niet, dat zij zo lang op een gelegenheid gevlast heeft om mee te gaan, als Ilse één van haar clandestiene bezoekjes aan haar broer bracht.

Clandestien. . . ja, want nog altijd volharden zijn ouders in

21

hun eens gestelde eis: eerst veranderen, eerst bewijzen dat je je extreme ideeën vaarwel hebt gezegd, je je uiterlijk verzorgt, en tonen dat je iets presteren kunt . . .

„Ze werken hem nog verder in de puree," heeft Ilse kort en bondig verklaard, en Matteke, die veel over hem heeft nage-dacht, 's avonds, als ze — om Evie — in het donker wakker lag, is het daar helemaal mee eens.

Stel je voor, dat ik Bert vraag op mijn verjaardag, denkt ze spottend. Afgezien van het feit, dat hij dat nóóit zou doen, wat zou het een consternatie veroorzaken. Ik zie mamma's gezicht al! Niet dat ze onaardig zou doen . . . zo is ze niet, maar ze zou in eerste instantie wel schrikken . . . dat deed ikzelf immers ook?

Hij ziet er zo . . . zo arm uit, hij heeft misschien maar één stel kleren . . . wie weet. Zijn haar, al golft het nog zo mooi, is veel te lang om er verzorgd uit te kunnen zien. En verder is hij bleek en mager. Maar als je zijn ogen ziet, vergeet je dat allemaal, denkt Matteke koppig. Hij heeft verdriet, net als ik, en daarom wil ik zo graag met hem praten. Ik voel, dat hij mij begrijpen zal. Van dat vreselijke van vader en Tommy . . . en hoe ik sindsdien probeer om moeder te sparen . . .

Ik vraag hem toch, neemt Matteke zich voor. Al bibbert ze al, als ze er aan denkt dat ze in haar eentje naar dat donkere, doodlopende straatje zal moeten gaan. Want het is voor haar vanzelfsprekend, dat ze dat pas doet als het donker is. Stel je voor, dat iemand haar ziet gáán. En dan schaamt Matteke zich prompt, omdat ze van anderen dingen verwacht, die ze zelf niet wáár kan maken.

In de kleine pauze inviteert Matteke maar ineens het hele groepje, dat in het park tegenover de school kouwelijk bijeen-groept.

„Zeg, lui, komen jullie vrijdag bij mij? Dan ben ik jarig."

„Altijd voor te vinden," roept Wibo Baan en zijn bekende grijns splijt zijn wat pukkelige gezicht in tweeën.

„We hadden niet anders verwacht," spot Ilse Prins. „Waar feest is, is Wibo Baan!" Haar fijne gezichtje met het halflange blonde haar geeft haar iets kinderlijks, hoewel ze nu ook al achttien is . . .

Ilse weet best, dat Wibo gek op haar is. Al vanaf de derde. Maar al vindt ze hem aardig en beslist niet onknap, méér ziet ze niet in hem dan een leuke klasgenoot. Laat hij zijn affecties maar naar Matteke verplaatsen. Dat lijkt haar precies een type voor Wibo. Matteke is nogal serieus en Wibo beziet alles van de vrolijke kant... dat heeft een type als Matteke nódig.

Ilse steekt haar arm door die van haar vriendin en troont haar zó mee, iets bij de anderen vandaan.

„Zeg, Mat, ik weet niet of ik kán, vrijdag. Ik had het je al eerder willen zeggen. Bert is ook jarig. Toevallig, hè? Enne... nou ja, je weet dat er van thuis niemand komt. Hetty misschien... maar dat weet je nooit met haar... en ik vind het zo sneu. Op zo'n dag is het best wel moeilijk voor hem om alleen te zitten. Het gaat tóch al niet goed met hem... dat weet je."

„Neem hem mee 's avonds," vraagt Matteke gedempt.

„Toe, er komen er niet veel. Alleen Wibo en Jaap en Petra."

„Ik weet het niet... Esmé komt immers ook? Zij kan zo uit de hoogte doen... en je weet hoe gevoelig Bert is voor kritiek. Ik geloof nooit dat ik hem zover krijg, dat hij meegaat. Misschien als je het hem zélf vraagt?"

„Je weet hoe hij de laatste keer deed, toen ik met je meekwam."

„Dat kwam alleen omdat we onverwacht kwamen aanzetten. Hij... hij had nogal gedronken. Dat doet hij de laatste tijd vaker... en daarom deed hij zo. In zijn hart schaamt hij zich, maar hij ziet het niet meer zitten en daarom drinkt hij."

„Zielig! Ik vind hem écht aardig," zegt Matteke warm. Ilse geeft haar een kneepje in haar arm. Matteke's woorden doen haar onnoemelijk goed. Ze heeft zoveel zorg over haar broer en met niemand kan ze hierover praten... thuis met haar ouders al helemaal niet.

„Weet je wat?" bedenkt ze levendig. „Ik ga vanmiddag uit school even hij hem aan en dan vraag ik of het goed is, dat we vanavond komen. We hebben voor morgen geen tentamens."

Matteke's vrieskoude-blos wordt een tintje donkerder. Haar blauwe ogen glanzen. Dat het allemaal zo gemakkelijk zou gaan... Nou ja, ze moet nog afwachten of hij komt natuurlijk. Hè, stel je voor, dat zij hem helpen kan, dat hij zich niet meer zo afschuwelijk mislukt en eenzaam voelt. Maar ach, wat zijn zusje Ilse in die jaren dat hij uit huis is, niet is gelukt, zal haar vast ook niet lukken...

„Hé, geen apartjes," wordt er achter hen geroepen. Ineens spurten de anderen hen voorbij. „Jongens, de pauze is om, rennen!"

Lachend en luidruchtig gaan ze het grote gebouwencomplex weer binnen. Maar Matteke's gedachten blijven cirkelen om de jongeman met zijn verbeten mond en felle ogen.

„Ik kán hem niet vergeten," denkt ze wanhopig.

Aan de noordkant van de Koningin Beatrixlaan is een nieuwbouwwijk verrezen: de Hoge Keppel. Aan de zuidzijde echter wordt nog stevig gesaneerd. Oude huizen worden zo mogelijk gerenoveerd, andere afgebroken... Het is in dit gedeelte dat Bert Prins een nieuw onderkomen heeft gevonden. Het Jagerspad, op een steenworp afstand van het dierenasiel, telt nog slechts een handjevol huizen. Krotten kun je ze beter noemen. Alle vijf de huizen staan op de nominatie om te zijner tijd te worden afgebroken, net als zijn vorige onderkomen.

Maar wat kan een gesjeesd iemand als ik ben anders verwachten? denkt Bert. De sociale dienst zorgt niet voor een riante villa. Het is toch al een wrange pil, iedere maand opnieuw je hand op te moeten houden en te moeten leven bij de gunst van het werkende deel van de bevolking.

Hoewel... alles went. Ook het nietsdoen en rondlummelen. Misschien zou ik na drie jaar niksen helemaal niet meer kunnen wennen aan straffe werktijden. Ik ben lui uitgevallen en gemakzuchtig, volgens m'n pa, en die kan het weten, overpeinst hij. Halfluid, dat heeft hij zich zo aangewend, omdat de stilte dikwijls zo benauwend is en vol geluiden, al lijkt dat nog zo tegenstrijdig.

Op deze februarimiddag kleumt hij huiverig bij het oliekacheltje. De zolder, waar de wind door vele kieren en reten lijkt te ademen, is met geen mogelijkheid warm te krijgen. De nachten zijn het ergst. Hij ligt dan onder een laag „dekens", nou ja, flodderdingen, van moeder meegekregen. Het goede mens moest eens zien, hoe hij hier bivakkeert. Ze kreeg prompt een nieuwe zenuwinzinking. En zijn vader zou zich schamen als hij dit armoedige zoldertje zag.

Een bitter lachje speelt om Berts opeengeknepen lippen. Een paar keer heeft Bert hem in zijn BMW voorbij zien rijden. Hij heeft zich bij die gelegenheden als een bedelaar gevoeld: daar ging zijn welgestelde pa en hij had geen erg in zijn schobbejak van een zoon... of misschien ook wel, maar dat maakte geen verschil: voor pa bestond hij eenvoudig niet meer.

Maar Ilse is hem trouw blijven opzoeken. Ze heeft daar zelf narigheid door gekregen, maar dat heeft haar nooit weerhou-

den om naar hem toe te gaan. Wáár hij ook woonde...
Ilse is een schat, denkt Bert warm. Als zij deze jaren niet als
een zonnestraaltje door de donkere wolken was komen kijken,
had ik het helemaal niet meer geweten.
Weet ik het nu dan wel?
Berts grijs-blauwe ogen dwalen langs zijn schamele bezittin-
gen, over heel het schemerige, troosteloze zoldertje. Hij schopt
met zijn voet tegen het gammele lattentafeltje en laat zich
vervolgens neer op zijn veldbed.
Wat doe ik eigenlijk nog op dit rotwereldje? Zou er iemand
om malen als ik er niet meer was? Ja, moeder natuurlijk, maar
kijkt ze nú naar mij om? Ze durft immers niet om vader?
Ilse... ja, dat goeie kind zou verdriet hebben... dat weet ik
zeker. En Hetty... misschien. Die heeft ook ergens dat
,,arrivé" zijn, dat hem in zijn vader zo mateloos irriteert. Nou,
enfin, hij zal maar eens een kleine hartversterking nemen.
Misschien dat er iets van die ijskorst binnenin hem smelt en dat
hij eindelijk een beetje warm wordt. Wat is hij koud...
Zonder de moeite te nemen een glas te pakken, zet hij de fles
aan zijn mond. Hè, dat doet goed. Dat doet warmte opstro-
men naar je verkleumde hart. Nog eens en nog eens weer grijpt
Bert de fles...
Ach, eigenlijk heeft hij het nog niet zó gek... hij heeft
tenminste vrijheid... niemand die hem op z'n vingers kijkt.
Hij kan 's morgens uitslapen zolang hij wil en eten wat en
wanneer hij zin heeft. Vrijheid, blijheid. Thuis was het ook
niet alles. Altijd ruzie en gezanik. En letten op iedere stap die je
verzette.
Nog even, dan maakt zich een heerlijke loomheid van hem
meester. Hij trekt een stel dekens over zich heen en is weldra
alles om zich heen vergeten.

Zoals Ilse wel vaker doet, fietst ze na het laatste uur naar dát
gedeelte van de provinciestad, waarvoor iedereen zijn neus
ophaalt. Omdat het 't ,,achterbuurtje" van de stad heet te zijn.
Kan me niks schelen, Bért woont er, is Ilse's laconieke
gedachte. Ze heeft zich nooit veel om stand en rang bekommerd.
Nee, wanneer iemand haar hart beroert, is dat haar genoeg.
Zo is het met Matteke Versloot ook gegaan. Hun vriendschap
dateert vanaf die keer, dat ze Matteke ,,betrapte", toen ze voor
een dictaat, dat ze zelf miste, haar midden in een tranenbad

overviel. Matteke's moeder was er niet en Evie, haar zusje, was nog niet uit school. Tommy, het nakomertje, deed zijn middagslaapje en Matteke lag zo maar boven haar engelse grammaticaboek te snikken. Ze zag het door het raam op de galerij...

Nou ja, en toen had Matteke verteld van haar verdriet en zorgen. Vanaf die dag heeft Ilse diep respect voor mevrouw Versloot, die een baan heeft en daarnaast het gezin draaiende houdt. En bovendien alle kleren voor haarzelf en haar beide dochters maakt, meestal in de avonduren...

Ilse is zo in haar gedachten verdiept, dat ze met een schok tot de werkelijkheid terugkeert als ze vóór het huisje met het ietwat scheefgezakte puntdak staat. Vóór zijn twee ramen en in het midden is een deur, die nooit wordt gebruikt en zelfs van binnen is weggewerkt, weet Ilse. Ze is de eerste keer per abuis het voorkamertje binnengewandeld en heeft de bewoonster de stuipen op het lijf gejaagd. Die stond zich net in haar niksje, nou ja, op een slipje na, te wassen aan een driekantig fonteintje in het voorkamertje. Nu weet Ilse, van Bert, dat ze onderwijzeres is, ook niet aan de slag kan komen, en vrijwilligerswerk doet...

Zo, haar fiets maar achter het huis neerzetten, anders is ze die straks kwijt. Er worden zoveel fietsen gestolen tegenwoordig.

En nu maar hopen dat Bert thuis is en dat hij een beetje in z'n hum is.

Ze schuifelt voetje voor voetje langs de ruwhouten trap met de open treden. Er is geen leuning, zodat ze aan de muur steun zoekt met haar rechterhand. Brr, Bert mag wel oppassen. Zeker, als hij wat op heeft. Hij zou een lelijke val op de stenen vloer van de bijkeuken kunnen maken.

Boven blijft ze even talmen in het trapgat. Eerst ziet ze praktisch niets, zo vanuit het licht buiten. Maar als haar ogen gewend zijn, ziet ze Bert in de hoek op zijn matras liggen. Ze hoort hem duidelijk ronken.

Ilse haalt haar neus op. Hmm, dacht ze het niet? Hij heeft weer gedronken. Driftig stapt ze langs een paar kisten en het tafeltje heen en bukt zich.

Vlak naast haar slapende broer staat een halfvolle fles en die leegt Ilse zonder pardon in het fonteintje naast het armoedige aanrechtje.

Troep! En duur bovendien. Waar haalt hij het geld vandaan? Ik wed, dat hij z'n hele uitkering aan die rommel spendeert en voor zijn eten amper wat overhoudt. Geen wonder dat hij er zo beroerd uitziet.

Besluiteloos staat ze nog wat te dralen bij de slapende. Ze heeft weinig lust hem wakker te porren. Áls haar dat al lukt, dan zal hij niet te genieten zijn, weet ze uit ervaring.

Daarom grabbelt ze in haar zak naar een pen en krabbelt op een stukje krantenpapier, dat ze die avond samen met Matteke zal terugkomen om hem iets te vragen.

Daarna zoekt ze tastend haar weg terug naar beneden. De schemering kijkt haar gram, bijna spookachtig aan. Ilse kan amper de traptreden onderscheiden. Dat Bert, hún Bert, hier leven moet, terwijl hij thuis zo'n knusse zolderkamer had met een ruime dakkapel, die uitzicht biedt over het park en de bosrand erachter. Ilse huivert opnieuw. De kou dringt zelfs door haar warme, met bont gevoerde jack. Arme Bert...

Een grote opstandigheid maakt zich van Ilse meester, als ze de weg naar huis inslaat.

Zodra ze achterom door de keuken naar de hal loopt, valt de tegenstelling als een blok op haar. Als ze voor de antieke spiegel met het geslepen glas haar lange haren kamt, ziet ze hoe haar mond trekt in een vreemde grijns. Heeft ze hardop gelachen? Is zíj het, die de kille deftigheid van de hal stuk lacht? Maar nee, er rollen tranen over haar wangen. Ze huilt... Waarom? Om Bert? Om haar ouders die zo volharden in hun afwijzende houding?

Ik kan zo niet naar binnen, ik wil moeder nu niet onder ogen komen. Ik weet, dat ik dan al dat gistende zeer naar buiten spuit... en dat wil ik niet. Want ik heb tóch met moeder te doen. Ze kan immers niet tegen vader op? Zijn wil is wet, al druist die dan ook lijnrecht tegen de hare in.

Daarom pakt Ilse haar tas en sluipt stilletjes de trap op, om boven een begin te maken met haar nederlands voor woensdag.

Vanavond wil ze immers nog naar Bert?

Het loopt echter anders.

Als Ilse, gedreven door een hongergevoel, na een uurtje naar beneden afzakt, vindt ze van haar moeder geen spoor. Zeker ergens op bezoek, hoewel... Na de fraude van vader, vertoont moeder zich het liefst nergens meer. Zij gaat er erger onder gebukt dan vader zelf. Daarom besluit Ilse eerst op de slaapkamer van haar ouders een kijkje te nemen. En wat ze al gevreesd heeft, wordt bewaarheid: moeder ligt in het stikkedonker met een handdoek op haar hoofd.

Migraine, weet Ilse.

Ze weet wat haar te doen staat. Deze aanvallen zijn immers schering en inslag, de laatste twee jaar?

Ze brengt haar moeder thee, inderhaast gezet, met een paar kaneelbeschuitjes en verdwijnt weer even stil als ze gekomen is, naar beneden. Daar gaat ze na een inspectie van de koelkast aan de slag voor de warme maaltijd. Moeder zal geen trek hebben, misschien een beetje magere soep. Er is poelet en gehakt, dat legt ze op het aanrecht. Daarna schilt ze wat aardappels. Vader kan goed eten en zelf heeft ze ook trek. Het was een lange schooldag. Ilse neemt een krop sla uit de groentela en een komkommer en maakt die schoon. Ze ziet dat er ook nog koude aardappels staan en zo heeft ze binnen de kortste keren een eenvoudige maaltijd voorbereid.

Staande drinkt ze een glas thee en knabbelt er ook wat beschuitjes bij. Ze pakt een appel van de schaal en gaat terug naar haar kamer aan de achterzijde van het stille huis . . .

Ze denkt aan Matteke. Hoe moet dat nu? Ze zal maar bellen, dat ze niet kan. Ze wil moeder niet alleen laten. Vader is praktisch geen avond thuis. Het lijkt wel alsof hij hen ontloopt. Misschien klagen moeders bedroefde ogen hem te veel aan? En zij is tegen vader nu ook niet direct beminnelijk. Ze kán dat gewoon niet . . . Híj is immers de schuld van Berts ellende? Ze kán het niet anders zien.

Voor ze tegen half zes weer naar de keuken gaat om het eten verder klaar te maken, belt ze haar vriendin. In enkele woorden legt ze uit waarom ze niet weg kan. Matteke kent gelukkig de situatie bij haar thuis.

„Zal ik alleen gaan?" stelt Matteke aarzelend voor.

„Joh, durf je dat wel? Het is daar zo donker en stil. Ik geloof nooit dat je moeder . . ."

„Als je broer dat briefje gevonden heeft, zal hij niet begrijpen waarom we niet komen . . ."

Voor dat argument zwicht Ilse.

„Je ziet maar. Ik neem het je niet kwalijk, als je niet gaat. Maar voor het geval dát, wees voorzichtig. Ik vind het daar eng, bij donker . . ."

„Ik ook," weet Matteke, als ze met de bezorgde ogen van haar

moeder in de rug, wegfietst in de bitter-koude februari-avond.
„Moet je nu echt nog naar Ilse?" heeft Lisa Versloot gevraagd. Ze hád moeder niet durven opbiechten, dat ze niet
naar Ilse, maar naar de broer van Ilse ging. Ze heeft een nieuw
leugentje op de vorige gestapeld en dat bezwaart haar meer
dan ze wel wil weten. . .

De bewuste avond, dat moeder die personeelsavond had,
heette het dat ze voor bijles naar Bert toeging. Hij is weliswaar
een kei in wiskunde, maar er is die avond en ook de vorige
keren nauwelijks een wiskundevraagstuk aan de orde geweest. . .

Ook verkeert moeder in de veronderstelling, dat Bert gewoon thuis woont. En omdat ze het huis van de Prinsen kent,
heeft ze vanavond niet méér tegenwerpingen gemaakt. Hoewel
moeder sinds de avond dat ze Tommy in de gangkast vond,
nog bezorgder is dan voor die tijd. Ach, zij begrijpt dat wel. . .
maar Evie niet. Die heeft zich bepaald vijandig uitgelaten over
moeders „kennis" van de krant. Hij is dan ook nog niet terug
geweest. Volgens Evie heeft ze hem bij die eerste kennismaking
meteen duidelijk laten weten, dat hij bij hen niets te zoeken
heeft.

Het kleine krengetje. . . Evie denkt alleen aan zichzelf en
hoe moeder zich voelt interesseert haar geen klap.

Nou, enfin, als die meneer van Houtum zich door zo'n
snotneus weg laat sturen, is hij niet de man die mamma tot
steun zou kunnen zijn, denkt Matteke wijsgerig.

Zonder op of om te zien, jakkert ze over de fietspaden. Tot
die ophouden bij de wasserij, op de hoek van de Bekenwalweg.
Daarna wordt het pas goed donker en verlaten, ze ziet geen
mens! Alleen het droefgeestige geblaf van honden klinkt door
de stille avond en verhoogt het gevoel van onbehagen, dat
Matteke gevangen neemt en haar prest nog sneller door de
straatjes te fietsen. Hier, op de splitsing, moet ze rechts aanhouden. Ze ziet vaag de omtrekken van het bord „doodlopende weg". . .

Het derde en laatste huisje aan haar rechterhand moet ze
hebben. O Bert, zorg dat je er bent, alsjeblieft. . .

Evenals haar vriendin die middag, zoekt Matteke op de tast
haar weg naar de zolder. Maar tot haar grote teleurstelling
vindt ze die verlaten.

Gejaagd eet Bert een paar sneetjes brood en intussen roert hij een pakje vermicellisoep door een slomp water in een pannetje. Hij is verkleumd tot op zijn botten en een kop gloeiendhete soep wil er dan wel in.

Maar als die eenmaal voor hem staat, gunt hij zich amper de tijd om de soep op te lepelen. Hij heeft het krabbeltje van Ilse gevonden en wil ervoor zorgen niet thuis te zijn. Hij schaamt zich verschrikkelijk, omdat ze hem wéér betrapt heeft. Zijn aanvankelijke woede omdat ze de dure fles zonder pardon geleegd heeft, is allang weggeëbd.

Hij weet immers dat ze alleen uit bezorgdheid gehandeld heeft? Maar haar onder ogen komen durft hij niet. Hij voelt zich een slappeling en een parasiet. Iemand die op kosten van de gemeenschap leeft en het zelfs bestaat dat geld te verdrinken. Nee, Ilse moet hij maar liever ontlopen en haar vriendin evenzo.

De gedachte aan het donkere meisjeskopje met de klare blauwe ogen en de gevoelige mond, drijft Bert tot nóg meer haast. Hij zet de nog halfvolle kom soep op het afgedankte tuintafeltje van zijn moeder en grabbelt zijn jack van de spijker naast het trapgat.

Eenmaal buiten weet hij niet waarheen hij zijn toch al verkleumde onderdanen sturen moet. Het cafeetje even voorbij het dierenasiel is meestal zijn doel als hij niet weet hoe een eindeloze avond door te komen. Maar zijn portemonnee is leeg en het duurt nog twee dagen voor hij weer geld krijgt. Precies voor m'n verjaardag, denkt hij wrang. Kan ik mijn visite behoorlijk onthalen...

Hij weet niet beter te doen, dan maar wat rondjes te lopen in de lugubere omgeving van het Jagerspad. De meeste huizen zijn al afgebroken. Een nieuwe wijk zal hier mettertijd verrijzen.

Een dik half uur, langer kan hij het echter niet uithouden. Hij hoopt, dat de meisjes intussen geweest zijn. Dat moet haast wel. Ilse komt liever niet 's avonds in het donker hier naar toe. En Matteke is ook geen held, heeft hij de laatste keer wel begrepen. Toen waren ze ook al bijtijds...

Als Bert door de achterdeur binnengaat, staat Patricia, de bewoonster van het benedenverdiepinkje, bij het aanrecht iets klaar te maken. „Ook een hartversterking, Bert?" roept ze over haar schouder.

„Nou, sla ik niet af," zegt hij handenwrijvend. „Ik bén me toch koud."

„Zit je weer eens in de kou?" vraagt Patricia. „Kom maar gauw mee. Mijn potkachel brandt tenminste. Kruip erbij. Ik kom zo!"

Even later staat ze voor hem, twee dampendhete glazen gevuld met koffie met een flinke scheut grand-marnier. Zelfs de room erop ontbreekt niet.

„Alsjeblieft, aanpakken en heet opdrinken. Je ziet: ik hád op jou gerekend."

„Of het op mij is, zullen we maar in het midden laten," spot Bert, „maar toch ben je een reuzemeid, Patries. Jij weet tenminste hoe een vent als ik zich voelt. . ."

„Nog sterker: ik ben zelfs bereid je uit te laten huilen. Kom maar gerust. . . Ik ben een kei in het troosten, al zeg ik het zelf."

Bert kijkt naar het knappe, opgemaakte gezicht met het golvende rode haar, dat in weelderige lokken tot op haar schouders valt.

Hij voelt een heet begeren in zich gloeien om dat mooie haar te strelen, haar mooie gezicht, haar schitterende, uitdagende lijf.

Hij is zo koud, zo eenzaam als een jong mensenkind maar zijn kan. . . en Patricia biedt hem zélf de troost en warmte die hij zo bitter behoeft.

„Kijk niet zo, jochie. . . Toe, geef op dat glas, dan zal Patries het nog eens vullen. Nog wat pittiger soms?"

„'t Kan mij niet pittig genoeg zijn, dat weet je," roept Bert haar na. „Overmorgen mag je het bij mij terug komen halen. Dan heb ik weer poen."

„Als je ervoor zorgt, dat het niet zo'n ijskelder. . . nou ja, zolder is," lacht ze plagerig.

Ze drinken nog eens en daarna nemen ze een paar glaasjes puur. De warmte die door Bert heen gaat stromen, verdrijft ieder gevoel van desillusie en onbehagen. Willoos geeft hij zich over aan Patricia's gretige mond, haar lokkende ogen. . .

Hij weet, dat ze net als hij op drijfzand staat, waarin ze ieder ogenblik kan wegzinken. . . daarom zoeken ze troost bij elkaar.

Het pittige meisjeskopje, dat hem de deur uitdreef, zweeft hem niet langer voor ogen. De geur van Patricia's parfum bedwelmt zijn zinnen. . .

Het komt er niet op aan. Wij zijn toch allebei mislukkelingen. We hebben elkaar niets te verwijten. Troost. . . meer niet, maar ook niet minder.

Vaster omvat hij haar. Maar Patricia heft luisterend haar hoofd met de koperen haren.

„Ik hoor de achterdeur," fluistert ze. „Hoor je wel, nu kraakt de trap. Het is voor jou, Bert."

„Zeker m'n zusje," mompelt Bert in haar haren. „Nou, die komt wel weer terug."

Gerustgesteld nestelt ze zich weer tegen hem aan. „Vanzelf. Het is boven nu toch veel te koud om bezoek te ontvangen. Hier is het beter, of niet?"

Als antwoord kust hij haar nog onstuimiger.

Na enige moeite heeft Matteke de schakelaar gevonden, boven het aanrechtje, of wat daar voor dóór moet gaan. Het kille peertje, bungelend aan het elektrische snoer, laat vreemde schaduwen dansen langs de schuine wanden van de slordig betimmerde zolder.

Ze ziet de halfgevulde kom soep, steekt haar vinger er voorzichtig in en komt tot de conclusie, dat Bert nog niet zo lang weg kan zijn. De soep is nog lauw. Maar de temperatuur op de zolder is dat niet. Matteke rilt, zelfs met haar warme jas aan.

Het reepje papier ligt nog op het tafeltje. Bert moet dat hebben gezien en desondanks is hij uitgegaan. Hij wil hen dus niet ontmoeten... stelt Matteke bedroefd vast.

In een drang toch iets voor hem te doen, probeert ze orde te scheppen in de chaos van wat ze maar dekens zal noemen. Ze vouwt ze keurig op en daarna vult ze de fluitketel, steekt het gas aan en terwijl ze wacht tot het water begint te koken, zet ze de vuile glazen, kopjes en borden netjes in elkaar. Zo, het bestek in een gebruikte pan... Ze weet, dat Ilse dit ook nogal eens voor Bert doet.

Voldaan kijkt ze, als het afwasje klaar is, of ze nog iets beredderen kan. Maar ze durft toch niet goed de andere rommel op te ruimen. Ze wil niet dat hij haar brutaal vindt, of een bemoeial. Ze zal Ilse morgen op het hart drukken te doen, alsof zíj hier heeft geredderd. Ze is er ineens niet zeker van, dat Bert het waarderen kan, dat een ander dan Ilse hier heeft rondgelopen tijdens zijn afwezigheid...

Terwijl Matteke, zich met de handen aan de treden steunend, achterstevoren de trap afkruipt, hoort ze stemmen beneden. Maar omdat ze weet, dat in het kamertje een onder-

32

wijzeres woont, schrikt ze niet. Ze heeft trouwens licht zien branden door een kier van de gordijnen, toen ze langs het huisje liep.

Maar wel schrikt ze als ze, in het achterhuis beland, duidelijk de diepe stem van Bert herkent. Als vastgenageld staart ze in het halve donker — slechts boven het aanrecht brandt een lampje — naar de gammele deur die kamer en achterhuis scheidt.

Ze hoort een hoge, lichte lach... en daarna opnieuw het timbre van een stem, o, die speciale stem, die ze hoort tot in haar dromen. Een strélende stem, die verliefde woordjes stamelt...

Matteke rukt de buitendeur open en duwt die niet al te zachtzinnig dicht. Het kan haar ineens niets meer schelen, of ze haar horen of zien.

Bert is voor haar toch voorgoed verloren.

Hij heeft haar hulp en begrip niet nodig, die zoekt hij bij dat werkeloze onderwijzeresje...

Ach ja, die zal hem veel beter kunnen begrijpen; ze is ook een stuk ouder... Haar ziet hij natuurlijk alleen maar als een schoolkind.

Toch kan Matteke niet verhinderen dat er tranen langs haar wangen rollen. Warme tranen, die de koude van haar wangen extra accentueren.

En ik had hem nog wel willen vragen voor vrijdag! Mistroostig fietst ze naar huis.

Haar moeder ziet meteen, dat er iets gepasseerd moet zijn, maar ze wil niets vragen. Matteke heeft recht op haar eigen geheimen en vertrouwen laat zich niet dwingen. Ze weet, dat ze bij haar terecht kan en daarom schenkt ze alleen een warme kop koffie voor haar in, en hartelijk zegt ze: „Je ziet er zo koud uit, Matteke. Drink maar warm op.”

„Hè, lekker. Ja, ik kwam nog voor niets ook. En het ís me toch koud. Ik denk, dat we deze week schaatsen kunnen.”

„De ijsbaan ís al open. Wist je dat niet? Evie is met Ellen een uurtje geleden gegaan. Ze zou om negen uur thuis zijn.”

Matteke denkt terug aan de winter van twee jaar geleden, toen er ook geschaatst kon worden. Ze is nogal eens met Ilse geweest en na afloop dronken ze dan bij Ilse's oudere zuster anijsmelk.

Hetty Prins woont in een bovenduplex, niet ver van de ijsbaan. Sedertdien is ze wel vaker met Ilse mee geweest, als die haar zuster een bezoek bracht. Het lijkt haar enig om een oudere zuster te hebben, die haar eigen bedoeninkje heeft en je zelf kan ontvangen. Maar volgens Ilse heeft ze het nogal eens met Hetty aan de stok.

Sinds ze uit huis is, is dat wel wat verbeterd, maar af en toe vliegen die twee elkaar nog geducht in de haren. En bijna altijd is het twistpunt Bert.

Hè, nu denkt ze toch weer aan hem. Ze wíl proberen hem uit haar gedachten te bannen. Is ze nu die hoge lach alweer vergeten en wat hij zéi?

Hij was daar met die ander samen. Bert kijkt zo nauw niet. Hij heeft geen principes, zo formuleerde Hetty het eens. Waarop Ilse Bert hevig verdedigde. Maar het blijkt nu wel, dat Hetty hem béter kent... Geen diploma's, omdat hij het steeds weer af liet weten op diverse scholen, geen werk, onverzorgd, drank, vrouwen... te veel minpunten om nog een enkele gedachte aan hem te wijden, Matteke Versloot.

Maar lang nadat ze die avond de rustige ademhaling van haar zusje Evie hoort, ligt Matteke nog rusteloos te woelen.

Bert Prins heeft vanaf die allereerste ontmoeting in de ijssalon iets in haar beroerd, dat er sindsdien altijd is geweest... een uiterst gevoelige snaar, van een gevoelig, naar liefde hunkerend meisjeshart.

„Wat zei Bert?" is het eerste wat Ilse wil weten, als ze elkaar de volgende morgen in de gang van de school treffen. „Of ben je niet geweest?"

„Jawel," fluistert Matteke, om de anderen die langs hen gaan. „Maar hij was er niet. Ik heb nog even voor hem afgewassen. Zeg, Ilse, doe maar net alsof jij dat hebt gedaan."

Ilse kijkt haar verbaasd aan. „Doe niet zo maf. Waarom?"

„Misschien vindt hij het niet prettig, dat ik daar heb staan rommelen."

„Je bent niet goed snik," zegt Ilse onparlementair. „Bert kent jou en hij vindt jou leuk. Heeft hij me zelf een keer gezegd. Dus..."

Matteke is doorgelopen. Ilse hoeft die vervelende kleur niet te zien, die op haar wangen brandt.

Maar na de laatste les klampt Ilse haar meteen weer aan. „Hoe moet dat nu? Nu weet Bert het nog niet van vrijdag."

„Och, láát maar! Zeg, zou het niet leuk zijn om met het hele stel eerst naar de ijsbaan te gaan? Dat is niet zo ver van mijn

huis. Gaan we na afloop dáár nog een poosje heen."
„Hartstikke leuk," gilt Ilse enthousiast. „Misschien zien we
Bert dáár wel. Vroeger schaatste hij maar wat graag. Ik weet
trouwens niet of hij zijn schaatsen wel heeft. Misschien staan
die nog bij ons op zolder. Weet je wat? Ik kijk daar wel naar en
als ze er staan, breng ik ze nog even. Dan kan ik meteen vragen
of hij vrijdag ook gaat."
„Je doet maar," zegt Matteke onverschillig. Nu ze weet van
Bert en die onderwijzeres, moet dit voortaan haar houding
zijn.

Ilse houdt woord.
Zodra ze bij moeder een kopje thee heeft gedronken en wat
van haar schoolbelevenissen heeft verteld, tijgt ze naar de
bovenste verdieping, om naar de schaatsen te zoeken. En net
wat ze gedacht heeft: die van Bert en haarzelf staan netjes
ingevet naast elkaar in een doos. Bert heeft dus zo lang hij het
huis uit is, niet meer geschaatst. Gelukkig was het vorig jaar
een kwakkelwinter, dus heeft hij ze toen niet gemist. Misschien doet hij dat nu ook niet. Hij heeft zo weinig fut om nog
iets leuk te vinden en ergens plezier in te hebben.
Vastbesloten daalt Ilse met beide dozen de trap af.
Beneden ziet ze haar moeder door de gang lopen. „Ga je
schaatsen?" informeert Josefien Prins, op de dozen wijzend.
„Heb je... is dat niet...?" vraagt ze, als Ilse beneden staat.
„Ja. Die ene doos is van mij en de andere van Bert. Ik ga ze
hem brengen. Of mag dat niet?" Tartend ziet ze haar moeder
aan.
„Je doet maar." De stem van mevrouw Prins klinkt moe.
„Zeg het alleen niet aan je vader. Dat geeft maar weer wrijving."
„Zo kien ben ik zelf wel, moeder. Moet ik Bert nog de
groeten doen?"
„Natuurlijk, dat spreekt vanzelf!"
Ilse trekt fluitend haar jas aán. Ze wil niet toegeven aan haar
impuls om haar arm om moeders schouders te slaan en te
zeggen: „Toe, doe nu eens wat u zo zielsgraag zou willen doen:
naar Bert toegaan. Laat je toch niet langer in een hoekje drijven
door vader. Hij heeft het recht niet om u een bezoek aan uw
eigen zoon te verbieden."
Maar ze weet, dat het niets zal helpen. Dat ze er hooguit mee
bereikt, dat moeder opnieuw een migraine-aanval krijgt of nog
erger...

Daarom volstaat ze met haar moeder een kus op de wang te drukken en te verdwijnen met de verzekering, voor etenstijd terug te zijn. „Ik moet trouwens nog een massa leren. Ik heb niet eens tijd om te schaatsen. Maar vrijdagavond ga ik wel. Samen met Matteke en nog een stel uit de klas en na afloop gaan we naar Matteke's huis. Haar verjaardag vieren."
Om die laatste woorden kan ze zichzelf wel om de oren slaan, naderhand. Wedden dat moeder nu een deuntje aan het huilen is? Omdat Bert op precies dezelfde dag jarig is? Maar dan denkt ze weer: eigen schuld. Moet ze maar de fut opbrengen om hem te gaan feliciteren. Ik zou er feestelijk voor bedanken om me zó te laten manipuleren, ook niet door mijn eigen man.
Ilse grinnikt haars ondanks. Want er daagt in de verste verte voor haar nog geen man aan de horizon. Ze heeft er tot nu toe maar één de moeite waard gevonden, en haar toekomstige man zal dan ook op haar idool moeten lijken.

„Wat kom je nú weer doen?" vraagt Bert niet al te toeschietelijk.
„Je zou ook kunnen zeggen: Fijn, dat je er doorkomt met die kou. Offe... bedankt voor het afwassen," snauwt Ilse zusterlijk.
Berts norse trekken verzachten.
„Bedankt zusje, enne...sorry, ik ben niet in een al te beste bui, vrees ik."
„Vrees ik... vrees ik! Ik weet wel zeker, dat je in een rotbui bent, gewoon omdat je weer te veel hebt gedronken. Slappeling die je bent! Bah, ik had dat nooit van jou gedacht, dat je je er zo onder liet krijgen. Toen je studeerde was ik trots op je en je hield in die tijd ook je boeltje netjes bij, maar nu... het is hier een grote zwijnestal en dat afwassen, dat heeft Matteke gedaan, dat kind heeft hier gisteravond in de kou staan zwoegen, terwijl jij natuurlijk weer in een of andere kroeg rondzwabberde. Nou, gegróet. Ik kwam je je schaatsen brengen, maar iemand die zo onvast op z'n benen staat, moet zich maar liever niet op glad ijs begeven."
Ilse is al op de trap, als ze zich iets herinnert. „O ja," zegt ze, terugkomend, op dezelfde toon: „Je moet de groeten nog hebben. Van moeder."
Pas als ze buiten staat, realiseert ze zich, dat Bert daar zo vreemd stond. Met de rug naar haar toe. En hij haalde een paar

keer zijn neus op. Hij . . . hij stond daar voor dat vuile zolderraampje toch niet een potje te grienen? Boos op zichzelf, dat ze het weer helemaal verkeerd heeft aangepakt, door hem zo af te snauwen, buigt ze zich een kwartier later over haar boeken. Ze kan nog net een half uurtje studeren, voor moeder het eten klaar heeft.

De niet mis te verstane woorden van zijn zusje hebben Bert inderdaad murw gemaakt. Hij ís een ellendeling, een vent van niks. Hij wíl niet langer grijpen naar die tijdelijke verdoving, die roes van vergetelheid, waarop onverbiddelijk weer het ontwaken volgt en — onlosmakelijk ermee verbonden — een nóg diepere afkeer van je zelf en het leven, zoals dat zich aan jou presenteert.

Hij keert zich om, wrijft links en rechts langs zijn ogen en bekijkt nu door Ilse's ogen de rommelige zolder. „Een zwijnestal", heeft ze die genoemd. Zonder consideratie, zoals alleen een zuster dat kan doen. Maar wel eerlijk! Misschien heeft hij het nodig om eens zo ongezouten de waarheid in het gezicht geslingerd te krijgen.

Hoek voor hoek begint hij op te ruimen, tot er tenslotte niets meer rondslingert en het armoedige, schaarse meubilair hem aangrijnst, zonder tijdschriften, vuile sokken, glazen of wat dies meer zij.

Het aanrecht, keurig aan kant, beziet hij met andere ogen, nu hij weet, dat Matteke daar heeft staan ploeteren met vieze, aangekoekte pannen en vuile borden. . . en wat moet ze wel niet van de glazen en dranklucht hebben gedacht!

Hij ziet haar nu zó duidelijk rondwaren, dat hem een krachtterm ontsnapt. Zíj heeft hier staan afwassen, terwijl híj beneden. . . O, hij veracht zichzelf dat hij zich zo heeft laten gaan. Hij weet immers, dat Patricia niet al te kieskeurig omspringt met haar vriendjes? Ze maakt daar zelf geen enkel geheim van. Hij hoeft wat haar betreft ook niet de illusie te koesteren, dat er van zoiets als diepere gevoelens sprake zou zijn. Liefde, ha, een groot woord voor een beetje plezier. Liefde. . . wat houdt dat eigenlijk in?

Zou Matteke dat weten? Gek, dat hij zich dat afvraagt. Ze is nog zo jong. Ze heeft vast nog nooit iets akeligs meegemaakt in haar leven. Ja, haar vader is verongelukt, met wie ze een heel hechte band had. Zelf heeft hij zo lang hij zich kan herinneren met zijn vader in de clinch gelegen. De man irriteerde hem nu eenmaal grenzeloos. Hij wist het altijd beter. Hij liet je niet eens aan het woord komen, laat staan dat hij zich in jouw zienswijze zou verdiepen. En dan maar schermen met de Bijbel! Het had hem kopschuw gemaakt voor alles wat met geloof te maken had. Alleen als het in zíjn straatje te pas kwam met vrome teksten komen aandragen. De praktijk, dáár keek de jeugd naar tegenwoordig. Die liet zich niet meer klakkeloos een platgetrapt paadje opsturen. Die wilde zélf op onderzoek uit. Hoewel... Nou, nee, van dat onderzoek was wat hem betreft weinig terechtgekomen. Hij dacht eerlijk gezegd steeds minder na over God en wat er in de Bijbel stond. Al dat gepieker waar je toch niet uitkwam was net zo goed frustrerend. Maar toch... helemáál wegdenken kan hij Hem ook weer niet.

Bert Prins neemt het pannetje soep, zet het op de linker gaspit en houdt er een lucifer onder. Zo, eerst een kop soep en daarna zal hij een paar aardappels opbakken. Die staan er al een paar dagen. Wat is er nog meer? Vla, yoghurt? Ilse heeft gelijk om hem zo uit te foeteren. Hij moet behoorlijk eten en zijn boeltje aan kant houden.

Als hij zijn karig maal naar binnen heeft gewerkt, pakt Bert de doos die Ilse heeft meegebracht. Zijn vingers glijden over de ingevette ijzers. Hij ziet daarin duidelijk de zorgende hand van zijn moeder. Zelf zou hij er vast niet aan hebben gedacht zoiets te doen.

Ineens verlangt hij vurig naar het ijsplezier van vroeger. Wat mocht hij graag rondjes draaien. Zou hij... Maar nee, hij heeft geen geschikte kleding. Hoewel... die dikke trui die de vrouw van dokter Schaardenburg voor hem gebreid heeft, die is warm genoeg. Maar een broek... een behoorlijke broek... Weet je wat? Als hij die vrijdag eens haalde? Als hij zichzelf eens een broek cadeau deed? Hij is dan jarig en heeft ook weer geld. Hij zal het verder deze maand dan wel zuinigaan moeten doen. Nou ja, dan kan hij meteen geen drank meer kopen...

Opgewekter dan hij zich in lange tijd heeft gevoeld, zoekt Bert in de hoek waar zijn boeken staan, er enkele tussenuit. Wiskunde, ja, daarvoor had hij een prachtcijfer, maar de rest... Jammer, dat Frans Schaardenburg hem niet kon blijven pousseren. Zodra zijn praktijkjaar inging, heeft hij het laten afweten. Vanaf september draait hij echter mee in de huisartsenpraktijk van zijn vader. Frans heeft hem al enkele malen opgezocht en dringend aangeraden de draad weer op te nemen. Hij heeft zelfs aangeboden hem opnieuw voort te helpen, ondanks zijn drukke werkzaamheden. Maar tot nu toe heeft hij halsstarrig geweigerd. Hij voelt zich naast de jonge dokter helemaal een nul. En hij hoopt — gewoon uit eigenbelang — dat het niet weer aankomt tussen Frans en zijn oudste zus Hetty. Als zwager zou hij immers het récht hebben hem op te zoeken?

Verveeld klapt Bert het boek weer dicht. Zijn familie loopt nogal hard! 't Zal hem benieuwen of Hetty eraan denkt dat hij jarig is. Zij zal de zolder waar hij nu gehuisvest is wel beneden haar waardigheid vinden. Het Jagerspad... en dat voor een sjieke dame als zijn zuster! Iemand die het al tot hoofd van een typekamer heeft gebracht. Ze zal wel een salaris hebben om van te duizelen. Ja, dan heb je het recht, om voor alles hier je neus op te halen.

Zo is Bert weer teruggezakt in zijn apathische houding, waarin hij iedereen als een donker silhouet ziet afgetekend tegen een nóg zwartere achtergrond.

De doos met de schaatsen staat vergeten naast de stapel studieboeken. Bert kijkt er die avond niet één keer meer naar om.

HOOFDSTUK 3

Met tranen in de ogen kust Lisa Versloot haar oudste dochter. Op dagen als deze mist ze Tom altijd zo verschrikkelijk. Het is zo moeilijk om dan alleen te zijn en te zorgen voor haar drietal.

Maar omdat ze in Matteke dezelfde weemoed en hetzelfde gemis weet, kust ze haar met alle liefde die in haar is en feliciteert ze haar daarna zo opgewekt mogelijk.

„Je cadeautje komt pas vanmiddag. Ik heb dat Evie en Tommy beloofd. We hebben dan wat meer tijd en Evie is al weg, dat weet je.”

„Had me maar eerder geroepen. Ik voel me een luiaard. U moet ook meteen weg,” zegt Matteke en ze gooit met een zwaai haar benen buiten boord.

„Ik vind het voor Tommy fijn, dat ik niet weg hoef, vandaag. Maar ik moet wél leren, hoor mam. Ik wíl slagen.”

„Hij is gewend om 's morgens alleen te zijn, dat weet je. Hè, ik hoop toch zo, dat hij binnenkort weer naar school kan. Hij mist zijn vriendjes zo. En hier in de flat heeft hij niemand." „Nee, sneu voor hem," zegt Matteke. Meer niet. Wat heeft het voor zin om terug te denken aan hun fijne huis? Aan de buurt, waar ze altijd zo fijn hebben gespeeld en alle drie hun vriendjes en vriendinnetjes hadden?

„Gaat u nu maar, moeder. Ik maak alles wel aan kant."

„Je bent een lieverd," zegt Lisa gesmoord. „Drink straks maar gezellig wat samen en neem er alvast een stukje appelgebak bij. Het is tenslotte jóuw verjaardag."

Matteke klakt met haar tong. „Lekker! Dat doen we zéker. Trakteert u ook op de redactie?" grapt ze. Ze weet immers best, dat dat niets voor haar moeder is. Ze is altijd maar het liefste thuis en over collega's praat ze nooit. Alleen die ene keer, toen die journalist meekwam na dat personeelsfeestje. Maar ze heeft moeder er nooit meer over gehoord.

„Hoe is het toch met die meneer... hoe heet hij ook weer... die journalist?" vraagt ze, als haar moeder haar jas al aan heeft. „Waarom zien we die nooit meer?"

„O, hij is weer eens voor de krant op pad. Die zwerft meer in het buitenland dan dat hij hier is."

Matteke wil niet verder vragen. Ze wast zich en kleedt zich snel aan.

Tommy ligt al in de huiskamer op het divanbed dat er voor hem is neergezet na zijn beenoperatie. Er staat een plastic bordje op het bedtafeltje dat moeder speciaal voor hem heeft gekocht. Hij prikt traag een dobbelsteentje brood aan zijn vorkje. Als hij Matteke ziet, licht zijn witte snoetje op. „Jij bent jarig," zegt hij blij. „Vanmiddag krijg je iets heel moois. Van mammie en Evie en van mij. Blijf je de hele morgen bij mij zitten?"

„Eerst feliciteren," bedingt Matteke en slaat haar armen om de smalle schoudertjes. Ze moet iets wegslikken als ze denkt aan de Tommy van vóór het ongeluk. Zijn ronde appelwangetjes en zijn guitige ogen... O, wat was het een heerlijk boefje. Ze waren allemaal apetrots op hem, vader wel het meest... Op die bewuste dag had hij hem na zijn werk bij een jarig vriendje opgehaald. Met de auto. Omdat Tommy dat het einde vond, een autoritje met pappa. Het was inderdaad het einde geworden...

„Doe je, Mattie?"

„Niks. Wat ruiken je krullen lekker, Tommetje."

„Heeft mamma gisteren gewassen. Met lekkere zeep."

„Shampoo," verbetert Matteke. „Zeg Tom. Ik ga eerst de tafel afruimen en afwassen. Dat heb ik mamma beloofd. En dan kom ik met mijn boeken naast jouw bed zitten."

„Lees je me vóór?"

„Ja. Als we gaan koffiedrinken. En dan nemen we vast een lekker stuk appeltaart. Goed?"

„Ja. Fijn!"

Tommy laat zich getroost zijn laatste stukjes brood voeren en daarna zet hij een puzzel op het tafeltje voor zich. Matteke ruimt de kamer op en wast daarna in het keukentje de vaat. Vanmiddag zal ik nog het een en ander moeten inslaan voor vanavond, denkt ze zorgelijk. Als moeder tenminste nog een beetje bij kas is. Maar misschien krijg ik van oma geld en dan gebruik ik dat voor chips en flessen fris.

Tot half elf verdiept Matteke zich in haar Duitse grammatica en zit haar broertje stilletjes te puzzelen. Hij is gewend zich alleen te vermaken in de lange weken die achter hem liggen. Met regelmatige tussenpozen is hij voor zijn been, dat bij het ongeluk gedeeltelijk verbrijzeld is, naar het ziekenhuis terug geweest.

Even na half elf, als Matteke net een kopje koffie voor zichzelf heeft ingeschonken, wordt er gebeld. Ze doet het luik in de keuken open en ziet de jonge dokter Schaardenburg staan.

„Ik kom even kijken hoe Tommy het maakt," zegt hij.

Matteke haast zich om de deur open te maken. „U treft het, dat ik thuis ben," lacht ze.

„Dat wist ik van je moeder. Gefeliciteerd, Matteke. En ik hoop, dat het nieuwe jaar je goede dingen mag brengen."

„Dank u wel, dokter. Lust u een kopje koffie? Ik heb net gezet."

„Nou, eerlijk gezegd had ik daar al een beetje op gerekend," zegt Frans Schaardenburg monter. „Daarom kom ik op koffietijd."

Hij loopt vast door naar de kamer, waar hij zijn kleine patiënt weet. Zoveel hebben vader en hij opgetrokken met dit gezinnetje, dat ze vrienden zijn geworden. „Há, die Tom. Gefeliciteerd met je grote zuster. En kijk eens wat ik voor jou heb meegebracht, omdat Matteke jarig is?" De ogen van Tommy stralen van verwachting. Met trillende vingers scheurt

41

hij het papier van het langwerpige pakje.

„Lego," juicht hij. „Dan kan ik weer fijn verder met mijn trein. Matteke," gilt hij, „kom eens gauw. Ik heb wat van de dokter."

Matteke bewondert mee. „Tja, je bent jarig, of je bent het niet," zegt ze ingetogen.

„Maar om uw verzuim goed te maken: hier is een kopje koffie. Lust u ook een appelpunt?"

„Dat mag ik niet afslaan . . ." De jonge dokter lacht plezierig. „Eigen baksel?"

„Van moeder. Ja!"

„Die moeder van jullie is een duizendpoot. Laat ze maar niet te veel hooi op haar vork nemen . . ."

„We helpen haar zoveel we kunnen."

„Dat weet ik," knikt Frans Schaardenburg ernstig. „Van Ilse. Die heeft veel met jullie op."

„Ilse is mijn beste vriendin. We hebben veel aan elkaar," vertelt Matteke. Omdat ze elkaar veel vertellen, weet Matteke van de verbroken verloving van Hetty en de jonge dokter.

Matteke ziet er heimelijk het sympathieke gezicht van de jonge arts op aan. Hij maakt beslist geen ongelukkige indruk. Integendeel: hij heeft met Tommy de grootste schik om een mop uit een stripblad, waar hij hem iets uit voorleest.

Misschien zit het diep weggestopt, net als bij haar en bij Bert en bij zoveel anderen. Een verdriet, waar niemand aan mag raken, omdat het zó al pijn genoeg doet.

„Hoe sta jij ervoor?" informeert Frans Schaardenburg, voor hij opstaat om de rest van zijn ochtendvisites af te leggen. „Je bent een kei, volgens Ilse."

„Nou, dat is erg overdreven. Maar ik werk hard. Ik wil zo graag slagen. Om moeder, begrijpt u?"

„Ja, natuurlijk. Je bent al net zo'n flinkerd als zij is. Jullie redden het vast wel zo met elkaar. En met onze Tom gaat het volgens het rapport van de specialist ook naar wens. Hij mag zondag proberen even op krukken te lopen . . . Een paar rondjes door de kamer en dan langzaam uitbreiden."

Terwijl dokter Schaardenburg junior de galerij afloopt, bepeinst hij hoe het mogelijk is, dat dat kleine joch weer zo goed hersteld is na zijn levensgevaarlijke verwondingen, indertijd. Afgezien dan van het gedeeltelijk verbrijzelde scheenbeen, dat door kunststof is vervangen.

Vóór hij in zijn auto stapt kijkt hij nog even op naar de

grauwe steenmassa. Zijn ogen nadenkend.

Via Matteke gaan zijn gedachten naar de familie Prins. Hij weet, dat Ilse's ouders nog steeds hopen op een hereniging met Hetty. En hoewel hij haar na hun verbroken verloving al weer vele malen heeft ontmoet, heeft hij nog altijd geen beslissing genomen. Hij weet, dat Hetty's gevoelens voor hem niet veranderd zijn, dat ziet hij aan de manier waarop ze naar hem kijkt, als ze elkaar bij de een of andere gelegenheid tegen het lijf lopen...

Maar hij is vuurbang voor een nieuwe ontgoocheling... Hij moet nu dubbel oppassen. Er wordt op hem gelet, sinds hij „de jonge" dokter Schaardenburg is. Hij mag het vertrouwen van hun vele patiënten niet verspelen door lichtzinnig om te springen met meisjesharten...

Fluitend tuft hij naar het volgende adres. „Zijn" zieken hebben recht op een opgewekte dokter aan hun bed. En dokter ís hij, in hart en nieren...

's Middags tegen theetijd arriveert Matteke's oma in een grote zwarte taxi. Matteke en haar moeder staan al beneden te wachten om het invalidenwagentje de lift in te kunnen rijden. Oma, netjes gekapt en keurig in haar zwarte wintermantel, kijkt lachend naar haar jarige kleindochter. „Van harte, meiske. Wat ben ik blij, dat ik het weer méé mag maken."

Matteke streelt even liefkozend langs oma's lieve gezicht. Oma is een schat... Ze helpt moeder nogal eens als die extra uitgaven heeft en ook Evie en zijzelf krijgen vaak iets toegestopt...

Eenmaal boven, op haar eigen plaatsje voor het raam, naast Tommy's bed, wenkt oma haar jarige kleindochter. „Ik heb maar wat in een envelopje gedaan, kind. Dat komt altijd van pas, niet? Misschien heb je een jurkje nodig, of schoenen, nou ja, je ziet zelf maar."

Matteke bedankt haar hartelijk. Ze scheurt de envelop open en ziet twee briefjes van honderd. Sjonge, daar kan ze fijn de extra's mee betalen voor vanavond.

Zodra ze haar moeder in de keuken alleen treft, fluistert ze: „Kan ik nog even naar het winkelcentrum om wat voor vanavond te halen? Wat flessen en nootjes en chips..."

„Kom eens mee," zegt Lisa vrolijk. Ze steekt haar arm door die van haar dochter en trekt haar mee naar de douchecel. „ Kijk eens, meteen uit kantoor gehaald," wijst ze op het rek met flessen. „En in de keukenkast ligt van alles. Kijk zelf maar of het genoeg is."

Matteke is sprakeloos. „Heb jij met al die flessen gesleept, moeder-mijn?" bestraft ze Lisa.

„Meneer van Houtum heeft me geholpen," verklaart haar moeder haastig. „Hij gaf me een lift tussen de middag. Mijn band was lek. En toen kwam het gesprek op jou. Ik vertelde dat je jarig was en dat ik nog wat in moest slaan. Nou en toen bood hij aan even mee te gaan naar het winkelcentrum."

„Aardig van hem. U had hem wel mogen vragen om van-avond wat te komen drinken. Omdat hij zo fijn geholpen heeft."

„Dat wilde ik ook doen, maar..."

Matteke kijkt haar moeder onderzoekend aan. Achttien, denkt Lisa ineens bevangen. Ze is geen kind meer. Ze is een jonge vrouw, als ze kijkt zoals nu.

„Waarom deed u het niet?"

Lisa begint ineens te proesten. „Het lijkt wel alsof jij de moeder bent en ik het kind."

Matteke schiet nu ook in de lach. „Ja, hoor eens, als u ook zo geheimzinnig doet. Waarom vroeg u hem niet gewoon om te komen?"

„Omdat... hè, laat me toch eens uitspreken, Mat. Omdat hij zichzelf al had uitgenodigd vóór ik er mee op de proppen kon komen."

„Een journalist die zijn vak dus goed verstaat. Ja, mam, dat zal hij wel zo gewend zijn... hij zal altijd zelf initiatief moeten nemen, anders vist hij met zijn nieuwtjes achter het net."

„Zo had ík het nog niet bekeken, wijsneus. Kom, we gaan terug naar oma en de anderen."

In de kamer vertelt Matteke nog eens aan oma, wat de dokter over Tommy heeft gezegd en die laat op zijn beurt zien, wat hij van zijn vriend gekregen heeft.

De oude mevrouw Stegeman bewondert het stationnetje, dat Tommy al keurig in elkaar heeft gezet. „Als hij al zijn patiënten zo verwent, zal hij wel gauw failliet zijn," merkt ze langs haar neus op.

„Ach, hij heeft zoveel met ons meegemaakt. Hij en zijn vader zijn als vrienden geweest voor ons en nóg," zegt Lisa Versloot warm. „Nee, ik zal niet gauw een kwaad woord van hen willen horen. De Schaardenburgs zijn nog huisartsen van de oude stempel. Zo vind je ze niet vaak meer, tegenwoor-

dig. . ."
„Misschien kan dat ook niet met zulke grote praktijken,"
aarzelt oma.
„Een grote praktijk hebben zíj ook. Nee, ik denk. . . het
komt omdat ze echt begaan zijn met 'hun' mensen. Ze schepen
je niet af met een receptje en een schouderklopje."
„Kunnen we een beetje vroeg eten, moeder? U weet, dat we
eerst naar de ijsbaan gaan," vraagt Matteke.
„Ik ga ook mee," beslist Evie.
„Niks ervan. Jij helpt mij en doet met Tommy nog een
spelletje. Het is Matteke's verjaardag en jij bent pas veertien."
Evie verlaat mokkend de kamer. Lisa's moeder kijkt haar
bezorgd na. Een moeilijke leeftijd, denkt ze en ze hééft een
ander karakter dan Matteke. Ik moet haar maar gauw weer
eens een middagje mee uit vragen, dan kan ik wat met haar
praten.

De verlichte ijsbaan biedt die vrijdagavond een fleurige aanblik. Het is niet al te koud: de snijdende noordoostenwind is
afgenomen en het is er dan ook een drukte van belang. Al die
mensen in hun fleurige truien en jacks, met dito sjaals en
mutsen, een vrolijk muziekje golft uit de versterkers. . .
„Sfeertje, niet?" vraagt Wibo Baan glunderend aan de jarige. „Een moordidee van jou, Mat. Zeg Ilse, wat denk je van
een rondje?" „Een moordidee," zegt ze hem plagerig na en is al
verdwenen vóór hij zelf ook maar één slag gemaakt heeft.
Ilse, in haar witte ijstrui, met vuurrode broek en dito sjaal en
mutsje, ziet er hartveroverend uit. Tenminste. . . dat is het
oordeel van Wibo, die haar als een pijl uit de boog nagaat.
` Esmé lacht schamper. Ze begrijpt niet dat Ilse altijd maar
weer de aandacht trekt van de jongens, terwijl zij zelf eigenlijk
veel knapper is. „Wat stelt Wibo zich toch aan," zegt ze en legt
een hand op Jaaps arm. „Rijd jij met mij?" vraagt ze dan met
haar liefste stemmetje. Maar deze, een lange jongeman met een
donkere uilebril, waarachter een paar schrandere ogen, buigt
overdreven diep voor Matteke, zodat hij bijna een schuiver
maakt. „Het zal mij een eer zijn met de jarige een baantje te
rijden," zegt hij, en zonder nog naar Esmé om te zien, neemt hij
Matteke mee.
Esmé spuit nu haar gram bij Petra van Laar, maar die heeft
weinig zin om er naar te luisteren. Waarom heeft Matteke dat
vervelende kind uitgenodigd, denkt ze, en dan gaat ook zij er

vandoor. Wellicht ziet ze nog meer lui van school en ze hebben afgesproken om acht uur bij de grote zopie-en-koek-tent wat te gaan drinken.

Esmé blijft mokkend achter. Ze heeft geen zin om in haar eentje aan de zwier te gaan. Zo'n heldin is ze niet op de schaats. Ze heeft dan ook meer belangstelling voor de ronddraaiende heren der schepping dan voor het sportieve gebeuren op zich. Daarom blijft ze wat bij de warme-drankenkraam omhangen. Als ze wat huiverig wordt, bestelt ze maar vast een dampende kop chocolademelk met een koek. Zoveel zullen we vanavond niet krijgen, denkt ze. Het is daar maar een armoedig boeltje bij Matteke thuis. Haar moeder moet werken om de kost te verdienen en als je ziet hoe Matteke er soms bijloopt met die eigengewrochte bloesjes en broeken... zij zou ervoor passen. Als het nu nog modern was, of in ieder geval zo, dat het niet van gekochte kleding te onderscheiden was... Nou, enfin, ze is gegaan omdat ze wist dat Wibo ook komen zou. Ze wil alles op alles zetten, om hem als vriend te krijgen. Niet omdat ze hem zo de moeite waard vindt, o lieve help, nee, maar ze kan het niet uitstaan dat een kind als Ilse hem zo nonchalant afwijst, alsof ze wonder wat is. Haar vader heeft notabene fraude gepleegd bij de N.A.P., waar haar eigen vader een vooraanstaande positie bekleedt. Zodoende weet ze precies wat er indertijd is voorgevallen.

Meneer Prins heeft de zaak voor een groot bedrag opgelicht en nu doen ze net, alsof er nooit iets gebeurd is. Ilse zelf ook. En dan is er nog dat geval met die gesjeesde broer van Ilse. Bah, wat een vent. Je zou hem een stuiver geven... een landloper is er niets bij. Zou Wibo dat niet weten? Hij komt zelf uit een eersteklas familie... Als ze zich goed herinnert, was hij er indertijd ook bij, toen Ilse's broer die ijssalon binnenkwam. Nee, ze heeft weinig zin zich met die mensen in te laten.

Esmé deponeert haar bekertje in een grote afvalbak. Als ze opkijkt, ziet ze tot haar schrik de bewuste persoon de tent binnenstappen. Of vergist ze zich? Hij draagt nu een behoorlijke trui, moet ze eerlijk bekennen. Maar als haar ogen afdwalen naar de verschoten broek eronder en daarna teruggaan naar het smalle gezicht met de felle ogen en naar zijn veel te lange haren, weet Esmé het ineens heel zeker: dit is de broer van Ilse Prins.

En dan steekt ineens een kwelduiveltje zijn kop op in Esmé's

46

afgunstige binnenste. Ze schuifelt op haar schaatsen naar hem toe en vraagt met haar onschuldigste gezicht: „Ben jij niet de broer van Ilse Prins? Ik dacht je te herkennen van die keer in de ijssalon. Toen was je zonder werk, geloof ik en je was blut." Esmé lacht kort. „We hebben je nog op een sorbet getrakteerd."

„Een tien voor je geheugen. Offe... trakteer je niet vaak mensen die platzak zijn, zoals ik? Dat je het daarom nog zo goed weet?"

Bert Prins draait zich zonder Esmé verder één blik waardig te keuren om. Het liefst had hij rechtsomkeert gemaakt. Maar de belofte aan Ilse die middag gedaan, zit hem niet lekker. Zij had als enige toch maar de moeite genomen hem te komen feliciteren. Van zijn ouders had hij een nietszeggende felicitatiekaart ontvangen. Wat had hij eraan? Waarom niet zelf gekomen, maar hem gemeden alsof hij een melaatse is?

Hij heeft intussen wel de pé in na de woorden van Ilse's knappe klasgenote, waarin hij duidelijk het venijn geproefd heeft.

Maar afgezien van zijn belofte aan Ilse, wil hij toch ook zo zielsgraag het meisje zien dat tegelijk met hem verjaart. Hij heeft haar nog niet eens bedankt voor de ongevraagde hulp.

Dus rijdt Bert zijn eenzame rondjes, zoveel mogelijk aan de buitenkant. Bang om gezien en herkend te worden...

Toch is het Matteke zelf die hem opmerkt. Dat is niet zo verwonderlijk, want Ilse heeft haar vanavond toegefluisterd, dat Bert beloofd heeft op de ijsbaan aanwezig te zijn. Nadat ze onophoudelijk links en rechts gespeurd heeft, geeft ze haar partner ineens een elleboogstoot. „Stop even, Wibo. Ik zie iemand die ik persé spreken moet. Vind je 't erg?"

Hij schudt lachend zijn hoofd. „Welnee, over Wibo hoef je je nooit zorgen te maken. Ik zie Ilse aankomen. Eens kijken, of ik haar nú vermurwen kan."

Toch wel zielig voor hem, denkt Matteke vaag. Wibo meent het echt en Ilse ziet niets in hem. Nou, enfin, hij weet waar hij met Ilse aan toe is. Ze heeft hem duidelijk genoeg te verstaan gegeven, dat ze niets méér in hem ziet dan een goede vriend.

Als ze Bert heeft ingehaald, voelt ze haar hart bang bonzen. Misschien wil hij niet eens met haar praten. Hij schaamt zich natuurlijk, helemaal, als hij begrepen heeft, dat zíj die rommel op zijn zolder heeft staan opruimen. Ilse heeft een antwoord omzeild toen ze haar op de man af vroeg, of ze tegenover haar broer gezwegen had.

Waar de baan ombuigt, houdt Bert ineens zijn vaart in. Net als alle schaatsers. Maar hij begint daarna zo wild met zijn armen te maaien, dat Matteke ieder ogenblik verwacht, dat hij zal vallen. „Bert, pas op," gilt ze in haar schrik. Maar het is al te laat. Hij blijft met zijn schaats in een scheur steken en slaat met een klap voorover.

Matteke is de eerste die naast hem neerknielt. „Bert, heb je je erg bezeerd?" vraagt ze angstig. Hij zit alweer overeind. Geschrokken door de onverwachte val, maar meer nog omdat zoveel mensen zich met hem gaan bemoeien.

„Welnee," probeert hij zo luchtig mogelijk te zeggen, maar Matteke ziet zijn gezicht vertrekken van pijn. Wat lijkt hij spookachtig bleek bij het neonlicht van de booglampen. „Kun je staan?" vraagt ze benepen. Ze pakt hem onder een arm en één van de omstanders ondersteunt hem aan de andere kant. Er vlijmt echter zo'n scherpe pijnscheut door hem heen, dat hij een kreet niet kan onderdrukken. „Au, mijn enkel."

„Natuurlijk gebroken, jongeman," zegt ter bemoediging iemand uit de kring nieuwsgierigen. „Is er een dokter in de zaal?" grapt een ander.

„Die is er," zegt Bert zelf, met een dunne stem. „Ik heb hem zien rijden. Dokter Schaardenburg. Ik zag hem zojuist voorbijkomen."

Liever Frans dan een wildvreemde, bonkt het door zijn hoofd. Zo'n vent merkt natuurlijk meteen dat ik heb gedronken... dat ik daardoor onvast op mijn benen sta.

Via de luidsprekers wordt dokter Schaardenburg opgeroepen en al na enkele minuten is hij op de plaats waar zich tientallen schaatsers verzameld hebben.

„Allemaal opzij," commandeert Frans. „Vooruit, jij ook, jongedame.... Hé, Matteke," roept hij dan verrast uit. „ Verleen jij hier E.H.B.O., kind?"

„Het is Bert, de broer van Ilse," verklaart ze, op de onfortuinlijke schaatser wijzend.

„Bert, kerel. Zoek jij dubbeltjes op het ijs?"

Frans' kundige doktershanden betasten inmiddels de gekwetste enkel al. „Ik kan hier niets zien. Ik vermoed, dat hij alleen gekneusd is, maar zeker weten doe ik het niet. Weet je wat? We brengen je met mijn wagen thuis. Zijn er een paar sterke kerels die mij willen helpen? Ja, maak maar een draagstoel van jullie armen. Hij mag beslist niet lopen." Frans werpt een blik op het meisje dat nog steeds bewegingloos staat toe te zien.

„Is Ilse hier ook? Ja? Waarschuw haar dan even als je wilt." Matteke kijkt verwezen toe hoe de levende draagstoel zich langzaam verplaatst met Bert erop gezeten. Eerst wanneer ze de kant bereikt hebben, komt ze in beweging. Ze schaatst vlug naar het begin van de baan, tot voor de grote consumptietent. Ze ziet Esmé verveeld tegen het voorzeil staan, uit de wind.

„Heb jij Ilse soms gezien? Haar broer heeft een ongeluk gehad."

„Ilse's broer?" Esmé schrikt. „Ik heb net nog met hem gepraat. Kijk, daar gaat Ilse. Met Wibo. Ik zal wel even..."

Ze is al snel terug met een dodelijk verschrikte Ilse. „Wat is er gebeurd? Was dat Bert soms, daar bij dat oploopje? Ze zeiden dat er iemand gevallen was."

„Het is zijn enkel. Waarschijnlijk gekneusd; hij heeft veel pijn. Dokter Schaardenburg was toevallig ook aan het schaatsen. Hij brengt hem met zijn auto naar huis."

„Ik ga er achteraan," zegt Ilse beslist en begint meteen al de veters van haar witte laarsjes los te maken.

„Zal ik met je meegaan?" vraagt Matteke impulsief.

„Bén je... het is jouw verjaardag immers?"

„Die van Bert evengoed," wil Matteke zeggen, maar dat durft ze toch niet.

Vóór Ilse klaar is met haar schaatsen, voegen Wibo en Esmé zich bij hen.

„Ik breng je wel even, ik ben met mijn mini'tje," zegt Wibo tegen Ilse. „Kom maar vlug mee."

Eenmaal voorbij de kassa, zien ze nog net hoe Bert de auto van de dokter wordt ingeholpen. Ilse snelt op Frans Schaardenburg toe, die juist zijn beide helpers bedankt.

„Frans," vraagt ze wat ademloos, „mag ik met je meerijden? Dan hoeft Wibo niet voor mij van de ijsbaan weg. Ik wil graag mee naar Berts huis."

„Stap maar gauw in, Ilse." Frans geeft de jongelui een kort knikje en stapt in. Ilse volgt zijn voorbeeld.

„Toe, gaan jullie nu terug. Het is immers Matteke's feestje?" smeekt Ilse Wibo. „Ik zal wel zien," schokschoudert hij. De glans is er voor hem af, nu Ilse vertrokken is.

De andere twee hebben zich inmiddels ook bij Matteke en Esmé gevoegd, als Wibo bij hen terugkomt. Nadat hij verslag heeft uitgebracht, zegt Matteke peinzend: „Ik zou zelf ook graag willen weten hoe het met Ilse's broer is. Het is zo sneu voor haar, dat ze nu al weg moet."

„Nou, dan gaan we er toch samen even langs? Weet iemand waar hij woont?" vraagt Wibo, opgemonterd door dit nieuwe gezichtspunt.

„Ja, ik wel." Matteke kijkt onzeker naar haar vier klasgenoten: Jaap en Wibo, Petra en Esmé. Vooral om de laatste aarzelt ze met haar antwoord. Maar het verlangen om te weten hoe het met Bert is, wint het van haar tegenzin om zijn armoedige verblijfplaats prijs te geven.

„Ik zal het je wel wijzen," keert ze zich dan rechtstreeks tot Wibo.

In zijn felgroene wagentje, dat wonder boven wonder de keuring heeft doorstaan, hobbelen ze door de stille straten.

Zonder zijn verwondering te laten blijken, volgt Wibo Matteke's aanwijzingen: links, weer links, rechts... links...

Esmé achterin, poetst het raampje schoon. „Waar zijn we eigenlijk? Hè, wat is het hier aardedonker."

„Stel je niet aan," zegt Petra spottend. „Kijk omhoog, Sammy... moet je eens zien, wat een sterren... plus een maantje om te zoenen, Esmeralda..."

Esmé zwijgt verongelijkt. Onbenullig stelletje. Wat doet ze eigenlijk bij dit clubje? Maar dan kijkt ze naar het hoofd vóór haar, dat ze maar vaag kan zien in het donker... Wibo... ja, híj is toch wel de moeite waard.

Zodra de auto stilstaat, zegt ze: „Ik blijf hier wachten, hoor. Ik zit hier best."

„Zelf weten, het wordt hier zo dadelijk een ijskast," zegt Wibo nonchalant. Hij gaat samen met de anderen naar het huisje, waarvan Esmé slechts vaag de contouren kan zien.

„Armoedig gedoe, beslist een achterbuurtje... Nou, mij ook zo'n broer," spot ze in zichzelf.

Matteke loopt voorop. Zij kent tenslotte het beste de weg. „Achterom, jongens. De dokter is er nog, ik zag zijn auto staan." In het achterhuis brandt net als anders een klein lampje. „Ik kijk eerst wel even alleen boven. Goed?"

„Ja, wij wachten hier wel," fluistert Wibo, ook al vanwege het ongewone.

Matteke gaat zo stil mogelijk naar boven. Op de zolder ziet ze Bert op zijn veldbed en de dokter op zijn knieën vlak ervóór.

Ilse, die net een ketel water vult, ziet Matteke's hoofd in het trapgat. „Kom verder," wenkt ze. „De dokter zwachtelt net

Berts enkel. Hij is behoorlijk blauw en opgezet, maar niet gebroken, volgens dokter Schaardenburg."

Frans verbijt heimelijk een glimlach. Die Ilse, die hem in gezelschap zo keurig be-doktert, terwijl hij toch zoiets als een huisvriend is in huize Prins.

„Zo, jongeman, jou zal dit schaatspartijtje nog een dag of wat heugen. Ik kom overmorgen terug om ernaar te kijken."

„Graag," mompelt Bert links. Hij voelt, ondanks de felle pijnscheuten, dat er iets schort aan de verstandhouding tussen Frans en hem. Anderhalf jaar geleden heeft hij zelf nogal bot een streep gezet achter de hulp die Frans hem maandenlang uit eigen beweging heeft gegeven. Hij blokte voor zijn staatsexamen, maar heeft het grandioos laten afweten, toen Frans zelf voor zijn laatste examen zat. Zónder diens hulp was hij al gauw weer teruggevallen in de impasse van vóór zijn werkwoede... het lukte hem toch niet. Hij was al op zóveel scholen mislukt. Hij kon toch niets volgens zijn vader. Nou, daarin had de man nu eens gelijk gekregen... hij was geen doorzetter, zoals Frans. Die was notabene nu al praktizerend arts, al was hij slechts een jaar of zes ouder dan hijzelf...

Frans had terstond ontdekt, dat hij niet al te vast op zijn benen had gestaan. Geen wonder, dat hij onderuit was gegaan. Hij mocht nog van geluk spreken, dat het zo was afgelopen.

Bij Ilse's woorden veert Bert overeind, maar hij moet dat met een nieuwe pijnvlaag bekopen. „Liggen blijven, zei ik toch?" De stem van Frans klinkt niet onvriendelijk. In zijn hart heeft hij bepaald met de jongen te doen, maar dat mag hij hem niet laten merken.

„Daar hebben we nog meer bezoek," zegt hij monter. „Nou, Bertus, je hebt niet over belangstelling te klagen, zou ik zeggen."

„Het is zijn verjaardag," merkt Ilse fijntjes op. „En ook die van Matteke. Dus dokter, er kan volop gefeliciteerd worden."

„Heks," lacht Frans. „Jongelui, ik weet niet helemaal zeker of ik in het ootje word genomen, maar mocht één van jullie jarig zijn, dan van harte..."

„O-ho...," blaast Matteke verontwaardigd, „u weet best dat ik jarig ben. U hebt vanmorgen notabene nog een stuk appeltaart gehad bij ons."

„O, was dat, omdat jij jarig bent?"

Frans lacht bulderend om Matteke's verontwaardigde toet. „Jongelui, ik maak dat ik weg kom. Het is mijn vrije avond.

Dacht ik me daar fijn te kunnen schaatsen..."

„Echt sneu voor je, Frans," zegt Ilse gedempt als ze meeloopt naar de trap.

„Welnee, meisje, ik plaagde maar wat. Ik ben veel te blij, dat ik toevallig aanwezig was. Ik kom gauw weer eens bij jullie aanwippen, goed?"

„Fijn," zegt Ilse blij. „Daar houd ik je aan, Frans."

„En dan zetten wij samen eens een flinke boom op," belooft hij.

Ik moet met haar praten, neemt Frans zich voor. Lieve help, dat kind heeft maandenlang rondgetobd met haar broer, zonder dat iemand dat wist. Een felle woede tegen de mensen die de ouders zijn van het tweetal laait in hem op. Toch zal ik ze te vriend dienen te houden, wil ik daar een entree houden, in dat opgetuigde huis, weet hij. Omwille van dat blonde kind, met haar veel te ernstige droomogen...

Op hetzelfde ogenblik ziet hij twee bijna gelijk getinte ogen voor zich: ogen, waarin diepweg nog altijd verdriet spiegelt: Hetty's ogen!

Stop, ouwe jongen, nu niet weer gaan piekeren. Kijk liever waar je loopt, zo comfortabel is deze afdaling niet.

Beneden stuit hij op de klasgenoten van Ilse en Matteke.

„Mogen wij bij de patiënt kijken, dokter?" vraagt Wibo vrijmoedig.

Frans knikt instemmend. Een aardige, spontane vent, en de anderen lijken hem ook vrolijk gezelschap voor de sombere patiënt.

„Maar niet te lang. Hij heeft veel pijn op het ogenblik."

Achter elkaar stommelen ze naar boven, terwijl de jonge dokter diep in gedachten zijn auto richting huis dirigeert.

De ijsgenoegens hebben voor hem plotseling geen bekoring meer.

HOOFDSTUK 4

„Ha, de glazenwasser!"

Verbouwereerd staart Ruud van Houtum naar de kleine Tom.

Maar als hij Lisa's gezicht ziet, schiet hij in de lach. „De glazenwasser," hikt hij. „O, help, ik blijf erin! Ik... o... ik was het allang weer vergeten. Ja, Lisa, jouw zoon is een pienter mannetje. Mag ik even voorstellen: de glazenwasser..."

Lisa's gezicht is één en al vraagteken. Eigenlijk geneert ze zich een beetje voor Ruuds vrolijkheid, al is het dan ook Matteke's verjaardag.

Steels kijkt ze naar haar moeder, die ook al bevreemd naar de man met het weerbarstige krulhaar kijkt.

„Toe, Ruud," geeft ze hem voorzichtig een hint.

Dat werkt alleen maar meer op zijn lachspieren. Hij duwt Lisa een bos bloemen, zorgvuldig in lagen papier verpakt, in de handen en tovert voor Tommy ook iets te voorschijn.

Dan pas reikt hij de dame met het sneeuwwitte haar de hand. „Mevrouw, neemt u mij niet kwalijk, dat ik zo gek binnenval. Ik ben Ruud van Houtum, een collega van Lisa. Het komt door Tom, wat hij zei. Ik zag me zelf ineens weer op die wiebelende ladder de ramen staan lappen.. een werkje dat ik voor het eerst in mijn leven opknapte. En... nou, ik dacht zo bij mezelf dat ik het 'm nog niet zó slecht had gelapt."

„Praat geen wartaal, Ruud," vraagt Lisa geprikkeld, „mijn moeder begrijpt niets van je verhaal en ik nog minder."

„Tommy des te beter. Tom, vertel ze hier eens, wanneer jij mij voor het eerst hebt gezien!"

„Op de ladder," gilt Tommy prompt. „Je viel bijna tegen het raam. En je zwaaide."

„Jij niet naar mij. Maar dat snap ik. Ik was een vreemde snoeshaan voor jou."

„Dat ben je nóg," meesmuilt Lisa, wie een lichtje opgaat. „ Heb jíj dus, Ruud...? Mijn buurvrouw heeft me er over aangehouden. Of ik vragen wilde, waarom hij niet bij haar geweest was, als ik de glazenwasser zag. Volgens haar heb je alleen bij óns schoongemaakt."

„Vanzelf! Je denkt toch niet dat ik zo altruïstisch ben, dat ik bij hele volksstammen de ramen ga lappen, alleen om iets meer over jou aan de weet te komen, Lisa?"

Er trekt een diepe blos over Lisa's wangen. Ze voelt zich meer dan opgelaten. Wat moet moeder wel niet denken?

Ruud merkt niets van haar verlegenheid. Hij is druk doende Tommy te helpen met uitpakken. Glunder houdt het ventje een stripboek omhoog. „Matteke is jarig en ík krijg de pakjes," zegt hij tevreden.

„Wát? Is je dochter jarig? Dat had je vanmorgen best eens kunnen vertellen, Lisa," zegt Ruud schijnheilig.

Lisa geeft hem met dezelfde maat terug. „Och, waarom? Je weet: ik houd mijn privé-leven liever privé."

„Ja, óf ik dat weet! Vandaar dat glazenwassersplan. Ik heb er zelfs een vrije morgen voor moeten opnemen."

„Nou ja! Zo'n idioot plan kan alleen Ruud van Houtum maar bedenken. Nee moeder, lach er alsjeblieft niet om. Ik vind het méér dan brutaal om op deze manier. . . om zo. . ." Lisa Versloot stottert ervan.

Maar de oude dame heeft schik om het voorvalletje. „Toe Lies, bekijk het nu eens van de humoristische kant. Meneer van Houtum heeft je alleen maar willen helpen, daar ben ik van overtuigd. En als jij nu op kantoor iedereen zo op een afstand houdt. . . je hebt vríenden nodig, kind. Je kunt niet alles in je eentje opknappen."

„Ik red het heus wel," zegt Lisa strak.

Ruud kijkt opmerkzaam naar het trotse, gesloten gezicht. Heel haar houding drukt afweer uit. Bemoei je niet met mij, met óns. . . straalt ze uit. Hij voelt diep-weg een verdriet knagen. Zal hij ooit een vriend mogen zijn? Een vriend. . . of meer? Hij betwijfelt het ineens sterk. Om zijn onzekerheid te verbergen, begint hij druk met Lisa's moeder te praten en tussendoor helpt hij Tommy met zijn legowagons.

Tot hij Lisa's blik steeds vaker naar de klok ziet dwalen. Het herinnert hem aan de eerste keer dat hij hier was.

„Waar zijn de meisjes?" vraagt hij, middenin een zin.

„Evie is gaan schaatsen. En Matteke ook. Met een stel uit haar klas. Ze zouden om negen uur hier zijn om haar verjaardag nog wat na te vieren."

„En nu is het twintig over," plaagt Ruud. „Toe, Lisa, de jeugd kijkt niet op een kwartier. Ze hebben grote pret op het ijs en vergeten de tijd."

„Afspraak is afspraak," zegt Lisa stroef. „Matteke weet hoe gauw ik mij ongerust maak. . ."

„Ze is jarig," pleit oma nu ook. „Wees blij, dat ze weer een beetje plezier hebben. Ze zijn immers jong, kindje."

„U weet best dat ik alles en alles voor ze over heb. Maar na dat van Tom. . . U wéét toch hoeveel angst ik bij me draag?"

Mevrouw Stegeman zou nu haar armen om haar kind willen slaan en het troosten net als toen ze nog klein was. Maar haar wagentje belet haar dat. Het is hier toch al overvol en dan ook nog die rolstoel erbij. Maar ik blijf voor je bidden, mijn kind, denkt ze. Ik vraag God iedere dag of jij je wilt láten vinden, of Hij je opstandigheid wil breken, zodat je weer net als toen Tom nog leefde, samen met je drietal tot God gaat met je zorgen. Hij zóekt jou, zoals Hij ieder mensenkind zoekt."

Ruud zou intussen ook het liefst gevolg geven aan zijn impulsieve hart dat hem sommeert haar zonder meer in zijn armen te nemen en te troosten. Waarom maken de mensen het elkaar toch zo moeilijk? Waarom niet de hulp, de steun en liefde gegrepen, die geboden wordt? Het is dikwijls eigen schuld, als mensen alleen tobben en eenzaam zijn... Niet altijd, natuurlijk, maar toch... in zo'n geval als van Lisa...

Ruud doet niets. Het kost hem bijna bovenmenselijke inspanning, maar hij weet, dat hij het tegenovergestelde bereiken zou, door overijld te werk te gaan.

Om half tien komt Evie binnendwarrelen. Met rode, blozende appelwangen en verwarde haren.

„Lol gehad!" roept ze al bij de deur. „Dag oma, dag mam, Tom... O, dág meneer..." Het laatste op een totaal andere toon, wat Ruud meer dan woorden grieft.

Heks, denkt hij. Je wilt mij hier niet. Maar ik laat mij niet wegsturen door zo'n puber. Wat denk je wel?

Gemoedereerd steekt hij zijn hand uit, die Evie niet wenst te zien. Maar Ruud grijpt dat onwillige handje en feliciteert haar nadrukkelijk met haar grote zus.

Evie rukt zich los. Een ogenblik flitst het in haar blauwe ogen.

„Mam, er is een ongeluk gebeurd. Met Ilse's broer. Die was ook op het ijs. Hij is in een scheur blijven steken en gevallen. Maar gelukkig was dokter Schaardenburg er ook. De jónge... En díe heeft hem geholpen en Matteke is nu nog eerst met Ilse en de anderen mee naar die broer..."

„Gelukkig," verzucht Lisa opgelucht. „Ik maakte me al ongerust. Matteke zou hier om negen uur zijn met het stel. Kom, Tom, jij moet nu naar je bedje."

„En ik mocht opblijven tot Matteke thuis zou komen," zeurt hij.

„Ja. Maar dat kan nu nog wel even duren. Stel je voor, dat de dokter méé terugkomt en jou hier óp ziet zitten met je zere pootje... dan zou je wat te horen krijgen."

„Kom maar, ik draag je wel," biedt Ruud aan en hij heeft het ventje al in zijn sterke armen. „Geef oma maar een kusje en

Evie..."

Uitslover, smaalt die in stilte. Om mamma te paaien doet hij aardig tegen ons. Alsof ik dat niet doorheb. Nou, mij pakt hij niet in... die vent is gék. Hij is vast wel tien jaar jonger dan mamma. Pftt, zou je ze op school moeten horen. Het lijkt wel iets uit een roddelblaadje... daar scheidt en trouwt ook iedereen maar en letten ze niet op leeftijdsverschillen.

Hautain steekt ze haar neusje in de lucht, en het is juist deze pose van „volwassen-willen-wezen-en-het-nog-niet-zijn" die Ruuds lachkriebels opwekt.

Och, kriel, denkt hij vertederd, en in het voorbijlopen rijmt hij: „Tommy, geef je kleine zusje maar een lekker kusje..."

Even lijkt het erop, dat Evie mee zal gaan proesten, maar de oplettende ogen van haar moeder bedwingen die impuls.

Nee, ze blijft bij haar afwijzende houding ten opzichte van die lange man met zijn jongensachtige krullekop.

Ze doet, wat haar het meest beledigende toeschijnt: ze keert Ruud de rug toe en bedient zich royaal van de schaal met gebak.

„Mag ik ook koffie? Gloeiend heet en in een mok graag."

„Als je die zelf eens haalde?" vraagt oma vriendelijk. „Je moeder is al zo lang in touw."

„En ik dan? Ik was nog eerder de deur uit dan zij, vanmorgen," antwoordt Evie brutaal.

„Dan zal oma het wel doen, maar dat gaat wat moeilijk vanwege mijn rolstoel."

„O, ik ga al! Wat een drukte om niks."

De deur slaat met een klap achter Evie dicht.

„Je moet haar harder aanpakken, Lies."

„Ach moeder... ik word er soms zo moe van. Als Tom er nog was, zou alles gemakkelijker zijn."

„Natuurlijk. Maar Tom is er niet meer. Dat moet je onder ogen zien. En daar moet je ook van uitgaan, voortaan. Je moet nu andere wegen zoeken en inslaan voor jou en voor je kinderen."

Lisa voelt wel de verborgen bedoeling achter moeders woorden. Maar ze wil daar niet op ingaan.

Ze weet zelf niet, dat haar gezicht dezelfde trots weerspiegelt als dat van haar jongste dochter zoëven.

„Ik red het best alleen," zegt ze nog eens met nadruk.

De oude mevrouw Stegeman zucht verstolen.

„Sorry mam," zegt Matteke verontschuldigend, als ze met haar visite binnenkomt. „We hadden echt eerder willen komen, maar het zit zo . . ."

„Heb ik allang verteld, hoe het komt," gilt Evie vanaf de gang. Zodra ze haar zusje hoorde, is ze als een duveltje uit het doosje tevoorschijn gekomen. Hopelijk stapt die bemoeial nu meteen op. Trouwens, oma zal ook wel terug moeten naar haar verzorgingsflat.

Matteke doet alsof ze de opmerking van Evie niet heeft gehoord. Nadat ze Ruud van Houtum heeft begroet, vertelt ze nog eens wat er precies is gebeurd. Lisa gaat naar de keuken om koffie en fris te halen.

„Moet dat ook mee?" hoort ze de stem van Ruud achter zich. „Die schaal met gebak? Ja, als je het doen wilt."

„Voor jou doe ik alles, Lisa. Zelfs ramen lappen. Dat heb je toch gehoord?"

Lisa reageert niet en daarom zet Ruud de glazen weer neer en pakt haar bij de kin. „Wat is dat Lisa? Tranen? Nog wel op een feestdag als vandaag?"

„Júist op een dag als vandaag," verbetert Lisa snuffend. „Jij begrijpt er niets van, Ruud."

„Nee," zucht hij, ongewoon ernstig. „Daar ben ik me steeds sterker van bewust. Jij hebt al een heel leven achter de rug vergeleken bij mij. Tenminste. . . in de gezinssfeer. Als je denkt dat ík nooit met narigheid en ellende geconfronteerd ben, dan sla je de plank finaal mis, meisje. . ."

Meisje. . . Lisa grijpt abrupt de thermoskan met koffie en het blad met de glazen. „Ik moet naar de kamer, de jongelui zullen wel trek hebben."

„De jongelui kunnen gerust een minuutje wachten. Lisa, probeer je niet helemaal en alléén in je kinderen te verliezen . . . dat is niet goed. Op een dag zullen ze hun eigen weg gaan . . . je zult zo eenzaam zijn dan."

„Dat duurt nog jaren en jaren. Tommy is pas zes," zegt Lisa zo luchtig mogelijk.

Ruud laat het er voor vanavond maar bij. Lisa is te emotioneel. En al denkt ze dat een flierefluiter als hij hier geen sikkepit van snapt, hij weet, dat ze juist op een hoogtijdag als vandaag die man met zijn ernstige ogen heel erg moet missen.

Terug in de kamer kijkt hij er de afbeelding van Lisa's man nog eens extra op aan.

Evie ziet het en ze spot: Ja, kijk maar, dat is hij nu: onze vader. En wij zullen hem nooit vergeten en nooit toestaan, dat iemand anders zijn plaats inneemt, indringer die je bent.

Zodra de jongelui hun glazen leeg hebben en oma het laatste lepeltje advocaat op heeft, zegt de oude dame: „Ik moet nu toch echt terug. Ik wilde natuurlijk op de jarige wachten. Zou jij een taxi willen bellen, Lies?"

„Ik zal het meteen doen, moeder."

„Mag ík voor taxichauffeur spelen?" vraagt Ruud. „Heus, ik zal u keurig brengen waarheen u maar wilt."

„Nou, jongen," lacht oma gul, „dat is een schitterend aanbod. Je hoort het, kind: het hoeft niet meer."

„Aardig van je, Ruud," zegt Lisa blij. „Maar het is wel een gehannes met die rolstoel. Denk je dat het gaat?"

„Doe niet zo mal, waarom niet? Die kan gemakkelijk achterin. Het is een inklapbare, heb ik gezien. Nou, daar ben ik wel mee vertrouwd, zou ik zo denken."

De vraag brandt Lisa op de lippen: hoe zo? Maar haar natuurlijke terughoudendheid belet haar die te stellen. Samen met Wibo helpt Ruud mevrouw Stegeman in de rolstoel en vervolgens in de lift en daarna nog in de ruime wagen van de journalist.

„Klasse zeg, die wagen van u," bewondert Wibo, vóór hij het portier achter Matteke's oma dichtslaat. Even kijkt hij de witte wagen — „een moordslee" — na, dan wipt hij de trappen op, lenig en snel.

„Bedankt, Wibo," zegt Matteke hartelijk.

„Graag gedaan. Zeg, wat zie ik, gaan we sjoelen? Zal ik voor je stapelen, Ilse?"

Ilse kijkt even op. Haar blonde haren veegt ze met een ongeduldige beweging naar achteren. „Er valt niet veel te stapelen. Matteke kan het stukken beter," zegt ze met nadruk.

Matteke houdt zich van de domme, al begrijpt ze best, wat haar vriendin voor heeft met Wibo en haar. Maar gevoelens gaan hun eigen onstuitbare gang. Wibo heeft alleen oog voor Ilse en zij, Matteke, ziet alleen Berts van pijn vertrokken gezicht.

Zolang Ilse mij nog aan Wibo probeert te koppelen, heeft ze er geen notie van, dat ik zoveel aan haar broer denk, weet ze. En dus is haar geheim veilig. Niemand mag er iets van weten. Bert zelf wel in de laatste plaats.

Vol vuur werpt ze zich op de sjoelbak wanneer het haar beurt is. Het worden al met al nog een paar gezellige uurtjes, al vindt de verwende Esmé het maar zo-zo.

Er is echter niemand die speciaal op haar let. En zodoende ontgaat het de anderen, dat Esmé van tijd tot tijd haar ogen laatdunkend door de veel te volle kamer laat gaan. Ik hoopte nog wel een dansje te kunnen maken met Wibo, denkt ze. Nou, op dat balkonnetje zeker... Brr, je zult maar in zo'n kooi moeten leven.

Haar blikken doorkruisen die van Matteke's moeder. Met een kleur wendt ze zich af.

Griezelig, het lijkt net alsof ze mijn gedachten geraden heeft. Ze keek me zo doordringend aan. Wat heeft dat mens een flets gezicht. In plaats dat ze zich gezellig opmaakt... En smaak om zich te kleden heeft ze ook al niet. Nee, als ze daar haar eigen ma naast zet...

Lisa's ogen dwalen intussen alweer naar de klok. Zou Ruud nog terugkomen, of zou hij het te laat vinden? Toch lief van hem, om moeder thuis te brengen. Als hij terugkomt, zal ze hem dat zeggen. Tenminste: als ze durft. Maar of het verstándig is?

Fluitend tilt Ruud het wagentje achter uit zijn auto, klapt het uit en helpt vervolgens de oude dame er in.

„Nu vind ik het verder wel, jongen," zegt mevrouw Stegeman. „Ga maar weer gauw terug. Het is voor Lisa zo gezellig, dat er eens een volwassene is. Zij zit altijd alleen tussen de jeugd."

„Ik ga zo gauw mogelijk terug, maar ik breng u eerst keurig naar uw huisje. Of heeft u een kamer in de Ponton zelf?"

Mevrouw Stegeman knikt opgewekt. „Ja! En aan die naam ben ik allang gewend. Ik meende aan de manier waarop je hem uitsprak te horen, dat 'ie je niet bevalt."

„Inderdaad! Waarom moeten verzorgingsflats en bejaardentehuizen altijd van die antieke namen hebben met dubbele bodem? Ponton... een bruggeschip... de verbinding van de ene oever met de andere... móet dat nu?"

„Het is de nuchtere waarheid! Wij hier in de Ponton wachten op het tijdstip, dat de ponton ons met de andere oever zal verbinden."

„Dan zou iedereen zijn of haar huis wel zo kunnen noemen," bromt Ruud. „Nu, zegt u het maar: welke etage?"

„De tweede. En er zijn er zes. Ik zit dus betrekkelijk onderaan."

Hij brengt haar tot aan de deur. Het is stil en uitgestorven in de lange gang waar ze doorheen wandelen.

„Hier is het," zegt mevrouw Stegeman bij de op één na laatste deur. „Wacht, ik zie dat mijn brood er nog staat."

Ruud ziet het metalen doosje, waarin de boterhammetjes van de oude dame. Hij moet iets wegslikken. Lieve help... waarom ontroert hem dat simpele ding zo sterk? Wat heeft hij vanavond toch? Toen hij de naam las op het bord bij de ingang, kreeg hij het ook al te kwaad.

Lisa, weet hij. Het komt door Lisa... Zij is nú al eenzaam en ik voorzie dat zij dat blijven zal, tot zij net als haar moeder de poort doorgaat van de Ponton, of een andere ponton, omdat zij haar man trouw zal blijven.

„Mag ik uw sleutel? Dan zal ik u ook nog netjes binnenbrengen."

„Je bent de beste. Hè, ik hoop, dat mijn dochter je de kans geeft vriendschap te sluiten. Ze verdient het zo. Maar het zal niet gemakkelijk zijn, ik ken mijn eigen kind veel te goed. Ze is trouw, Lies. O, ze is zo trouw. Tot in het absurde toe."

Die woorden blijven Ruud bij, lang nadat hij terug is in zijn eigen flat. Eerst heeft hij nog een gezellig uurtje doorgebracht bij Lisa. Tot Matteke's bezoek afscheid nam. En hij — om Evie's vijandige houding — maar hetzelfde had gedaan.

Hij wil geen aanleiding geven tot méér agressie door te lang bij Lisa te blijven. De meisjes zouden immers ook spoedig hun bed gaan opzoeken?

„Zal ik je nog even door die vaat heen helpen?" had hij desondanks aan Lisa gevraagd, toen hij haar vermoeide, witweggetrokken gezicht zag.

„Welnee," had ze echter lachend gezegd. „Ik ben dit wel gewend, Ruud. Heus, je hebt al meer dan genoeg voor ons gedaan."

En daarmee had ze hem laten gaan.

Terwijl Ruud het raam van zijn slaapkamer verder sluit en opziet naar de heldere februarihemel, waaraan ontelbare sterren twinkelen, overvalt hem een gevoel van grote eenzaamheid. Zelfs in de woestijn, waar onlangs nog één van zijn reportages hem heenvoerde, heeft hij dit gevoel niet gehad. Altijd, in de meest spannende, meest enerverende omstandigheden, wist hij zijn God naast zich. Nu niet?

Natuurlijk... Hij is er immers altijd en overal? Maar tegelijkertijd ervaart hij, dat voor het eerst zijn hart echt is aangeraakt door de liefde en dat is voor hem een ervaring, ofschoon lááat, die óf een grote troost óf veel verdriet met zich mee zal brengen. En voor het laatste vreest Ruud. Hij heeft in de loop der jaren zeer veel mensenkennis opgedaan. En die vertelt hem, dat Lisa zíjn liefde in elk geval voorlopig niet zal beantwoorden.

Met moeite scheurt Ruud zijn donkere ogen los van die zwartblauwe oneindigheid. Het duizelt hem, als hij zich probeert in te denken, dat deze geen einde en geen begin heeft... een eeuwigheid niet in tijd te meten.

Ruw trekt hij de grijs met zwart gestreepte gordijnen dicht. „ Een hunker-bunker...," prevelt hij binnensmonds... Ja, dat is het goed beschouwd voor mij, en ik ben bang dat het zo blijven zal: eenzaam hunkerend naar mijn onbereikbare sfinx.

HOOFDSTUK 5

„Má-át! Mattie!..." vleit Evie's stemmetje in de donkere meisjeskamer. Matteke houdt zich slapend. Ze heeft zoveel om over na te denken. Haar verjaardag, de gezellige sfeer op de ijsbaan, de leuke uurtjes bij haar thuis... Maar het meest dwalen haar gedachten toch naar het tussenliggende uur, toen ze Bert na zijn onfortuinlijke val opzochten op zijn zolder.

Ondanks de tegenwoordigheid van de andere klasgenoten heeft ze gevoeld, hoe zijn ogen haar zochten en tegelijkertijd trachtten te ontwijken. Ze hoort nog zijn haastig gefluisterde woorden, waarmee hij haar bedankte voor haar hulp van vorige week.

„Doe maar niet net alsof je slaapt. Ik weet heus wel, dat je aan die enige vent, aan Wibo ligt te denken," plaagt de stem van haar zusje.

„Maar ik denk, dat je beter iemand anders kunt opzoeken, want hij had alleen maar oog voor Ilse. Nou, die wordt ook echt knap. Hoewel... die Esmé, dat is een beeldje, hè? Ik wou dat ik zo mooi was..."

Matteke hoort hoe Evie een diepe zucht slaakt.

„Zeg, Mattie?" begint Evie weer.

„Ja, wat is er nou? Ik wil slapen," knort die.

„Ik zal je een geheimpje vertellen. Maar mondje dicht en

vooral niet aan mammie doorvertellen. Beloofd?"

„Ik ben geen klikspaan, dat weet je best."

„Ja, nou, ik heb ook een vriendje. Op school. Tenminste... ik ben hartstikke gek op een knul. Hij zit een klas hoger dan ik. We hebben volgende week een fuif... en nu wou ik zo graag iets nieuws hebben. Maar ja, het is natuurlijk weer het oude liedje: mamma heeft geen geld voor zo maar een leuke bloes of broek tussendoor. En nou moet ik op mijn vrije middag ook nog met oma wandelen. Zeg, Mat, wil jij dat niet voor mij doen? Dan kan ik tenminste mijn huiswerk in het voren maken. En mag ik dan jouw nieuwe coltrui aan, die jij laatst van oma hebt gekregen?"

„Dat weet ik nog niet, hoor. Maf ze."

„Ga jij met oma in de stad winkelen?" houdt Evie aan.

Ze is vuurbang om iemand uit haar klas tegen te komen, terwijl zij achter die rolstoel duwt. Om je naar te schamen. En stel je eens voor, dat ze Jan-Willem zelf tegenkwam... O grut, ze weet nu al hoe hij kijken zal. Hij is zo knap... en ziet er zelf zo goed gekleed uit. Nee, ze moet zien, dat Matteke in haar plaats gaat. Die geeft er niet om en doet het anders ook altijd. Waarom oma nu speciaal haar heeft gevraagd? Zeker een preek in petto, omdat ze vanavond geen zin had om mamma te helpen...

Matteke mompelt slaperig iets dat het midden houdt tussen ja en nee. Ze heeft net als Evie het idee, dat oma Evie met opzet heeft gevraagd.

Nou, enfin, het geeft haar niet. Als het maar niet op woensdag is, dan heeft ze veel te veel voor school te doen.

Het grootste warenhuis van het stadje is die woensdagmiddag net een bijenkorf. Het gezoem van vele stemmen slaat Evie tegelijk met de warmte tegen, als ze de rolstoel door de glazen deuren rijdt.

Wat een sof, dat ze Matteke niet heeft kunnen strikken voor deze klus, mokt ze verongelijkt. Bah, op z'n minst komt ze verschillende lui van school tegen. Boven in het restaurant zitten ze nogal eens met een stel als het winter is, zoals nu.

Maar moeder heeft kort en bondig gezegd dat zij met oma mee moet gaan. Matteke heeft al zo dikwijls een vrije middag winkelend met oma doorgebracht.

Nu is dat ook wel zo, maar Mátteke vindt het — hoe onbegrijpelijk ook — leuk om zo voor aap door de winkelstraten te lopen en zíj heeft er een gruwelijke hekel aan.

„Egoïstisch nest," had haar moeder haar nog boos toegevoegd, voor ze naar kantoor was gegaan. Nou ja, zij is toch altijd de gebeten hond, dat weet ze intussen wel. Matteke en mamma zijn twee handen op één buik en samen moederen die twee over Tommetje... en Evie bungelt er maar zo'n beetje bij...

Ze geeft een woeste ruk aan de stang van het wagentje. „Liep je te dromen, meisje?" vraagt oma's lieve stem dwars door het geroezemoes.

„Néé, maar het is hier zo druk en zo benauwd."

„Tja... ik had misschien toch beter geen woensdagmiddag uit kunnen kiezen, hè kind? Al die moeders met kleine kinderen... Trouwens, er is ook veel opgeschoten jeugd. Weet je wat, Evelien? We kijken eerst even op de kledingafdeling en daarna gaan we gezellig iets drinken boven. En dan zoek jij iets heel lekkers uit voor ons tweetjes."

De kledingafdeling... Evie krijgt een schokje van opwinding. Misschien... Matteke heeft immers ook nogal eens een extraatje van oma gekregen, wanneer ze een middag met haar naar de stad ging? En heeft ze op Matteke's verjaardag niet nadrukkelijk over het fuifje gepraat en moeder om iets nieuws gevraagd? Oma heeft dat natuurlijk onthouden en wil haar nu op deze manier verwennen...

Zonder links of rechts te zien wurmt ze de rolstoel tussen het winkelende publiek door. Rechtstreeks op de kledingafdeling achterin de zaak af. Ze plaatst het wagentje pal voor het rek met dotten van bloesjes, waarvoor ze vorige week zelf al heeft staan watertanden. Dat waren nog eens andere dan mamma fabriekte. Ze heeft er één tussen gezien, een schát gewoon. Die zou beeldig staan op haar nog tamelijk nieuwe zwarte broek. Zwart met wit is 'ie en er hangt, een geinige goudkleurige ketting bij, waarin ook weer zwart is verwerkt. Hè ja, en dan een stel bijpassende oorhangers... het zou haar beslist een paar jaar ouder maken en dat wil ze graag, met het oog op Jan-Willem. Hij is vast al zestien of zeventien... en hij merkt haar natuurlijk eerder op, als ze er niet zo kinderachtig bijloopt. Ze zal ook wat van Matteke's make-up spulletjes „lenen".

„Kijk oma, wat een schatje, hè?" zegt Evie, enthousiast de bewuste bloes ertussenuit nemend. Ze houdt hem dicht onder oma's neus.

„Ja, dat is iets heel bijzonders," knikt mevrouw Stegeman.

63

„Hij zou prachtig staan bij dat blonde haar van jou. En wat leuk, die boord, met losse banden. Die kun je zeker strikken?" „Ja." Met een spijtig gezicht frommelt Evie hem ergens tussen. Misschien, als ze straks terugkomen van het restaurant boven... dan zal ze er in ieder geval nog eens voorbij rijden. En als ze wat drinken, zal ze nog eens weer over de bloes beginnen. Hoe meer ze er aan denkt, hoe meer verkikkerd ze erop wordt. Ze ziet zich al met die chique bloes binnenkomen. Zeker weten dat Ellen en Tessa stikjaloers op haar worden.

Evie wil de rolstoel al richting lift duwen, als ze oma hoort zeggen: „Nee, wacht even, Evelien. Ik heb je niet voor niets gevraagd om hierheen te rijden. Ik wil namelijk iets aardigs voor je moeder uitzoeken. Ze is altijd maar in de weer met de naaimachine, tot 's avonds laat, heeft Matteke me verteld. Nu wilde ik haar eens verrassen met iets dat al kant en klaar is. Daarom wilde ik jou graag meenemen... jij hebt smaak."

Evie's gezicht betrekt. Smaak, ja, maar wat heb ik daaraan? Nu kan ik helpen iets moois voor een ander uit te zoeken... Bah en nog eens bah! Moet je zelf zo gebrand zijn op een bepaald kledingstuk.

Haar oma merkt wel, dat haar kleindochter stil wordt. Ze heeft een klein binnenpretje... O, o, Evelientje, wat laat jij je in de kaart kijken. Wat bén je toch een zelfzuchtig mormeltje! Maar ach, je bent in je „lastige" jaren en je moeder heeft niet altijd evenveel geduld met je... ze gaat te veel op in het verleden en in haar streven om jullie je vader te vergoeden, is ze vaak veel te bezorgd voor jullie. Een kind met een sterk ontwikkeld gevoel voor zelfstandigheid zoals jij, komt hiertegen in opstand. Een buitenstaander ziet dat meestal scherper. Maar toch, met ál je bravoure heb je maar een klein hartje, al verberg je dat achter een grote mond...

„Hoe lijkt je deze bloes?" vraagt mevrouw Stegeman, als ze een paar rekken verder op haar verzoek stilhouden bij moeders maat.

„O, wel leuk. Zal mamma goed staan, die groene kleur," zegt Evie met matige interesse.

„Ik vind hem heel bijzonder. En dan een mooie zwarte rok erbij," beslist oma. „Het mag hier altijd geruild worden. Kom Evie, help eens."

Terwijl Evie met bloes en rok naar de kassa loopt, stuurt de oude dame de rolstoel zelf terug naar het andere rek. Zo, nóg iets verder wegstoppen, denkt ze tevreden. En dan straks...wacht, daar is een verkoopster. En terwijl Evie nog in de rij staat bij de kassa, smoest oma met de verkoopster: een vriendelijke vrouw, ongeveer van Lisa's leeftijd. „U maakt het dus voor elkaar? Het is een verrassing voor mijn kleindochter. Ze mag het zelf niet weten. Kijk, hier is het geld. Als u dan de kassabon in de zak doet? Dan kom ik hem straks langshalen als we boven iets gedronken hebben."

„Dat komt prima voor elkaar, mevrouw. Zodra ik u zie, zal ik proberen hem u ongemerkt in handen te spelen."

„Ik stop hem onder mijn plaid. Dat merkt Evie niet."

Met een vriendelijk knikje rijdt ze terug naar het plaatsje waar Evie haar heeft achtergelaten.

Ze zijn het restaurant nog maar ternauwernood binnengereden, of Evie ziet vanuit haar ooghoeken dat in „hun" hoek een paar meisjes en jongens van school zitten. En bij hen — o, wat een stomme pech — is Jan-Willem.

Met een hoogrode kleur plaatst ze de rolstoel met de achterkant naar de bewuste hoek bij het eerste het beste vrije tafeltje. Zelf gaat ze ook zó zitten, dat ze de minste kans heeft om herkend te worden.

Oma kijkt haar bevreemd aan. „Is er iets, kind?"

„Nee. Welnee. Wat moet ik halen, oma?"

„Jij mag uitzoeken. Geef mij maar een kopje thee met een amandelbroodje, daar houd ik zo van."

Evie haalt een blad en kiest een slagroompunt uit de gebakvitrine. Voor oma legt ze een amandelbroodje op een bordje. Zo, nu nog thee en cola voor zichzelf. En dan maar hopen, dat ze haar niet terug zien komen met het blad. Hè, ze geneert zich en niet zo'n beetje ook. Wat zullen ze haar morgen pesten als ze op school komt. „Studeer je voor bejaardenhulp... of... wil je mij ook eens zo rondrijden?" O, ze hoort die spottende stemmen al... En ze ís zo gevoelig voor kritiek... Hoe vuurbang is ze niet uitgelachen te worden, als ze geen al te vlot uitgevallen broek aan moet naar school of een trui uit het jaar nul!

Zo vlug als ze durft om het te volle theeglas en de tot de rand gevulde coladrink, loopt Evie terug naar het tafeltje. Gelukkig, er komt niemand uit de hoek op hen af.

Maar Evie heeft te vroeg gejuicht. Terwijl ze wat meer op haar gemak haar gebak oppeuzelt, ziet ze het viertal plotseling bij hun tafeltje staan.

„Je hebt gelijk, Jan-Willem," jubelt Dorien, één van Evie's

schoolvriendinnen. „Het ís Evie! Kind, waarom zit je hier, heb je ons niet gezien? Toch niks aan om bij zo'n..." — Dorien wijst achteloos in de richting van de rolstoel — „om hier te zitten?"

„Het is mijn oma," zegt Evie met een klein stemmetje.

Mevrouw Stegeman knikt het viertal vriendelijk toe.

„Dáág, zijn jullie schoolkameraden van Evelien?"

„Evelíen... hè bah, oma," snauwt Evie met een boos gezicht. „En kameraden is ook géén woord."

Mieke, hoewel een klasgenootje, niet één van Evie's hartsvriendinnen, steekt als enige haar hand naar de oude dame uit. „Dag mevrouw, wat gezellig voor u, dat Evie hier met u naar toe is gewandeld."

„Dat is het ook. Ik heb een paar schatten van kleindochters."

Pff, vooral ík, spot Evie in stilte. Ik schaam me gewoon naar. Jan-Willem en zijn vriend zijn doorgedrenteld, ziet ze. „Ga er maar gauw achteraan," fluistert ze terzijde tegen Dorien. „Enne... zeg maar dat ik óók kom, vrijdagavond."

Dorien knipoogt samenzweerderig. Ze weet van Evie's hevige verliefdheid. „Ik zal hem een kusje van je geven," belooft ze, veel te hard naar Evie's zin. Ze kijkt verschrikt naar oma, maar die babbelt nog met Mieke, gelukkig.

Als ze weer samen zijn, valt er een beklemmende stilte. Tenminste, zo ervaart Evie het.

„Wilt u hier nog blijven, oma?"

„Nee, we moeten zo langzamerhand terug. Anders wordt het te koud. Als je stil in zo'n wagentje zit, vang je veel meer kou dan wanneer je in beweging bent."

Matteke denkt hier altijd aan, weet oma verdrietig. Evie is zo vervuld van haar eigen belangetjes, dat ze daar geen moment bij stilstaat.

„Nou, goed, dan gaan we weer."

Evie duwt zo onopvallend mogelijk het wagentje weer in de richting van de kledingrekken. Mevrouw Stegeman glimlacht fijntjes. Die Evie, ze moest eens weten...

Omdat haar oma geen enkele toespeling maakt op haar hartewens: de bloes, komt er opeens iets ongekends in haar naar boven. Ze ziet het knappe gezicht van Jan-Willem en daarna zichzelf: chic in de glanzende bloes... en hoe Jan-Willem dán naar haar zal staren... vol bewondering en niet zo ongeïnteresseerd als zo net...

„Oma," stoot ze gejaagd uit, „ik zet u hier neer, ik moet nog even..."

Gewapend met haar linnen tas ijlt ze naar de hoek waar de kleinere maten hangen. Haar handen grissen tussen de kledingstukken. Hier... ja, daar hangt hij nog, of niet? Nee, wacht, het was toch verderop? Misschien heeft iemand hem nu híer teruggehangen. Iemand die ook belangstelling had voor die snoes van een bloes. Evie denkt niet langer. Met één hand houdt ze de tas wat open en met de andere laat ze de soepele glansstof van het hangertje zomaar in haar tas glijden. Haar hart gaat als een razende tekeer en ze heeft het gevoel, dat duizend ogen haar aanstaren... dief... winkeldief... O, ze voelt al een hand op haar schouder die haar sommeert om mee te gaan...

Het is of ze slaapwandelt, als ze bij oma terugkomt. „Voor elkaar, kindje? Wat is er, je hebt zo'n kleur!"

„Niks. Het is hier zo warm."

„Buiten zul je er wel anders over denken," lacht mevrouw Stegeman. „Laten we maar gauw teruggaan. Het is gelukkig niet ver."

Nee, maar toch lijkt iedere meter wel tien keer zo ver als anders. O, wat heeft ze gedaan? Nog nooit eerder heeft ze iets weggenomen. Ze heeft ook niet oneerlijk willen zijn. Alleen indruk willen maken op Jan-Willem. Moeder heeft immers geen geldboompje om aan te schudden? En oma heeft blijkbaar niet begrepen, hoe hevig ze naar iets nieuws snakt. Zoals alle meisjes uit de klas. Maar die vragen thuis of ze iets nieuws krijgen en dan zie je ze er de volgende dag al mee op school. En háár vinden ze maar een hobbezak met die vlug-vlug in elkaar geflanste kleren. Ze weet het heus wel. Ze heeft wel eens iets opgevangen in die richting...

Het woord schuldig staat zo duidelijk op het jonge gezichtje te lezen, dat haar oma, eenmaal boven in haar flat, beslist met het kind te doen heeft.

„Zo, nu mag jij die twee zakken meenemen en aan je moeder geven als je thuiskomt. Ik ben zo benieuwd, of ze er blij mee is. En ik hóóp, dat ze dat aardige stelletje aantrekt als ze eens een avondje uitgaat. Want dat heeft ze hard nodig, Evie."

Evie geeft hier geen antwoord op. Maar oma heeft nog iets anders in petto. Vanonder haar plaid tovert ze nóg iets tevoorschijn: eenzelfde kledingzak als de andere twee.

„En dit is voor jou, omdat je zo lief voor me bent geweest," zegt oma warm.

Ze duwt het verbouwereerde meisje de zak in handen. „Kom, kijk maar eens vlug."

Evie doet de zak open en haalt er de zozeer begeerde bloes uit...

„Maar... maar," stottert ze en dan begint ze tot oma's verbazing wanhopig te snikken.

„Evelien, kindje toch. Kom eens bij me, zó..." Ze streelt het blonde kopje dat voorover in de deken ligt gedrukt. „Kom... kom," kalmeert ze.

Ze denkt wel ongeveer te weten, wat er in dat hoofdje omgaat. Dit cadeautje van haar plus haar prijzende woorden zijn vurige kolen op Eveliens blonde krullekopje. Ze vindt zichzelf natuurlijk helemaal niet lief en behulpzaam. Maar ach, zou zij vroeger zelf er zo gebrand op zijn geweest een gehandicapte oma door de stad te rijden, waar je je vriendinnen en — ja, zij heeft haar ogen niet in de zak — je vrienden tegen kunt komen? Je voelt je immers zo gauw bespottelijk op die leeftijd? Ze begrijpt het allemaal best, en daarom tilt ze Evie's gezichtje naar zich op. „Vooruit, weg die tranen en vlug naar huis."

„U bent een schat en ik ben een akelig spook." Wild trekt Evie een zakdoek uit haar broekzak en boent daarmee over haar ogen. „Geeft u die bloes maar aan Mattie. Zij verdient het, ik niet."

Vóór ze er op een holletje vandoor kan gaan, grijpt mevrouw Stegeman Evie bij haar arm. De rolstoel maakt er een onverwachte beweging door.

„Deze bloes is voor jou, Evelien," zegt oma streng. „En als jij vindt, dat je die niet verdiend hebt, dan zal hij jou daar steeds aan herinneren en maken, dat dit voortaan wél het geval is. Zo, dat is beter." Tevreden ziet ze hoe Evie de zak, samen met de andere twee, in de grote canvas tas laat zakken. „En dit is nog een zakcentje voor jou. Gebruik het maar voor de kapper of zo. Je hebt immers een feestje in het verschiet?"

Evie smoort de oude dame zowat in haar kussen. „Bedankt, omaatje..."

„Ja, ja, het is wel goed."

Eenmaal op de overdekte gang, moet Evie hevig slikken. Haar tas brandt, lijkt het wel. Haar hand is tenminste zo heet, alleen al door het vasthouden van het handvat.

Wat moet ik toch? denkt Evie wanhopig. Terugbrengen?

Maar dat durf ik immers nooit? O, o, ik ben een dievegge! Als moeder het wist... Of... oma...
Het is een heel timide meisje, dat terugkeert in de flat in de Irisstraat.

HOOFDSTUK 6

Eenzamer nog dan voor zijn ongelukkige val op het ijs, slijt Bert Prins de lange, lange uren, waarin hij meestal doelloos op zijn veldbed naar het rechthoekige stukje hemel ligt te staren. Soms blauw, maar meestal grijs, of dreigend zwart is die hemel...
Het enige lichtplekje is als Ilse hem uit school komt opzoeken. Haar verhalen, haar roerende zorg, zijn balsem voor zijn geestelijk en lichamelijk zéér.
Frans Schaardenburg komt nog een paar keer bij hem kijken. Hij zwachtelt de enkel opnieuw en sommeert hem er vooral nog niet op te staan, laat staan te lópen.
„Heb je wel het één en ander aan mondvoorraad in huis?" vraagt hij, bezorgd naar het magere gezicht van de jongen kijkend.
„O, jawel, en anders brengt Ilse me wel wat."
„Zij zoekt je nog altijd trouw op?"
„Als ik háár niet had gehad deze jaren!" gooit Bert er heftig uit. Dan, als was hij bang zich te veel te hebben laten gaan: „Nou ja, het is m'n eigen schuld immers? Ik ben geen lieverdje, nooit geweest, en ik kies bij voorkeur de weg van de minste weerstand. Dat heb jíj toch ook ondervonden, Frans?"
„Tja... ik ben te beleefd om je tegen te spreken. Ik had zo mijn verwachtingen ten opzichte van je studie en die zijn helaas niet uitgekomen."
„Dat ligt dus typisch niet aan jou, Frans. Jij hebt je er genoeg voor ingezet. Zelfs toen het uit was met mijn zuster Hetty, heb je mij nog heel wat avondjes of middagen op zitten porren."
„Ik heb het graag voor je gedaan. Ik vind het beroerd genoeg, dat ik je dat praktijkjaar van mij in de steek moest laten. Maar het ging echt niet. Het was om te beginnen veel te ver weg. Een gat ergens in Groningen...en daarbij..."
„Frans, please... jou treft geen enkele blaam. De prutser

69

zit tegenover je. Een beetje de uren weg te drinken! Ik snap niet, dat je je over mij zo druk maakt."

De jonge arts schrikt, maar weet dit achter zijn beroepsmasker te verbergen. Met schrik is deze ontspoorde jongen totaal niet gediend. Hij moet geholpen worden, maar hoe en door wie?

Terwijl hij zich dit met een bang hart afvraagt, hoort hij gestommel op de trap. Ilse?

Maar het is een andere stem, een opvallende vrouwenstem: laag, gepassioneerd. „Bertie, hier is een hartversterkinkje, schat... omdat je zelf niet kunt gaan. Je zult wel uitgedroogd zijn, schaatskampioen..."

Er verschijnt een hoofd met koperkleurige lokken. Twee grijs-groene ogen zien de dokter aan vanuit een zeer blank gezicht, kenmerkend voor rossige types zoals Patricia Terwel.

Zonder een spoortje verlegenheid te laten blijken, zegt ze, met een kort knikje in Frans' richting: „Cui que suum, ieder het zijne." En dan, uitdagend: „Dág dokter Schaardenburg. Wat een gelukkige bijkomstigheid dat een dokter z'n beroepsgeheim heeft..."

Frans antwoordt beheerst: „Dat is zo. Behalve, wanneer het zijn patiënt zou schaden. En dat zou in dit geval ongetwijfeld zo zijn."

Hij strekt zijn hand uit en tegen haar wil reikt Patricia hem de fles drank. Frans houdt haar blik vast, tot ze het onzichtbare duel verliest en haastig de aftocht blaast.

Als ze weg is, keert Frans zich weer tot de jongeman. „Ik raad je dringend aan, je niet intiem met deze vrouw in te laten." Het klinkt niet als raad, eerder als een bevel.

Bert echter haalt luchtig zijn schouders op. „Dit gaat me te vér, Frans. Mijn privéleven gaat je geen moer aan."

„Ik zei het je als arts," antwoordt Frans. Zijn stem klinkt moe. Hij ís ook moe. Hij heeft een zware nacht achter de rug, met een moeilijke bevalling, die tenslotte eindigde met een trieste, zeer verzwakte moeder, die schreide om haar levenloze kind. Daarna een druk spreekuur en een lange lijst visites. Toch kan hij de jongen niet zo achterlaten...

Bij de trap keert hij op zijn schreden terug. „Bert, ik heb immers het beste met je voor? Je hoorde zojuist wat die juffrouw Terwel opmerkte: ik heb mijn beroepsgeheim. Maar tegelijkertijd heb ik mijn zorg om mijn patiënten. En momenteel maak ik me om één ervan véél zorgen. Bert, nogmaals:

houd haar op een afstand en probeer van de alcohol af te blijven. Ik kom zo gauw ik een gaatje zie terug om met je te babbelen. Net als een dik jaar geleden. . . Zo kán en mág je niet verder gaan, kerel."

Juist als hij zijn wagen instapt, komt er een bekend figuurtje aangefietst. . .

Hij stapt weer uit en wacht tot Ilse hem is genaderd.

Voor hij haar kan begroeten, jubelt ze al: „Há, Frans! Wat fijn, dat je bij Bert bent gaan kijken. Hoe is het met hem?"

„Dat is niet zo één, twee, drie gezegd. Zeg Ilse, je weet het: een dokter heeft bitter weinig vrije tijd. Zou jij zelf niet op een avond naar ons toe willen komen, om eens rustig over Bert te praten? Bijvoorbeeld meteen na het avondspreekuur? Vader en ik zijn dan om beurten thuis voor de telefoon. . ."

„Natuurlijk wil ik dat, Frans. Toe, je kijkt zo ernstig. Er is toch niets ergs met Bert?"

Haar fijne gezichtje één en al zorg om haar broer, kijkt ze angstig naar hem op. Hetty's kleine zusje, denkt Frans vertederd. Vanaf de eerste keer dat ik haar ontmoette in dat kille, duur ingerichte huis, wist ik, dat ze het verre van gemakkelijk had, dit tengere ding. . . Maar ze heeft een pit, een spirit tentoongespreid, waarom ik haar diep respecteer.

Wat heeft ze, als enige, niet omgezien naar Bert, die in de ogen van zijn ouders en oudere broer en zuster de smet van de familie was. Iemand, die je tegenover je vrienden en bekenden het liefst verdoezelt. . .

Ilse heeft haar jonge hartje meer dan eens voor hem opengelegd. Tenminste. . . vróeger, toen ze jonger was en nog zo'n echte spring-in-het-veld.

Nu Frans haar in de vallende schemering nauwlettend van dichtbij beziet, ontdekt hij ineens tegenover een jonge vrouw te staan. Het komt door haar ogen, die zijn veranderd, wijs. . . wetend. Hij weet niet goed hoe hij de verandering van het kind Ilse naar jonge vrouw precies moet verwoorden. Zou, als hij haar eindelijk weer eens onder vier ogen spreekt, de oude vertrouwelijkheid terugkomen? Of is die voorgoed verloren gegaan?

„Wat kijk je toch? Er ís iets, hè Frans?"

„Welnee, meisje. Zeg, ik moet er als een haas vandoor. Vóór het eten heb ik nog een stuk of wat patiënten af te rijden. Je hoort zo gauw mogelijk van me. Groet ze thuis van mij."

„Hetty ook?" vraagt Ilse nauwgezet.

Een seconde talmt Frans met zijn antwoord.

Dan zegt hij schijnbaar achteloos: „Waarom niet? Ze hoort er toch óók bij?"

„Je moet de groeten hebben van Frans," valt Ilse die avond met de deur Hetty's huis binnen.

„Frans?" vraagt Hetty Prins verrast. „Toe, kom gauw boven, Ilse."

Zodra Ilse op haar geliefkoosde plekje bij het voorraam is gaan zitten, neemt Hetty tegenover haar zusje plaats. Ze heeft hetzelfde blonde haar als Ilse, maar het is kort geknipt en uit haar gezicht geföhnt. In tegenstelling tot die van Ilse ligt in haar leisteen-grijze ogen iets van waakzaamheid, nauw grenzend aan gereserveerdheid. Ook haar verdere houding en manieren hebben iets afstandelijks, zeker voor de mensen die niet de moeite nemen achter Hetty's afwerende façade te kijken. Misschien ook verwachten ze geen diepere gevoelens en speelt ze haar rol té volmaakt.

Maar Ilse, warme, sensitieve Ilse, weet hoe Hetty nog altijd lijdt onder de verbroken verloving met Frans Schaardenburg.

„Wanneer heb jij Frans gesproken?"

„Vanmiddag. Vóór het huis van Bert."

Over Hetty's bleke gezicht waast een rossige schijn. „Was je bij Bert?" vraagt ze stroef.

„Ja, vanzelf. Na zijn ongeluk wip ik iedere dag even aan."

„Ongeluk?"

„Oui, madame. Maar daar weet jij natuurlijk weer niets van. Nou ja, het is je broer tenslotte maar."

„Spaar me je sarcasme," zegt Hetty driftig, „en bemoei je alsjeblieft niet met míjn doen en laten."

„O, al goed. Ik dacht dat het je misschien interesseerde. Gelukkig voor Bert, dat Frans er anders over denkt. Hij heeft hem vrijdagavond verbonden en thuisgebracht en vanmiddag was hij alweer bij hem."

Nu flikkert er toch iets in de grijze ogen.

„Wat is er dan gebeurd?" vraagt Hetty, terwijl ze naar haar keukenhoek loopt. „Koffie, Ilse?"

„Alles is best. Als het maar geen anijsmelk is."

Als ze ieder met een beker gloeiendhete koffie voor zich zitten, vertelt Ilse zonder opsmuk van Berts ongelukkige val. Hetty denkt wrevelig: waarom heeft moeder me dit niet verteld?

72

„Weten ze er thuis van?"

„Ik heb het wél verteld, maar Bert heeft nog niets van ze gehoord."

„Ik zal er één dezer dagen heengaan. Met wat fruit," belooft Hetty.

„Doe er ook wat anders bij. Vlees en eieren en een stuk kaas bijvoorbeeld," stelt Ilse voor. „Dat joch ziet er zo ellendig slecht uit."

„Dat is grotendeels eigen schuld, Ilse! Dat weet jij ook drommels goed. Ik zal eens een hartig woordje met hem spreken. Met halfzacht gedoe bereik je bij een gemakzuchtig figuur als Bert helemaal niets."

Ilse knijpt haar ogen half dicht. Genietend slobbert ze het hete vocht.

„Wat heb ik toch een verstandige zuster," peinst ze. „Frans zou werkelijk zijn handen dicht mogen knijpen met een vrouw als jij. Je zou een voortreffelijke doktersvrouw zijn. Hm, ik zal hem toch eens een hint geven . . ."

„Als je het maar laat," tiert Hetty, opgewonden voor haar doen. „Je bent geen kind meer, Ilse. Je bemoeit je er niet mee, hóór je? Dat heb je indertijd al meer dan me lief was gedaan. Frans is oud en wijs genoeg om zelf te bepalen met wie hij het leven verder door wil gaan . . ."

Ilse proest het uit. „O, hou op, wat een uitdrukking . . . hoe kom je erbij! Nee, bij nader inzien gun ik Frans toch iets anders. Zo antiek als jij toch uit de hoek kunt komen . . ."

„Ik moet nog werken," snauwt Hetty kwaad.

„O, ik ga al. Ik moet toevallig ook nog werken."

Halverwege de trap schiet haar iets te binnen. „Moet ik Frans de groeten nog terugdoen?" gilt ze.

„Sstt, denk om m'n benedenbuurman," roept Hetty gedempt over de trapleuning.

„Die is toch dóóf?" Lachend kijkt Ilse naar haar op. Spot spát uit haar ogen.

Hetty verdwijnt beledigd achter haar kamerdeur.

Ilse knipt het slot open van haar fiets. We hebben weer als vanouds gekibbeld, denkt ze, ineens bekoeld. Nou, enfin, ik heb er in ieder geval mee bereikt dat ze Bert eens op zal zoeken. Of hij hier overigens mee gebaat is? Als Hetty tenminste maar een flinke voorraad levensmiddelen voor hem meeneemt. Zelf zal ze moeders koelkast weer eens terdege plunderen. Dat laat ze gelukkig oogluikend toe. Hoewel ze heel goed weet, waar

73

Ilse met al die overgebleven liflafjes heengaat.
Hun bloedeigen zoon, nou, het is immers heel gewoon?
Verwoed draaien Ilse's benen de trappers rond. Wat zou ze nu
zielsgraag een deuntje willen huilen, om alles wat ze niet
begrijpt, wat haar zo intens verdrietig maakt... Maar bij wie
kan ze hiermee aankomen? Bij Matteke? Ach ja... Maar die
heeft zelf ook zorgen genoeg.
Ineens schieten haar Frans' woorden te binnen. Ilse's gezicht
klaart op. Misschien kan ze hem, net als vroeger, vertellen
waar ze over piekert. Maar helemáál open kaart durft ze ook
met Frans niet te spelen. Ze kan niet alles van thuis vertellen.
Want ze houdt, diep in haar hart, immers tóch van allemaal?

Zodra Ilse is verdwenen, komt Bert kreunend overeind. Wat
doet die verdraaide poot hem zeer.
Hinkend zoekt hij ieder hoekje van de zolder af, maar er is
nergens ook nog maar een druppel drank te vinden. En dan te
bedenken dat Frans Patricia een volle fles kostbare drank
afhandig gemaakt heeft. Hij zal echter niet zover zijn gegaan,
dat hij hem ook heeft méégenomen. Dus moet beneden de zo
zeer begeerde borrel op hem wachten. Maar hij kan met geen
mogelijkheid de trap afkomen en Patries laat zich niet zien.
Gemelijk sleept hij zich naar het aanrecht en grijpt het
slaatje, dat Ilse voor hem heeft meegebracht. Hij steekt het gas
aan onder het pannetje soep, dat ze heeft klaargemaakt. Zo,
straks nog wat fruit, dat heeft hij nog voldoende, en als hij dan
nóg een vervelend gevoel in zijn maag houdt, is er altijd nog
wel een homp brood...
Hij probeert manhaftig niet te denken aan dat wat er niet is,
maar waar zijn lichaam een schreeuwende behoefte aan heeft,
omdat hij het er zelf aan heeft gewend...
Toch, als hem de lange eenzame avond aangrijnst in al z'n
sombere stilte, hinkt hij van tijd tot tijd als een getergde leeuw
door zijn kooi.
Zijn huisgenote hoort hem wel. Maar nog weerhouden haar
twee dwingende sterke ogen... Beroepsgeheim... Stomme
pech, dat ze nu net dezelfde arts moeten hebben. Hij zowel als
de oude dokter weten van de narigheid die ze heeft opgelopen,
omdat ze nogal eens een ander vriendje mee naar „huis" heeft
gebracht. Weten zij veel, wat haar daartoe drijft, steeds opnieuw? O zo! Niemand die dáár om maalt. Je krijgt
onmiddellijk een stempel opgedrukt. Bert zal, nadat zij weg

was, wel terdege gewaarschuwd zijn voor zo iemand als zij . . .

Nou, goed, ze zal hem in zijn sop laten gaar koken, al hoort ze aan zijn gestamp dat hij niet weet waar hij het zoeken moet. Oók al omdat hij zich zo ellendig voelt. Waar blijven al die mensen die het zo goed weten? Die het „o, wat erg" vinden, dat je drinkt, jezelf spuit, of met iemand naar bed gaat . . . Maar de schrijnende pijn om het gemis van die ene, van wie je met je hele hart hebt gehouden, voelen zij niet. En wat weten die brave mensen van al die sollicitatiebrieven die je verzonden hebt, van een opleiding waarmee je niets kunt doen?

Bert, ja, díe weet wat narigheid is. En ellende en eenzaamheid. Is het dan zo onbegrijpelijk dat ze elkaar proberen te troosten? Is het verkeerd om hem die tijdelijke vergetelheid te brengen, als anderen verstek laten gaan en pas een vinger beginnen uit te steken als je crepeert?

Juist als Patricia op dit punt is beland, hoort ze voetstappen langs het huisje gaan. Aarzelende voetstappen.

Betekenen die bezoek voor Bert?

Ze wacht gespannen af en wanneer ze even later werkelijk de traptreden hoort kraken, zet ze de gewraakte fles, door dokter Schaardenburg demonstratief naast de buitendeur op de grond gezet, terug op het tafeltje, haalt een glas en schenkt zichzelf een opkikkertje in.

Intussen gaat Matteke voorzichtig de donkere trap op. Haar ogen gericht op de reep licht, die vanaf de zolder haar flauw verwelkomt.

Bij de bovenste tree vraagt ze onzeker: „Ík ben het, Matteke! Mag ik verder komen, Bert?"

Ze hoort gerucht en als ze op de zolder is, ziet ze dat hij pogingen doet om te gaan staan.

„Blijf maar rustig liggen. Ik dacht: Ilse is vanmiddag natuurlijk geweest, dan zal ik nu maar even kijken, of ik iets voor je kan doen."

„Lief van je, Matteke," zegt Bert. „Ik heb als een berg tegen die lange avond opgezien."

„Heb je veel pijn?"

„Nou, dat gaat wel. Ja, het steekt natuurlijk nog behoorlijk en ik mag er van Frans nog niet op staan, maar met een paar dagen zal ik wel weer okay zijn."

„Kan ik iets voor je doen?" informeert Matteke opnieuw. „Iets te drinken maken of zo?"

„Ja." Levendig klinkt Berts stem opeens. „Weet je wat je

75

voor me doen mag? Ken je dat kleine cafeetje, halverwege de Jagersweg? Zou je daar een fles jonge voor me willen halen? Met die kou is dat lekker, zo voor het slapen . . . ik kan anders niet warm worden."

Matteke kijkt hem onzeker aan. Het klinkt zo aannemelijk. Het ís hier koud, ze voelt zelf hoe ze langzamerhand verkilt tot op haar botten, ondanks het oliekacheltje, dat de tochtige zolder met de vele kieren niet verwarmen kan. Maar ze weet ook, dat ze Bert niet mag stijven in zijn dorst naar drank. Ilse heeft haar verteld dat hij langzamerhand alcoholist aan het worden is. Dat ze bang is, dat hij al verslaafd ís . . .

„Ik zie het al," spot Bert, „ze durft niet. En dan zegt ze iets voor je te willen doen. Laat maar, ik vraag Patricia van beneden wel."

Dit is min van je, Bert, weet hij, maar de marteling in zijn lichaam om de zo begeerde borrel, is sterker dan zijn gevoel voor ethiek. Om de pijn in die klare meisjesogen, wendt hij haastig de zijne af.

„Waar is dat cafeetje precies?" vraagt Matteke zacht. De naam van degene waarom ze de laatste weken zoveel hete tranen vergoten heeft, stuwt haar naar dit antwoord.

Als zij niet voor drank zorgt, zal die Patricia het immers maar al te grif doen? Maar o, wat is het verschrikkelijk moeilijk. Wat zal Ilse wel zeggen als ze hoort, dat zij dit heeft gedaan?

Met een bekommerd hart trekt Matteke haar met bont gevoerde jack weer aan.

„Je kunt dat hier maar beter aanhouden," zegt Bert gemelijk. „Hier is geld, Matteke."

Onzeker strekt Matteke haar hand uit om het briefje van vijfentwintig van hem aan te nemen. O liever, veel liever had ze daar fruit voor gehaald of vlees of iets anders dat versterkend is . . . Hij ziet er zo erbarmelijk slecht uit bij het kille licht van het elektrische peertje.

Zodra het meisje weg is, overvalt Bert een golf van zelfverwijt. Of is het afkeer? Wat is hij voor een vent om een kind als Matteke de donkere avond in te sturen en dan nog wel naar dat obscene kroegje, dat niet direct goed staat aangeschreven in de omgeving? Is het dan zo erg met hem gesteld dat hij alle normen overboord heeft gezet en louter en alleen denkt aan eigen behoefte en verlangen? Een diepe moedeloosheid maakt zich van hem meester.

Hij is een nul, een volslagen idioot. Waarom heeft hij Patries niet ingeschakeld? Die hoeft hij niet te ontzien. Die is ook niet scrupuleus waar het hém betreft.

Maar dit lieve kind, met haar zachte snuitje en ogen eerlijk en onvertroebeld. Een kind dat nog geloven zal in hechte liefde en trouw...

Kreunend werkt Bert Prins zich overeind. Het minste dat hij doen kan is zorgen, dat Matteke zo meteen iets warms te drinken krijgt alvorens opnieuw de koude winteravond in te moeten. Voor hém! Hij zet water op en schept in een gebloemde kom een lepel oploskoffie. Zo, wat melk. Suiker ook?

Zodra hij Matteke op de trap hoort, giet hij het kokende water erop. „Matteke, kijk, je zult wel koud geworden zijn. Wil je je jas liever aanhouden?"

Ze schudt haar hoofd. Zwijgend zet ze de fles op het aanrecht. „Dit geld is over," zegt ze stroef.

„Bedankt." Nonchalant laat Bert het in zijn broekzak glijden. „Hier, warm opdrinken, Matteke."

„Heb jij niet, Bert?"

„Nee. Ik neem hier iets uit." Hij schenkt het voor deze gelegenheid netjes in een glas, dat nog vuil bij de andere vaat staat te wachten op een wasbeurt.

Matteke ziet hoe gulzig hij zijn mond aan het glas zet. Ze moet er haar hoofd voor omdraaien. Wat ontzettend toch, als je zo afhankelijk bent van drank. Ik had het niet moeten doen, ik had het niet moeten doen, pijnigt ze zichzelf steeds weer.

Ze blijft maar zitten, hoewel ze weet, dat moeder langzamerhand ongerust zal worden. Ze kan niet weggaan, zolang Bert naar die afschuwelijke fles blijft grijpen. Allengs verandert zijn neerslachtige stemming en slaat om in een overmoedige. Hij plaagt haar en lacht en begint te vertellen... over zichzelf, over thuis...

Matteke voelt zich verre van prettig. Het stuit haar tegen de borst zoveel bijzonderheden over Ilse's familie aan te moeten horen en toch blijft ze zitten en staart ze naar Bert, als in trance.

Ik houd van hem, weet ze met smartelijke zekerheid. Ik houd van hem en hij mag dat nooit weten... Ik heb zo met hem te doen. Ik zou hem willen helpen, maar hoe? Het is allemaal veel, veel moeilijker dan ik heb gedacht. Hij zit tot zijn kruin in de problemen en frustraties... zou hij daar ooit op eigen houtje uit kunnen komen? Maar waarom is er dan niemand die hem helpt? Ilse... ja, natuurlijk, Ilse doet wat ze kan, maar het lukt haar immers niet?

Hij heeft ouders, een moeder, maar ook een váder... een vader, die ík nog dagelijks mis... Waarom doen die niets? Het is toch hun kind, al is hij dan tweeëntwintig. Je kunt toch zó zien dat hij bezig is de vernieling in te gaan? Heeft dokter Schaardenburg dat niet gezien?

Bert probeert op zijn onvaste benen te gaan staan. Maar pijn en drank beletten het hem.

„Ne-neem nog een kop hete ko-koffie," hakkelt hij met een dikke tong.

Matteke wil geen koffie meer. Ze wil hier weg én ze kan hem niet zo achterlaten.

Maar als ze ziet, hoe hij steeds verder achterover leunt en tenslotte half ingezakt op zijn bed indommelt, valt ze op haar knieën en dekt ze hem zorgzaam toe met alle mogelijke dekens die ze ziet...

Op haar tenen sluipt ze weg.

Buiten haalt ze heel diep adem.

Bert, Bért!...

Zo vlug ze kan racet ze naar huis, waar haar moeder al geruime tijd naar haar uitkijkt.

Matteke slaat pardoes haar armen om Lisa's hals. „Lief, bezorgd moedertje," zegt ze. „Was je weer eens ongerust?"

Ze kust haar moeder dat het klapt. Lisa moet er om lachen. „Kindje toch," zegt ze, „je laat me bijna stikken." Tegelijk verwondert ze zich. Want zo'n begroeting is meer iets voor haar onstuimige jongste dochter dan voor Matteke.

Haar onrust sluit ze tegelijk met de deur toe. Ze heeft haar kuikens weer onder haar hoede.

„We moesten maar gauw naar bed gaan," maant ze. „Evie slaapt allang."

Matteke maakt geen tegenwerpingen. Ze snakt ernaar om alleen te zijn met haar verwarde gedachten.

HOOFDSTUK 7

De weken die volgen op de vorstperiode wijzen onverbiddelijk in de richting van de komende examens.

Ilse brengt Bert trouw haar bezoekjes, maar ze zijn noodgedwongen kort en doorgaans direct aansluitend op haar laatste lesuur.

Daarna wacht Bert steevast een lange doelloze avond, die hij al spoedig weer buitenshuis doorbrengt. Zijn voet blijft pijn doen, maar hij verzwijgt dit voor Frans Schaardenburg en diens vader, want hij zit er niet op te wachten om foto's van zijn gekwetste enkel te laten maken. Hij zal daarvoor naar het ziekenhuis moeten en wie weet, merken ze daar meteen hoe het met hem gesteld is. Misschien sturen ze hem wel naar zo'n afkickcentrum, waar hij de andere stamgasten van „Boeket" vaak over hoort hannesen.

Op een avond in maart duwt hij met niet al te vaste hand de verveloze deur van het cafeetje achter zich dicht en slingert zich in de richting van het Jagerspad. Hij zingt halfluid zijn dronkemanslied, want hij is in een beste bui en met de hele wereld verzoend, inclusief de mensen die hij anders minacht omdat ze niet naar hem omkijken.

Wanneer dan ook niet ver van het onbewoonbaar verklaarde woninkje een auto naast hem stopt en hij zijn oudste zuster Hetty herkent, grinnikt hij van pret.

„Mij-mijn zuster Hetty. . . de ge-geslaagde di-directrice van de hele-hele type-sores. . ."

„Bert, stap onmiddellijk in," beveelt Hetty door het portierraampje. „Vooruit, vlug een beetje. Ik heb geen zin om met zo'n aangeschoten type gezien te worden. Schaam jij je niet? Ik vind het een schande. Denk je dan nooit eens aan vader en moeder? Hoe erg het voor hen moet zijn, dat jij je zo misdraagt?"

Berts plezierige stemming wil niet kapot. „Die-die is goed," hikt hij, naast zijn zuster plaatsnemend, of beter gezegd neervallend, „ik misdraag. . . vader misdraagt. . . wij misdragen allemaal. . ." Het laatste klinkt huilerig. Hetty fronst geërgerd haar wenkbrauwen. Ze geeft wat meer gas, bang dat haar broer het vlekkeloze interieur van haar splinternieuwe wagentje zal bevuilen.

„Hup, eruit en vlug," snauwt ze als ze opzij van het donkere huisje staan.

„Ik. . . ," zegt Bert, bekoeld door Hetty's koude aanpak, en ineens begint hij zielig te snotteren.

„Vooruit, mee naar boven en je behoorlijk wassen en verkleden. Je stinkt een uur in de wind."

„Ik moet. . ." Bert vliegt ineens opzij en geeft over. Hetty kijkt onbewogen toe.

„Ik ben zo akelig," mompelt Bert kleintjes. Ze geeft geen antwoord, maar drijft hem voor zich uit naar de achterkant van het huisje en eenmaal binnen, de trap op.

De penitrante geur van achtergebleven braaksel wolkt om haar hoofd. Een moment overheerst het gevoel van deernis om de magere figuur, een jongen nog, die vóór haar op de trap met zwaaiende bewegingen probeert omhoog te klauteren.

Hetty zet twee stevige handen tegen zijn rug en duwt hem verder, tegelijk ervoor wakend, dat hij niet achterover tuimelt.

Boven, op de schemerige zolder, wacht hen een verrassing. Uit één van de twee wankele crapauds verrijst de lange gestalte van Frans Schaardenburg.

Razendsnel bepaalt hij zijn houding als hij zijn gewezen verloofde ontdekt, achter haar broer. De laatste verkeert in kennelijke staat: een vieze dranklucht golft voor hem uit en zegt meer nog dan zijn onvaste stappen hoe het met hem gesteld is.

„Hetty, dat is een hele tijd geleden," zegt Frans verrast. „Dubbel fijn, dat ik je samen met je broer aantref. Het doet me goed, te merken dat jij je evenals Ilse om hem bekommert."

Hetty's blos, veroorzaakt door het zien van Frans, die ze hier niet verwachtte, verdiept zich.

„Ik reed hem achterop. Meneer kwam weer eens uit de kroeg, hoewel hij mij nog niet zo lang geleden beloofd heeft er weg te blijven."

„Tja. . ." Frans kijkt een ogenblik weifelend naar Bert, die weer aanstalten maakt om over te geven. Ditmaal bij het aanrecht. „Doe dat liever op de WC," zegt Hetty. „Hè Bert, wat onhygiënisch."

„Daarvoor moet hij die steile trap weer af. Dat kan niet," merkt Frans rustig op.

„O, ja. Daar dacht ik niet zo gauw aan. Wat een toestand, hè?"

„Dat is het. Het is hier ook veel te koud. Kom Bert, knap je een beetje op, hè? Wacht, ik zal je helpen."

Frans helpt de jongen op een stoel, knoopt zijn hemd open en haalt daarna een handdoek. Bij gebrek aan een washand, maakt hij een punt van de handdoek nat en wast Berts gezicht en handen.

„Zo, dat is al iets beter. Heb je nog een schoon hemd?"

80

„Mi-misschien daar in die hoek," klappertandt Bert. Hij voelt zich miserabel, en de afwijzende houding van zijn zuster bevordert niet direct een mogelijk herstel...

Het is Hetty vreemd te moede als ze Frans zo bezig ziet met Bert. Er ontwaakt iets dat geruime tijd gesluimerd heeft... warmte, diepe genegenheid, voor de sympathieke arts, met wie ze een tijdlang een nauwe band heeft gehad. Of is het véél meer dan genegenheid? Maar ze wil niet opnieuw die pijn, dat knagende verdriet doormaken van enkele jaren geleden... Frans heeft immers zelf een streep gezet onder hun relatie? Als hij van gedachten is veranderd, zal hij naar háár toe moeten komen. Dat mag ze nooit vergeten.

Terwijl Frans zich verder met Bert bezighoudt, loopt Hetty met kwieke pas naar het keukenhoekje en zet water op voor thee.

„Of heb je liever koffie, Frans?" vraagt ze over haar schouder. „Ik dacht dat koffie misschien niet goed zou zijn voor Bert?"

„Toch wel. Zet maar een sterke bak."

„Ja, maar hij is immers misselijk?"

„Alleen door die verwenste drank." Het doet Frans goed, dat Hetty hieraan denkt. Och, hij weet immers, dat onder dat kille vernis meer gevoel zit verborgen dan ze de buitenwereld wil doen geloven?

„Ziezo," zegt Hetty monter, hem een kop koffie overhandigend. „Kijk Bert, die is voor jou. Zal ik je even helpen?"

Schuw ziet hij haar aan. Zijn geslagen houding, zijn deemoedig zitten beroeren wel degelijk iets in haar, maar tegelijk irriteren ze haar. Zie hem daar nu zitten: zo'n jonge vent. Hè, kan die nu niet het elan opbrengen om te vechten? Moet hij zich nu willens en wetens aan die drank verslingeren en voor hun ogen tot een wrak worden? Ze willen hem immers hélpen? Maar dan zal hij méé moeten werken.

„Laat mij maar, Hetty. Ik ben dit soort dingen gewoon."

Opnieuw buigt Frans zich naar Bert over. „Kom, drink maar eens lekker warm op. Misschien wil je iets eetbaars voor hem klaarmaken? Ik wed, dat hij de hele dag niets gegeten heeft."

„Hij gaf anders behoorlijk over. Trouwens, als hij misselijk is, zal hij wel geen trek hebben."

„Wil je iets eten, Bert?"

De jongen schudt verwoed van nee. Maar hij slobbert gretig

van de koffie die Frans hem voorhoudt. Als die op is, gaat Frans naar het aanrecht en rommelt wat in de kastjes eronder. Hij vindt brood en een restje soep. Nadat hij deze heeft geproefd, warmt hij het pannetje op het gaspitje.

Hetty ziet het zwijgend aan. Nog heeft ergernis de overhand bij haar. Ze wíl zichzelf geen mildere gevoelens toestaan. Ze ziet toe hoe Frans haar broer als een klein kind voert. Wat een doffe ellende toch. Hoe heeft het zover met hem kunnen komen? Het was toch een leuk joch, vroeger. Tot hij dwars begon te doen. Hij was het nergens mee eens: niet met de kerk, de kerkmensen... de dominee had maffe ideeën, de politiek deugde niet, niets deugde. Bijna dagelijks lag hij met vader in de clinch... Het was gewoon een verademing toen hij op een dag te kennen gaf op zichzelf te gaan wonen. Daarmee was de rust in huize Prins weergekeerd. Tot ook Ilse dwars begon te liggen, juist in de tijd dat Frans bij hen over de vloer kwam. Ze was toen zelf ook een ongemakkelijk persoontje, dat graag baasde.

Er is een stemmetje van binnen, dat haar opstookt: Je kunt hem nu laten zien, dat je veranderd bent. Dat je niet meer het egoïstische meisje bent van enkele jaren terug. Je zou met hem kunnen praten over 'jouw' meisjes van de typekamer, voor wie je je verantwoordelijk voelt en hoe je probeert hen als medemens, als christen te benaderen en te helpen waar nodig. Je zou Frans kunnen zeggen, dat je tegenwoordig een clubje leidt van moeilijk hanteerbare straatjeugd en met hem kunnen bomen over de problemen waarvoor je geplaatst wordt. Ze doet het niet. Want ze weet nog hoe goed ze converseren konden, samen. Hoeveel gemeenschappelijke interesses ze hadden, Frans en zij... Ze wil hier haar voordeel niet mee doen. De eerlijkheid gebiedt haar dit. Nee, als hij naar haar terug wil komen, zal dat uit eigen vrije wil moeten zijn en niet door vrouwelijke list.

Nadat Bert heeft gegeten, helpt Frans hem op zijn bed. Daarna kijkt hij Hetty vragend aan. „Je kunt hem nu het beste met rust laten. Heb je tijd om even ergens iets met mij te drinken?"

„Dat zal wel gaan. Maar waarom zouden we dat niet bij mij doen?"

„Graag. Ik wilde het je niet voorstellen."

Achter Hetty aan rijdt hij naar de zo bekende straat met duplexwoningen. Hij stopt vlak achter Hetty's witte wagentje, dat hij, zodra hij is uitgestapt, alsnog bewondert. Voor het huisje van Bert is Hetty's nieuwe aanwinst hem ontgaan, daarvoor was hij nog te zeer vervuld van dat jonge, verknoeide leven.

„Dit is een spiksplinternieuw wagentje, zo te zien," zegt hij met zijn hand op de glanzende lak.

„Ik heb hem nog geen week. Vind je het geen dot?" Hetty lacht tevreden. „Het heeft me een aardige duit gekost. Maar ik verdien behoorlijk en daarom heb ik mezelf maar eens verwend."

„Je mag me een keer op een ritje trakteren," zegt Frans overmoedig. Het is alsof ze de oude toon teruggevonden hebben. Ook hij herinnert zich steeds meer de goede momenten die er tussen hen waren. Lenig wipt hij de trap op en als vanzelfsprekend gaat hij zitten in de gemakkelijke stoel, die altijd voor hem gereserveerd stond.

Hetty ziet het, en een ogenblik krijgt ze het heftig te kwaad. Dat Frans daar nu tóch weer zit... op zijn eigen vertrouwde plaatsje... Ach, hoe dikwijls heeft ze dat niet in machteloos verdriet gewenst? Vurig hoopt ze dat er nu niemand aan komt wippen, zoals nogal eens het geval is. Ze zit nu eenmaal in diverse dingen, net als haar vader. Ze weten haar altijd weer te vinden voor dit of voor dat...

Tot Hetty's diepe teleurstelling klinkt dan ook het belletje — drie keer, voor haar dus — als ze nog maar nauwelijks van hun glas hebben genipt.

„Ik heb niets afgesproken. Ik zal proberen hem of haar af te poeieren," belooft ze Frans.

Hij hoort haar naar beneden trippelen, maar meteen daarop terugkomen, al pratend.

„Je auto heeft je verraden, Frans," roept Hetty vanaf de drempel. „Leni herkende hem, ja, wat wil je, zo'n opvallend ding en zó groot is ons stadje nu ook weer niet."

„En bovendien ben ik deze week nog bij dokter Schaardenburg geweest. Al was dat dan bij senior. Dág Frans, hoe gaat het?"

Frans drukt Leni, nog altijd Hetty's beste vriendin, verrast de hand. „Leuk elkaar weer eens te zien. Hoe is het met het jeugdwerk? Wat hebben we ons daar jarenlang voor ingezet, hè? Het was een mooie tijd..."

„We kunnen nog best een enthousiaste medewerker gebruiken," zegt Hetty. „Wij zitten er nog altijd in, niet Leni?"

Leni, een aardig, volslank typetje, knikt, niet helemaal op haar gemak. Het heeft haar verbaasd, Frans bij Hetty aan te treffen. Natuurlijk is haar eerste reactie: zou er weer iets zijn tussen die twee? Daarom durft ze ook wel met haar nieuwtje voor de dag te komen.

„Ik kom je wat vertellen, Hetty. Frans is natuurlijk al op de hoogte: Joop en ik hopen eind augustus een baby te krijgen. Ik zal het wat het clubwerk betreft wat kalmer aan moeten doen de eerste tijd. Op doktersadvies." Het laatste zegt ze met een schuine blik naar Frans.

Hetty zit één moment als versteend. Daar is het weer: het herinneren aan eigen alleen-zijn, aan eigen onvervulde wensen... Maar als ze Leni's stralende ogen ziet, springt ze overeind en omhelst haar hartelijk.

„Van harte, meid. Ik weet hoe jullie hiernaar verlangden."

„Ja, in tegenstelling tot veel paartjes, wilden wij meteen na ons trouwen ontzettend graag een baby. Het kán ook, Joop heeft een prima baan. Maar ja, dat wil natuurlijk nog niet zeggen, dat het daarom ook gebeurt. Wij zijn erg dankbaar, dat het ook kán," legt het aanstaande moedertje haperend uit.

O, ze weet wel, dat ze haar vriendin pijn doet met haar mededeling. Maar ze kan het immers niet verzwijgen? En ze wil ook niet, dat Hetty het van anderen hoort. Zoiets gaat altijd als een lopend vuurtje. Hoe graag gunt ze Hetty waar ook zíj naar verlangt. Dat weet zij, als één van de weinigen, misschien wel als enige... Hetty verbergt immers haar diepere gevoelens en verlangens zo diep ze kan? Zou Frans dit ook hebben ontdekt?

Ze kijkt eens tersluiks naar de jonge dokter, die zo lang tot hun clubje heeft behoord.

„Als ik wat meer vrije tijd had, zou ik weer graag met jullie meedraaien," hoort ze hem zeggen. Ze weet dat hij het meent. Toch kan ze niet nalaten te plagen: „Je bént anders op het ijs gesignaleerd, deze winter."

„Klopt. Ik ben daar zegge en schrijve twee keer geweest. En dan nog op aandringen van mijn ouders. Die vonden dat ik me te veel genoegens ontzegde tegenwoordig."

„Misschien hebben ze wel gelijk. Zeg Frans, kom je op de slotavond van het seizoen? Je weet dat die altijd heel spectaculair is. En dat we daar het liefst zoveel mogelijk ruchtbaarheid aan willen geven. De opbrengst van deze avond is weer voor een goed doel," vertelt Leni geestdriftig.

„Welk?" vraagt Frans geïnteresseerd.

„Bestrijding van alcoholisme," antwoordt Hetty in haar plaats. Ze wisselt een blik vol verstandhouding met Frans. Deze weet zonder dat ze het hem verteld heeft, dat dit voorstel van haar moet zijn uitgegaan. Het wordt hem andermaal warm om het hart. Hetty... je hebt veel meer gevoel dan je weten wilt. Hoe wéét ik of ik voldoende van je houd, zodat ik je niet wéér pijn hoef te doen?

Het gezicht van Frans verstrakt van ernst. Hetty legt dit prompt verkeerd uit. Frans neemt het háár en haar ouders kwalijk, dat het met Bert zo bergafwaarts is gegaan, gist ze. Het is of het ragfijne draadje van verstandhouding dat tussen hen geweven werd, afbreekt.

Frans merkt het ook. Tegelijk met Leni geeft hij te kennen, weg te moeten. Zonder een nieuwe afspraak te hebben gemaakt, verdwijnt hij na een vluchtige groet.

Van bovenaf ziet Hetty hem in zijn wagen stappen, zonder naar haar op te zien. In een waas van tranen ziet ze hem wegrijden, haar leven weer uit.

Dwaas, mompelt ze in zichzelf, om opnieuw illusies te koesteren. Waarom leg je je er niet bij neer, dat het voor jou altijd zo blijven zal... een lege stoel, een leeg glas, een lege kamer en een leeg bed...

Ze ziet Leni's glanzende ogen, haar gelukkige lach, en met een gesmoorde kreet verbergt de altijd zo beheerste Hetty Prins haar gezicht tegen de leuning van de stoel, waarin Frans heeft gezeten. En zo snikt ze haar verdriet en eenzaamheid uit, tot ze tenslotte geen tranen meer heeft en met doffe ogen en gezwollen oogleden voor zich uit tuurt...

Eén ding zien haar pijnlijke ogen slechts: het zo geliefde gezicht van Frans Schaardenburg...

Verre van voldaan rijdt Frans zijn wagen naast die van zijn vader de garage in. Hij weet geen raad met de verwarde kluwen binnenin hem. Hij kan niet ontkennen, dat het hem wat deed, toen hij Hetty's smaakvol gemeubileerde bovenhuis weer binnenging.

Zodra hij zat begon ze haar plicht als gastvrouw te vervullen. Hij denkt aan die keer, toen hij zijn twijfels omtrent Hetty voorlegde aan zijn moeder: „Zou ze net zo'n geschikte doktersvrouw worden als u, moeder?"

„Ze is flink én doortastend," antwoordde zijn moeder bij die gelegenheid.

Hij weet dat ze gelijk heeft. Dat er nog veel méér positieve antecedenten van Hetty zijn op te noemen...

Hij zucht diep, alvorens naar binnen te gaan. Hij weet dat ze binnen op hem zitten te wachten, net als vroeger, toen hij nog een schooljongen was. Het geeft hem een warm gevoel en tevens iets van onvoldaanheid. Hij zou zelf een gezin moeten stichten, hij heeft er zo langzamerhand de leeftijd voor. Maar eerst moet ik zeker van mezelf zijn. Eerst weten, dat ik haar niet opnieuw pijn zal gaan doen. Dan nog maar een poosje bij moeders pappot toeven...

In de deur van de huiskamer talmt hij een ogenblik. Dan schiet hij in de lach. Want „moeders pappot" heeft niets afstotelijks, het is eerder een oase van gezelligheid en intieme huiselijkheid. Er brandt een heerlijk haardvuur. Zijn vader zit daar genoeglijk in zijn leren stoel naast te lezen, moeder heeft een haakwerkje en op het lage tafeltje staat een schaal met verleidelijk lekkere dingen. Maar dat is nog niet alles, in het lage fluwelen stoeltje zit een rank, blond meisje, dat hem met een ondeugende glans in haar ogen aankijkt.

„Dat had je zeker niet gedacht, Frans?" zingt Ilse's frisse stem.

„Ik heb haar hier gehouden tot jij terug zou zijn," verklapt mevrouw Schaardenburg. „Dat malle kind wilde alleen terug door het donker."

„Alléén?" vraagt Ilse verontwaardigd en ze strekt een wijsvinger uit naar de plek naast haar stoel.

Dan pas ziet Frans de hond, die lui uitgestrekt op het haardkleed ligt. Zijn kop op de voorpoten.

„Hé, daar hebben we Terry!" roept Frans uit.

„Terry én Ilse," verbetert het meisje. „Dag baby," plaagt Frans, haar als vanouds over haar blonde haar strijkend. „Stil maar, het is een grote verrassing, jou hier te vinden. Vooral na zo'n enerverende avond als ik heb gehad."

Ze kijken hem alle drie aan. Zelft Terry heft haar kop. Maar Frans laat verder niets los.

Hoe kan hij nú spreken over de problemen rond Bert, nu Ilse zó zichtbaar geniet van de gezellige sfeer om haar heen?

Opgewekt vraagt hij Ilse van alles over haar ophanden zijnde examen, terwijl zijn moeder hen nog eens van wat lekkers voorziet.

Zo beleven ze nog een gezellig uurtje. Tot Frans er onverbiddelijk een eind aan maakt en Ilse en de hond terugbrengt naar huis.

HOOFDSTUK 8

De meisjes ontglippen me, piekert Lisa Versloot, als ze op een avond over haar verstelwerk zit gebogen.

Eerst is Evie en naderhand Matteke na een onduidelijk gemompel de deur uitgegaan. Van Evie is ze het wel gewend, dat die haar heil bij één van haar vriendinnen zoekt. Een tijdlang is het redelijk gegaan. Ze had weinig commentaar, was behulpzaam en zelfs haar grote monden bleven achterwege. Dat was nadat Evie met moeder gewinkeld had. Opgetogen heeft ze hen de prachtige bloes laten zien... Ja, toen leek het erop, dat Evie weer de lieve, spontane meid werd van vóór Toms dood.

Moeder had vast een groot aandeel in deze tijdelijke verbetering gehad. Tijdelijk, helaas, want ze is nu méér weg dan ooit. Haar schoolwerk wordt vlug-vlug afgeraffeld en ze verwacht dan ook dat het rapport dat Evie deze week krijgt, dit duidelijk aan zal tonen. Ze heeft wel een helder verstand en nooit veel moeite met leren, maar toch...

Lisa zucht zorgelijk. Want ook haar oudste dochter baart haar zorgen... Matteke zit voor haar eindexamen, dat beseft ze heel goed. Ze probeert haar zo weinig mogelijk in te schakelen bij de huiselijke beslommeringen. Liever zwoegt ze zelf tot in de kleine uurtjes dan Matteke nog zwaarder te belasten. Ze moedigt haar zélf aan, eens even naar een vriendin te wippen. En dat doet Matteke ook wel. Bijna altijd is het Ilse waar ze heen gaat. Lisa heeft daar niets op tegen. Ze vindt Ilse een schat van een kind en een goede vriendin voor haar dochter. Bovendien is ze altijd opgewekt en dat kan ze van Matteke tegenwoordig niet zeggen. Ziet ze zo tegen het examen op, of zijn er andere dingen waar haar kind mee zit? Praatte ze er maar eens over, maar Matteke is net als zijzelf: ze kropt alles op en bijt liever het puntje van haar tong dan er haar moeder mee te belasten. Maar ze beseft niet, dat deze zich nu veel meer zorgen maakt, omdat ze niet weet wat er aan de hand is...

Zich niet bewust van haar moeders gedachten, zit Matteke op een geïmproviseerd bankje — enkele patiostenen met een plank erover — en tuurt op de wiskundevraagstukken, die Bert haar probeert uit te leggen.

„Laat maar, Bert," zegt Matteke wanhopig, „ik snap er écht geen snars van."

„Dan zal ik het je nóg beter proberen uit te leggen." Bert schuift dicht naast haar en begint met engelengeduld zijn leerlinge opnieuw te onderwijzen in de geheimen van het vak waarmee hij zelf nooit moeite heeft gehad, ja, waarin hij zelfs uitblonk...

Terwijl ze luistert naar Berts explicaties, bedenkt ze dat ze hem in ieder geval op deze avonden van de drank afhoudt. Met Ilse heeft ze afgesproken, dat die zoveel mogelijk 's middags en zijzelf 's avonds naar Bert zou gaan.

„Frans heeft me een beetje bang gemaakt," heeft Ilse haar toevertrouwd. „Hij zegt dat Bert erger van alcohol afhankelijk is dan wij vermoeden... En dat er niet langer mag worden gewacht met ingrijpen. Ik heb hem gesméékt om het nog even aan te zien en hem gezegd dat wij met ons tweetjes op hem zullen passen. Dat wil je toch wel voor mij doen, Matteke?"

Natuurlijk had ze dat bevestigd. Alleen, ze doet het niet voor Ilse, nou ja, ook wel een beetje, maar toch in hoofdzaak voor Bert zelf.

Thuis zwijgt ze echter over hem. Ze weet intuïtief dat haar moeder het niet goed zou vinden, dat ze haar vrije uurtjes op het armoedige zoldertje doorbrengt met Bert Prins...

Als het tien uur is, klapt Matteke haar boeken dicht. „Ik moet weer gaan," kondigt ze aan.

Bert knikt. Hij weet, dat hij haar niet kan tegenhouden. Wat Matteke voor hem doet, is al zó veel... Ze beseft dat zelf niet.

De avonden hebben weer glans en gezelligheid. Matteke aan het lage tafeltje, haar donkere haren glanzend en geurig... heel haar frisse jonge verschijning is een verademing na de zwoele avonden met Patricia en zijn weinig gepolijste Boeketvrienden...

„Ik breng je weg," zegt hij als iedere avond. Maar prompt is daar ook Matteke's besliste weigering. „Nee. Ik ben er met de fiets in een wip. Tot morgen."

O, die heimelijke vrees, dat hij op de terugweg misschien toch weer bezwijkt voor de verleiding en over de drempel van het louche cafeetje zal stappen!

Deze avond kan hij haar niet zonder meer laten gaan. Dwars door de vraagstukken die hij moeiteloos voor haar ontwart, vèrwart hem haar nabijheid. De geuren van haar warme meisjeslichaam, zo dicht onder handbereik... Hij ziet haar lieve, zachte mond, de schittering in haar ogen, wanneer ze hem aanziet. Hij weet, hij voelt, dat Matteke op hem gesteld is, of zelfs meer dan dat...

„Zeg, krijg ik nooit eens wat voor al de moeite die ik me getroost om jou een behoorlijk cijfer op je eindlijst te bezorgen?" plaagt hij haar.

Matteke kleurt. „Ik heb voor je afgewassen en gestoft en..."

„Dat weet ik. Dat ís ook lief van je, maar ik bedoel dit..."

Hij buigt haar hoofd achterover en kust haar zoals hij dat al zo vaak heeft willen doen. Eén moment is Matteke overrompeld, maar dan geeft ze hem zijn kus met zoveel overgave terug, dat Bert onmiddellijk antwoordt, door haar nog vaster in zijn armen te sluiten.

„Mattie... schát," zucht hij in haar donkere haren, die hem kriebelen en nog verliefder woordjes doen mompelen...

Op dit moment flitst er in Matteke een herinnering aan. Bert met dat meisje beneden... op een avond, toen zij dacht dat hij niet thuis was. Zacht, om hem niet te kwetsen, maakt ze zich van hem los.

„Niet doen, Bert," zegt ze hees. „Laten we alsjeblieft gewoon vrienden blijven. Dat...dat is voor alles beter."

„Okay," doet Bert nonchalant alsof het hem amper aanging. „Gewoon goede vrienden. Ja, ik begrijp het. Ik ben immers maar een stomme vent zonder papieren? Ik kan me nóóit een vrouw permitteren... Ik: een aan de alcohol verslingerde vent... Zoek jij er maar één die je wat te bieden heeft." Hoe bitter zijn woorden zijn, zeggen hem Matteke's verschrikte ogen. Als hij daarin ook nog tranen ziet, zegt hij: „Kom, laat je medelijdende hartje nu buiten beschouwing. Met medelijden schiet ik niets op. Het is verstandiger om dit soort bijlessen maar te beëindigen. Precies wat je zei... dat is voor alles beter."

Huilend loopt ze van hem weg. O, wat heeft ze de boel grondig verprutst. Al heeft ze geen ogenblik gedacht aan zijn uiterlijk, zijn verslaafd-zijn, zijn werkloosheid... alleen de gedachte aan die ander, tegen wie hij dezelfde lieve dingen zei... die deed haar deze woorden zeggen...

Stilletjes komt ze om half elf de huiskamer binnen, waar haar moeder nog bezig is met een spijkerbroek van Tommy. Tommy, die weer gaten in broeken valt, maar op wie moeder toch niet echt boos kan worden, omdat hij bezig is weer de kwajongen te worden van vóór het ongeluk, dat vader het leven kostte.

„Dag kind," zegt Lisa hartelijk. „Je ziet koud. Heb je nog trek in iets warms?"

„Het ís koud buiten. Nee moeder, ik hoef niets meer. Ik ga meteen door naar bed. Ik moet er morgen weer bijtijds uit."

„Ik zal je wekken."

Bekommerd kijkt Lisa het trieste, smalle figuurtje na.

Examenvrees? Het mocht wat. Er zit meer achter, maar wat?

„Leg al je zorgen neer voor de Heer," zou háár moeder zeggen. Maar hoe kan ze Matteke dit advies doorgeven, als ze deze raad zelf niet opvolgt? Altijd nog is er opstandigheid in haar hart. God heeft het maar gruwelijk laten afweten, toen, die zwarte dag van het ongeluk. Als Hij dan een God van liefde is, waarom gebeuren er dan zulke afschuwelijke dingen op deze wereld?

De alom gehoorde klacht van mensen die het God aanrekenen, al de dingen die er verkeerd gaan op de aardbol...

Die Hem ter verantwoording roepen in plaats van Hem te zoeken om vergeving en troost...

Matteke kleedt zich in het donker zo geruisloos mogelijk uit. Daarna sluipt ze in haar slipje met haar handdoek en nachthemd naar de badkamer om zich te wassen. Terug op de meisjeskamer, hoort ze Evie's stem, klaarwakker: „Weet je wat ze zeggen? Dat jij met die gesjeesde broer van Ilse gaat. En dat die inwoont bij een hoertje... ik heb het gehoord van lui op school."

In Matteke verstijft iets. Het lukt haar echter om niets van haar schrik te laten merken. „Op zulke onzinnige dingen ga ik niet in," zegt ze scherp. „Ik vind het min van je, dat je naar zulke praatjes luistert. Ik kan je wel vertellen, als ze zoiets van jou zouden zeggen... dan... dan..."

„Nou kind, wind je niet op. Ik pestte je gewoon een beetje. Ik ben met Ellen een keertje achter je aangefietst. Nou en toen merkten we dat je helemáál niet naar Ilse ging. En toen werden we nieuwsgierig. Ik vertrouwde je tóch al niet... je kunt zo kalverachtig zitten staren." Evie proest het uit in het donker. Dan knipt ze ineens het schemerlampje tussen de beide bedden aan. „Zie je wel," zegt ze triomfantelijk. „Je hebt gehuild. Natuurlijk om die mafkees. Nou, ik vind het een engerd om te zien met dat lange haar... bah, wat je daar nu aan vindt..." „Evie, doe dat licht uit en ga slapen. Moeder denkt, dat jij dat allang doet." „Ze denkt ook, dat jij 's avonds braaf naar Ilse gaat," hoont Evie. Maar ze doet toch wat haar zusje gevraagd heeft. En daarna houdt ze wonder boven wonder haar snater. Want heeft zij op haar beurt moeder ook niet bedrogen? Ze heeft weliswaar die bloes — hoe ze het heeft gedurfd snapt ze nu niet meer — teruggehangen in het rek, de volgende dag, maar daarna heeft ze een paar keer make-up artikelen weggenomen uit een parfumeriezaak. Het ging zo gemakkelijk en zij had immers geen geld zoals haar vriendinnetjes? En ze wílde niet onderdoen voor de andere meisjes. Ze wilde, dat Jan-Willem haar zag, haar opmerkte... Maar vooral 's avonds, als ze alleen op de slaapkamer wacht op Matteke, als de dingen in de kamer vreemde schaduwen worden en alles griezelig lijkt en de voetstappen op de galerij angstaanjagend, dan breekt het klamme zweet haar uit. Dan is ze dolblij, als ze Matteke hoort komen, omdat ze dan niet meer alleen is met haar schuldige geweten... O, steeds die angst te moeten meedragen, dat je iets slechts hebt gedaan, en dat er ineens een hand op je schouder kan worden gelegd die je sommeert mee te gaan naar het politiebureau...

Matteke hoort haar zusje woelen. Evie heeft ook dingen die haar uit de slaap houden, denkt ze. Maar ná Evie's woorden kan ze er niet toe komen ernaar te vragen. Zelf is ze nog te zeer van streek, door wat er vanavond tussen Bert en haar is voorgevallen.

Een misverstand... komt ze eindelijk na veel gepieker tot de conclusie. Eigenlijk is het een kortsluiting tussen ons. Bert denkt dat ik hem te min vind en daardoor duw ik hem regelrecht terug naar dat akelige café. Zou ik hem durven opbiechten, waarom ik die woorden heb gezegd? Dat het alleen kwam door dat meisje? Een hoertje... heeft Evie haar betiteld en dat kwam hard aan. Bert met... nee, nee, zo mág zij niet denken. En wat weet zij bovendien van dat meisje? Ze mag niet afgaan op roddelpraat. Matteke neemt zich voor, al heeft Bert haar min of meer haar congé gegeven, morgenavond naar hem toe te gaan en te proberen het uit te praten. Zij mag er niet de oorzaak van worden, dat Bert weer een terugslag krijgt.

De volgende morgen staat Lisa op met bonzende slapen en een pijnlijk gezwollen keel. Ze schrikt, ze voelt zich helemaal niet lekker. Hoe moet dat nu?

Moeizaam wast ze zich en met trage bewegingen kleedt ze zich aan. Ze draait de verwarming open, vult de ketel met water voor thee en zet brood klaar voor de meisjes en pap voor Tommy.

Daarna wekt ze hen, zoals iedere morgen. „Opstaan, Evie, Matteke, meteen eruit. Het is al tien over zeven."

Tommy zit naast zijn bed met zijn trein te spelen. Lisa maakt bijna een duikeling over de rails, die hij tot dicht bij de deur heeft uitgelegd. „Hè, Tom, mamma viel bijna. Dat kan niet, zo vlak achter de deur."

„Kan niet anders," zegt Tommy zonder op te zien. Hij heeft nog gelijk ook, weet Lisa. In hun vorige huis had hij een ruime kamer, waar de rails met gemak konden worden uitgelegd. Tom was zelf bezeten van treinen en heeft met kleine Tommy heel wat uurtjes op diens kamer doorgebracht. Tommy was toen eigenlijk nog te jong, maar Tom was van oordeel, dat hij beter zo vroeg mogelijk met zoiets kon beginnen. Dan kon hij alles stukje bij beetje bij elkaar sparen.

Natuurlijk was het ook voor hem zelf geweest, ze had hem er vaak genoeg mee geplaagd. En hoe vaak gebeurde het niet, dat hij met een of ander nieuw stukje aankwam zogenaamd om zijn zoon te verrassen. Maar zelf was hij er nog blijer mee dan Tommy...

In haar hart vindt Lisa het fijn, dat Tommy deze hobby van zijn vader blijkt te hebben overgenomen. Hele middagen speelt hij in zijn eentje met het schitterende spoorwegemplacement...

„Nu ophouden, Tom. En je aankleden. Je kleren hangen klaar over de stoel."

Lisa jacht zich alweer terug naar de keuken...

Matteke is inmiddels opgestaan, maar met Evie heeft Lisa meer moeite. Eindelijk zitten ze dan toch gevieren aan de ronde tafel. Evie met een gezicht als een donderwolk.

„Jij hebt mijn panty aan gehad."

„Helemaal niet waar, kind. Wat moet ik nou met jouw

panty? Trouwens, waarom doe je die door de week naar school aan? Je bedoelt toch die opengewerkte?"

„Zie je nu wel? Je weet precies welke ik bedoel."

„Eef, hou je stil. Matteke heeft gelijk: ik heb geen geld om jullie door de week dure panty's aan te laten trekken. Je draagt toch een lange broek, dus dat hoeft niet."

„Ik draag vandaag geen lange broek, maar mijn nieuwe bloes en rok," zegt Evie vinnig.

„Evie, ik verbied je. . ."

Evie wacht haar moeders tirade niet af. Wild vliegt ze overeind, maait haar theeglas om en holt naar de deur.

„Een stomme boel is het hier," roept ze half huilend. „Nooit eens gezellig. Overal wordt op gevit en de hele dag hoor je over dat stomme geld. Denk je dat ze bij Ellen zo zeuren?"

Lisa hoort een harde slag. Evie is vertrokken, zonder groet, zonder haar boterhammetje voor tussen de middag.

De thee glijdt in een stroompje van het tafelzeil op de grond. Matteke haalt vlug een doekje uit de keuken. „Laat mij maar," zegt haar moeder. „Zorg jij nu maar dat je op tijd komt."

„Ik breng Tommy vanmorgen wel even. Ik hoef pas het tweede uur, dat heb ik toch gezegd?"

Ze kijkt haar moeder opmerkzaam aan. „Wat is er? U ziet er zo vreemd uit. . ."

„Ik voel me grieperig. Wat keelpijn," bagatelliseert Lisa zo luchtig mogelijk. Ze probeert te lachen tegen Matteke's bezorgde ogen.

„Neem een aspirientje," raadt haar dochter, „en als het niet gaat, dan komt u terug, hoor!"

„Natuurlijk," sust Lisa. Maar ze weet, dat ze dat pas zal doen, als het helemáál niet gaat. Ze moet zuinig zijn op haar baan. Zo gauw wordt gezegd: Zie je wel, die blijft maar gemakkelijk thuis. Dat heb je nu met vrouwen die een gezin hebben met kinderen. . .

Maar in de loop van de morgen voelt Lisa zich zieker en zieker worden. Het valt haar naaste collega's al gauw op, dat Lisa Versloot zich lang niet prettig voelt.

In de koffiepauze, een groot woord voor een haastig naar binnen werken van een beker koffie of chocola, fluistert Thea haar toe: „Lisa, wat is er aan de hand? Voel je je niet goed?"

„Wat grieperig," zegt Lisa net als tegen Matteke. „Gaat wel over voor ik een jongetje ben, hoor."

Thea zet de bekertjes in elkaar en deponeert deze in de

daarvoor bestemde afvalbak. Ze neemt zich voor haar buurvrouw goed in de gaten te houden. Lisa is geen klaagster, dus moet ze zich wel echt beroerd voelen. Ze heeft Ruud ook al een paar keer in Lisa's richting zien kijken, vanaf zijn bureau bij het raam. Ze heeft nooit meegedaan aan de roddels, die nu eenmaal op ieder bedrijf circuleren en ook op de redactie van de krant niet ontbreken. Ze heeft heus wel gemerkt, dat hun journalist Ruud van Houtum, de meest begeerde vrijgezel van de krant, meer dan gewone belangstelling voor Lisa Versloot aan de dag legt. In haar hart vindt ook zij het een wat vreemde combinatie: de charmante, jong-ogende Ruud met zijn wild krullende haardos en de flegmatieke, wat saai aandoende weduwe... Maar goed, dat zijn háár zaken niet, en als ze nu om elkaar geven? De roddeltjes van haar vrouwelijke collega's zijn hoofdzakelijk ingegeven door jaloezie, en daar past zij voor.

Lisa, onbewust van Thea's gedachten, buigt haar warme gezicht nog dieper over de staten die ze aan het doornemen is. Ze heeft Ruuds ogen óók gevoeld en ze met opzet ontweken. Ze mag, ze wíl hem niet aanmoedigen. Nooit zal er immers een ander in haar hart zijn dan Tom? En... en... nee, er is te veel wat Ruud en haar scheidt. Hoe zou hij ooit haar zorgen kunnen delen, hij, een vrijgezel, die geen kinderen gewend is en alleen rekening met Ruud van Houtum hoeft te houden? Neem nu Evie... zoals die vanmorgen met een kwaad hoofd de deur uit is gelopen. Ze weet haast zeker, dat Ruud haar vierkant bij een arm genomen zou hebben en door elkaar zou hebben gerammeld. Ze heeft wel gemerkt dat Evie hem irriteert... Nee, ze mag aan hem geen enkele gedachte meer wijden.

Daarom houdt Lisa zich blind en doof, ook als hij haar om half één een lift aanbiedt. „Nee, Ruud, ik heb mijn fiets hier immers? En fietsen is gezond voor een mens," zegt ze met een mislukt lachje.

„Niet als een mens zich ziek voelt," pareert Ruud. „Toe, doe niet zo moeilijk Lisa, en stap in."

Maar ze blijft bij haar weigering en laat Ruud het nakijken.

Eenmaal thuis voelt ze zich dermate ziek, dat ze na Tommy zijn boterham te hebben gegeven besluit haar bed in te kruipen. Het is gelukkig woensdag en Tom is vrij van school. Ze draagt hem op, zoet te gaan spelen, omdat mammie ziek is. Tommy maakt geen tegenwerpingen. Hij zit alweer met zijn trein op de grond, als Lisa nog even om het hoekje kijkt.

Ze slikt een paar aspirientjes en duikt onder de wol. Binnen enkele minuten slaapt ze. Onrustig, door de koorts die nu eerst goed op komt zetten.

„Waar is mamma?" is Matteke's eerste vraag als ze thuiskomt. Haar broertje kijkt amper op. „Ziek," mompelt hij onduidelijk door het koekje dat hij juist in zijn mond propt.

Matteke ijlt gealarmeerd, haar jas nog aan, naar de slaapkamer, waar ze haar moeder slapend aantreft. Ze legt een koude hand op het gloeiende voorhoofd van haar moeder.

Flink koorts, constateert ze paniekerig.

Ze gaat meteen door naar de kamer om dokter Schaardenburg te bellen. Moeder ziek is zo iets ongewoons, dat ze niet anders weet te doen.

De doktersvrouw belooft haar dat haar man of zoon nog even langs zal komen. „Maak je maar niet te veel zorgen, er heerst veel griep op het ogenblik," raadt ze vriendelijk.

Ze heeft zeker gemerkt, dat ik geschrokken ben, denkt Matteke. Nou, ik zal maar beginnen met thee te zetten. Moeder zal nog wel niets gehad hebben en Tommy ook niet. Het treft wel vervelend, ik heb een berg voor school te doen. Nou ja, niets aan te doen, moeder gaat nu voor.

Zodra haar zusje thuiskomt, vertelt ze dat moeder in bed ligt. „Ik hoop dat jij je handen ook laat wapperen en me straks met het eten helpt. En de afwas natuurlijk," zegt Matteke maar vast.

„Ik píeker er niet over! Ik moet naar Ellen. Dat heb ik afgesproken."

„O, je gaat maar. Jij hebt geen hart, dat was ik even vergeten." Met een boze frons tussen haar ogen verdwijnt Matteke naar de keuken om poolshoogte te nemen wat er voor eten in huis is. Egoïst, denkt alleen aan zichzelf. Nou ja, nu vooral geen ruzie maken, dat is voor moeder ook niet prettig.

Ze vindt soepvlees in de koelkast en laat daarvan alvast bouillon trekken in de snelkookpan. Ze schilt wat aardappels en wast de andijvie, die ze in de groentela ziet liggen. Daarna drinkt ze thee met Tommy. Schenkt voor moeder en Evie ook een kopje in en brengt het ze. Eerst Evie, die languit op haar bed ligt te leren. De vingers in haar oren. „Een kopje thee, dame. Met een spritsje."

Evie hoort niets. Matteke zet het op het nachtkastje en gaat naar de patiënt. Lisa knippert met haar ogen. Geschrokken kijkt ze op de wekker, als ze Matteke ziet. „Is het al zo laat? Ik wilde maar een uurtje..."

„Niks daarvan. U bent ziek, mam. Ik heb de dokter al gewaarschuwd. Hij komt straks kijken."

„Ben je mal? Ik ben gewoon een beetje grieperig."

„Gewoon... ik wed dat u flink koorts heeft. Ik zal de thermometer halen. De dokter vraagt natuurlijk naar de temp."

Als een ijverig zustertje verzorgt Matteke haar moeder en die laat wonder boven wonder met zich doen. Ze voelt zich inderdaad verre van prettig en het is een weldaad je eens te láten verzorgen. Alleen, Matteke...

„Kan het wel, om je schoolwerk?" vraagt Lisa met een matte stem.

„Tuurlijk, mamsje. Maakt u zich nu nergens zorgen over, alles marcheert best."

„Waar is Tommy?"

„Aan het spelen. Hij heeft net thee gehad." En een halve trommel koekjes, denkt ze er achteraan, maar het is beter dit te verzwijgen.

„En Evie?"

„Aan het leren. Ook thee gehad," somt Matteke op.

„Ga jij dan zelf gauw bezig voor school. Laat de boel de boel maar. Haal desnoods wat bij de chinees op de hoek."

Matteke dreigt met een vinger. „U mag zich nergens mee bemoeien, zei ik toch?"

Dokter Schaardenburg senior bevestigt de diagnose, die Lisa zelf al gesteld heeft: een flinke griep. Een paar dagen het bed houden en er niet te vroeg weer uit.

Hij bekijkt en passant ook Tommy's been nog even en laat hem bewegingen maken. „Wanneer moet hij terugkomen in het ziekenhuis?"

„Over twee weken pas," vertelt Lisa hem.

„Volgens de rapporten is de operatie goed geslaagd. Dat had heel anders gekund, meisje."

Het is goed en vertrouwd om zo te worden aangesproken. Maar ze kent hem ook al zoveel jaren. Haar ouders hadden dokter Schaardenburg al als jonge net afgestudeerde arts. En nu is zijn eigen zoon alweer zover...

„Dat had het ook," verzucht de patiënte. „Maar dankbaar? Ja, waar het Tommy betreft. Als ik eraan denk, hoe erg het met hem was, na dat ongeluk... Maar mijn man is ermee gegaan, dokter..."

„Ja, dat is waar." Dokter Schaardenburg kijkt met een bewogen blik naar de vrouw, in zijn ogen nog zo jong, die deze slag maar niet te boven kan komen.

Hij schrijft een recept uit, dat haar lichaam helpen moet weer gezond te worden. Maar voor dat andere heeft hij geen recept. Of toch wel?

„Daar is Eén, die jouw moeite ziet, kent al jouw stil verdriet," citeert hij, voor hij de kamer verlaat.

Lisa, onder de dekens, balt haar hand tot een vuist... Ik heb Hem niet nodig. Ik heb niemand nodig. Ik zal mijn moeilijkheden zelf wel oplossen.

Matteke, op haar tenen, komt nog even kijken als ze de dokter heeft uitgelaten. Lisa houdt zich slapende en Matteke sluipt weer weg.

Dan pas geeft Lisa zich over aan haar opstandigheid, haar wanhoop en verdriet, dat in haar zwakke, zieke lichaam ineens weer de overhand krijgt.

Net heeft Matteke de tafel afgeruimd en de vuile vaat gespoeld, als het belletje snerpt. Ze doet het luik in de keuken open. Een lachend mannengezicht steekt erdoor. „Ha, die Matteke. Ik kom eens kijken hoe het met je moeder is. Ze was vanmorgen lang niet goed."

„Ik kom," zegt Matteke, opgelucht omdat het meneer van Houtum is.

„Ze heeft het flink te pakken," fluistert ze om moeder. „De dokter is al geweest. Het is griep."

„Ze kan dus morgen niet naar de krant. Nou, dat had ik wel gedacht. Kijk, ik heb bij voorbaat al iets voor de patiënte meegebracht, maar jullie mogen er ook van snoepen, hoor."

Hij duwt Matteke een paar zakken in haar handen met verlokkelijk uitziend fruit: appels, sinaasappels, mandarijnen, bananen. Matteke watertandt. „Heerlijk, dank u wel," zegt ze blij.

Ruud, of het de gewoonste zaak van de wereld is, trekt zijn jas uit en hangt die aan de kapstok. Juist op dit ogenblik kijkt Evie om de deur. „Wie...?" begint ze, en dan: „O, ú!"

„Ja, ik ben het!" zegt Ruud kalm en wandelt achter Matteke de kamer binnen.

„Ha, die Tom," lacht hij, net als bij Matteke. „Wat zie ik daar? Toch geen lego? Mag ik meedoen, Tom?"

Het kind kijkt hem stralend aan. „Joepie," gilt hij, weinig

gewend als hij is. „Offe... zal ik eerst bij jullie moeder gaan kijken?"

„Mammie slaapt," zegt Evie stug. „Dus kunt u maar beter niet gaan."

Matteke zendt haar zusje een woedende blik. „U mag straks gerust even naar haar toe gaan, hoor. Maar misschien kan ze beter eerst nog wat slapen."

Matteke trekt zich terug en Ruud laat zich naast Tommy op de grond voor de verwarming glijden.

„Lekker warm hier, zeg."

„Nou joh. Moet je kijken joh, wat ik maak..."

Pas na een minuut of vijf vraagt Ruud zich af, waar de zusjes gebleven zijn. Misschien aan de afwas? Hij heeft nogal wat vuile vaat zien staan, herinnert hij zich, scherp opmerker die hij is. En hij zou Ruud van Houtum niet zijn, als hij niet terstond poolshoogte ging nemen, of zijn vermoeden juist is.

In de keuken staat Matteke met een kleur van het haasten af te drogen.

„Waar is Evie?" vraagt Ruud scherp.

„Naar een vriendinnetje."

„Mooi is dat. En jou maar alleen laten afwassen. Wacht, ik zal wel even..."

In de kamer vertelt hij Tommy dat hij dadelijk terug is. Even Matteke helpen met de afwas. „Kleed jij je intussen vast uit, dan spelen we straks nog vijf minuutjes met je lego. En dan ga je als een haas onder de wol."

Het ventje maakt geen enkele tegenwerping. Hij vindt het kennelijk heel gewoon, dat die aardige meneer het heft in handen neemt, nu mammie ziek is.

Tijdens het afdrogen vraagt Ruud belangstellend naar het op handen zijnde examen. Matteke proeft oprechte belangstelling achter zijn vraag en daarom vertelt ze hem precies hoe ze er voor staat. „Wiskunde en Duits, daar zit ik mee...," zucht ze wat benepen. „De andere vakken red ik wel."

„Nou, ik wil je met alle plezier helpen. Talen zijn mijn sterke kant toevallig. Wiskunde wat minder, maar ik heb tenslotte mijn diploma's, dus dat zal ook wel gaan."

„Ik heb iemand die me met wiskunde helpt... hielp," vertelt Matteke aarzelend. Het is gek, maar ze heeft zo maar de neiging, deze Ruud van Houtum alles over Bert te vertellen. Op het nippertje slikt ze haar woorden echter in... Wat kent ze deze collega van moeder eigenlijk? Ze denkt ineens aan haar zusje. Hoe angstvallig Evie deze knappe, behulpzame reus met zijn donkere krullebol op een afstand houdt. Heeft Evie meer mensenkennis dan zij? Is het Ruud alleen maar begonnen om hen te paaien en zodoende haar moeder te strikken? Matteke heeft Ruud zó zorgelijk aan staan kijken, dat hij in de lach schiet.

„Je hoeft deze vreemde snoeshaan niet alles aan zijn lange neus te hangen, hoor," plaagt hij haar. „Pas jij maar op voor vreemde mannen, precies zoals je moeder je dat geleerd heeft. Maar," nu worden zijn ogen ernstig, „áls je ergens mee zit, waar je niet uit kunt komen, weet dan dat ik je altijd helpen wil. Zul je dat onthouden, meisje?"

Matteke knikt heftig. Er branden tranen in haar ogen, die ze niet toe wil laten, maar die even later toch over haar wangen rollen.

Ruud doet alsof hij het niet ziet. Opgewekt hangt hij de theedoeken over de verwarming en gaat terug naar Tommy die al vol ongeduld in zijn blauwe pyjama op hem zit te wachten.

Matteke snikt het uit, haar gezicht in de geblokte keukendoek. Ik mis pappa zo... Nu, door Ruud, nog meer dan anders. O, wat zou ik graag met vader over Bert gesproken hebben. Hem willen vragen hoe het nu verder moet. Ik wil hem zo graag helpen en inplaats daarvan heb ik het helemaal verkeerd aangepakt. Ik móet naar hem toe. Zien hoe het is. Of hij thuis is, of toch weer naar dat beroerde café is gegaan.

Maar het kan immers niet, nu moeder ziek is?

Daarom zet ze koffie. Maakt voor de patiënte vruchtensap klaar en een paar beschuitjes, en brengt dat samen met een glas water en de medicijnen naar haar moeder, die soezerig haar ogen opendoet, als haar dochter voor het bed staat.

„Dag kind, kun je het redden?" vraagt ze met een schorre stem.

„Best. Ik ben zelfs al klaar met de afwas. Ik heb een fijne hulp gehad, moeder. En die speelt nu met Tommy met de lego."

„Wie?" vragen Lisa's ogen.

„Ik zal hem zo dadelijk even sturen. Dan kan Tommy u meteen welterusten zeggen."

„Waar is Evie?"

„Naar Ellen. Leren."

„Ik hoop dat ze op tijd terug is."

„Natuurlijk, mamsje, daar zorgt ze heus wel voor."

Lisa komt moeizaam overeind. Matteke schudt de kussens lekker op en zet het blaadje voor haar neer. „Zo, nu eerst wat eten en drinken en daarna uw medicijnen," moedert ze.

Lisa glimlacht even. Lieverd, denkt ze. Wat had ik het graag anders gewild... Jij bent zelf nog zo jong en veel te veel betrokken bij míjn zorgen.

„Ziezo, nu even een kam door uw haren, mam. Zó kunt u geen bezoek ontvangen. En dan dat gele bedjasje om..."

Lisa laat met zich doen. Ze voelt zich veel te slap en te moe om tegenwerpingen te maken.

„Moeder is wakker," bericht Matteke Ruud. „Tommy, zeg jij mammie even welterusten? Dan stopt Matteke je in je bedje."

„Nee, dat doet oom Ruud," sputtert Tommy tegen, en intussen probeert hij de knopen van zijn pyjamajasje goed dicht te doen, in plaats van scheef...

„Jij bent nog maar een klein jongetje," plaagt Matteke. „Kijk, je hebt ze in het verkeerde knoopsgat gedaan. Wacht..."

„Laat hem toch zelf proberen," zegt Ruud. „Hup, naar je moeder, en dan gooi ik je op je bed. Dan mag Matteke de rest doen."

Ruud wacht tot Matteke met Tommy terugkomt uit de ziekenkamer. Hij tilt het ventje met een zwaai op zijn arm en laat hem voorzichtig op zijn bed neer. „Heb je helemaal geen last meer van je been?"

Tommy schudt zijn blonde hoofd. „Niks geen ietsiepietsie. Wat had ik een mooi gips, hè?"

„Nou. Ik zag het vanaf die hoge ladder, weet je nog?"

„Nou. Ben je nu geen glazenwasser meer?"

„Nee hoor. Ik werk gewoon weer bij de krant."

„Ga je nog wel eens heel ver weg?"

„Ja. Over een paar weekjes weer."

„O. Dan kun je niet meer met mij spelen."

„Ik zal je een hele mooie ansicht sturen en als ik terugkom neem ik iets voor je mee. Goed?"

„Jippie... dat is leuk."

Zonder protest laat Tommy zich onderstoppen. Matteke heeft op de gang geluisterd naar die twee. Tommy vertrouwt hem zonder enige reserve en kinderen voelen scherp, peinst Matteke wijs.

„Moet je niet eerst een gebedje doen?" vraagt Ruud nog.

„Nee. Hoeft niet. Vroeger met pappie. . ." Het kind zwijgt verward. Ruud bijt op zijn lip. Stom om hem aan zijn vader te herinneren. Van Lisa weet hij hoe Tommy nog dikwijls geplaagd wordt door angstdromen: naweeën van het auto-ongeluk dat hij heeft meegemaakt. . .

Hij strijkt het kind over de zachte haren en impulsief buigt hij zich ineens voorover en geeft hem een kus op zijn kruin.

„Welterusten, gauw gaan slapen."

„Trusten. De deur moet openblijven, hoor."

Ruud tikt op Lisa's kamerdeur.

Hij ziet haar met een hoogrode kleur overeind in de kussens zitten. Ze heeft flink koorts, denkt hij.

Toch is Lisa's blos niet alleen door een hoge temp veroorzaakt. Ze heeft Ruud verwacht na Matteke's woorden. Maar nu hij daar alsof het de gewoonste zaak van de wereld is, binnen komt wandelen, fladdert haar toch al onrustige hart met vlugge, vreemde slagen. . .

„Dag Lisa. Dat fietstochtje naar huis is je blijkbaar niet zo goed bevallen," plaagt hij voorzichtig. Hij pakt één van de twee stoelen en zet die dicht naast haar bed.

„Pas maar op voor besmetting. Het is een heel vervelend griepje," kucht de patiënte.

„Het is je aan te zien," zegt Ruud, die wacht tot Lisa's hoestbui over is. „Gelukkig heb je een flinke dochter, die alles keurig voor elkaar heeft."

„Ja. Maar Matteke zit voor haar eindexamen. Ze heeft eigenlijk helemaal geen tijd."

„Ik ga haar zo dadelijk helpen, als jij het goedvindt tenminste. Met Duits en wiskunde."

„Dat is lief van je, Ruud," fluistert Lisa en zakt wat onderuit. Hij ziet wel dat ze te moe is voor bezoek en daarom gaat hij weg, nadat ze haar glas met vruchtesap heeft leeggedronken.

Tot Evie terugkomt verdiepen ze zich samen in de Duitse grammatica. „Wiskunde bewaren we dan maar voor een andere keer. O nee, daar had je iemand voor, herinner ik me."

Matteke klapt haar boeken dicht. „Ik hoor Evie," zegt ze, haar oren spitsend.

Monter komt haar zusje binnen. Ze heeft kennelijk een prettige avond achter de rug. Maar als ze Ruud daar zo gemoedelijk met haar zusje aan de tafel ziet zitten, verstrakt haar gezichtje. „Hay, ik ga meteen naar bed, hoor. Hoe is het met mamma?"

„Kijk maar voorzichtig om een hoekje. Ik denk dat ze slaapt. Wil jij nog iets hebben, Evie?"

„Nee. Bedankt." Zonder verdere groet verdwijnt ze. Matteke kijkt Ruud ongelukkig aan.

„Dat hoef jij je toch niet aan te trekken, Matteke? En het komt toch alleen omdat ze zoveel van jullie vader heeft gehouden?"

Deze woorden treffen Matteke. Ze zeggen haar dat onder Ruuds vrolijkheid en vermeende oppervlakkigheid meer diepte schuilgaat dan je op het eerste gezicht zou denken.

Ze glimlacht tegen zijn ontwapenende gezicht.

Een glimlach, die Ruud ook zo zielsgraag zou zien op Lísa's gezicht. Matteke en kleine Tommy vertrouwen me. Voor het vertrouwen van Lisa en Evie zal ik moeten knokken. Maar het is de moeite waard, bepeinst Ruud.

Energiek schuift hij zijn stoel achteruit.

„Zo is het wel genoeg geweest. Kruip jij ook maar vlug in je mandje. Want je zult best moe zijn," raadt hij Lisa's dochter.

Matteke wil niet anders. Eerst kijkt ze nog bij haar moeder of die nog wat nodig heeft voor de nacht. Doodmoe laat ze zich een kwartier later op haar bed vallen en slaapt bijna meteen in.

HOOFDSTUK 9

Het gaat steeds verder bergafwaarts met Bert Prins.

Ondanks Frans' aansporingen raakt hij zijn studieboeken amper aan. Het vrijwilligerswerk waarin hij een week of wat heeft meegedraaid, is ook alweer verleden tijd.

Meer en meer wordt hij de slaaf van de drank, die de baas van café „Boeket" hem ijverig verstrekt, zelfs op krediet...

Bert is voor hem gewoon één van de jongens die de drankduivel vrij spel heeft gegeven. Kan hij daar iets aan doen? Als hij hun de zo vurig begeerde drank niet verstrekt, offeren ze elders aan Bacchus, zo filosofeert Jan Vertriest, bijgenaamd Jan Verdriet.

Als op een avond in april een tot in de puntjes verzorgde dame zijn rokerige cafeetje binnenstapt en hem zonder omwegen verzoekt haar broer geen druppel drank meer te verschaffen, is Jan Verdriet een moment uit het veld geslagen.

Maar het duurt maar een paar tellen vóór hij zijn beruchte spraakwater terug heeft.

„As ik vrage mag, dame... wie ís uw broer dan wel?" teemt hij kwasi meegaand.

„Bert Prins," zegt Hetty met een hautain toontje. „Hij zit hier vrijwel iedere avond. Veertien dagen geleden is hij in het ziekenhuis geweest voor onderzoek. De doktoren hebben hem ten strengste verboden nog een druppel alcohol te drinken... maar hij zit hier weer of er niets aan de hand is. Ik wil u bij deze zeggen, meneer... eh..."

„Verdriet," gnuift Jan buigend als een knipmes, „voor vrienden en vriendinnen zoas u, dame..."

Hetty's ogen worden nog een graadje kouder. „Meneer Verdriet, u doet uw naam in dit geval alle eer aan... u veroorzaakt inderdaad veel verdriet, door mijn broer die drank te verschaffen. Hem en zijn familie..."

In de waterige oogjes van de cafébaas komt een vervaarlijke schittering, die Hetty ontgaat. Ook zijn stem klinkt niet langer minzaam, eerder dreigend, als hij haar over een ranzige tafel toegrauwt: „Femilie, zei u toch, dame? La-me nie lache... femilie... die heef die arme donder niet. Of 't mot al dat sussie van hem weze... die soek hem as enige dikkels op... die heef ervoor geknokt dattie niet in de goot terech zou komme... maar as dat niet geluk is, is 't de schuld van die sogenaamde femilie... en as die drommel hier komp om se verdriet en ellende uit te janke en te verdrinke, dan wijs ik 'm niet de deur van m'n Boeketje... sie je dame, dat kan ik niet over me hart verkrijge, want rijk wor ik niet an'm. Hij heb meer schuld as poen. Maar daar prate me hier in 't Boeketje niet over. Omdatte me vríende zijn."

Hij keert Hetty zijn welgedane rug toe en laat haar staan met een hoogrode kleur van agitatie.

Ze weet zelf niet hoe beledigd haar gezicht staat, als ze het schemerige vertrek verlaat, nagestaard door enkele stamgasten, die haar iets naroepen.

Gelukkig kan ze niet verstaan wát. Het zullen wel dubbelzinnigheden zijn, wat kun je anders van zo'n stelletje dronkelappen verwachten?

Ziedend is ze als ze achter het stuur van haar wagentje plaatsneemt. Wat moet ze nu? Moeder ligt al een paar dagen met zware hoofdpijnen in bed, nadat ze door de vader van Frans zijn ingelicht over Berts toestand en deze er geen doekjes

103

om heeft gewonden, dat hij de desolate toestand waarin hun jongste zoon verkeert, voor een groot deel aan hún houding wijt.

Vader Martin was des duivels geweest en had dat dokter Schaardenburg terdege laten merken... Moeder had nog proberen te sussen. Tenslotte had ze haar, geholpen door Frans' vader, totaal van de kaart naar bed gebracht. Nog een geluk, dat zij net thuis was, toen dit was voorgevallen.

Nu gaat ze iedere avond uit kantoor even naar het huis van haar ouders en verdwijnt weer zo gauw ze kan. Dolblij, dat ze deze sfeer het verdere van de avond niet meer hoeft te proeven... Wat een geluk, dat ze er enkele jaren geleden tussenuit is getrokken.

Vaag denkt ze soms aan Ilse, dat kind, dat álles mee moet maken en daarbij voor haar eindexamen zit... Toch weet Ilse nog tijd te vinden om als enige... zoals die kroegbaas het zei, naar Bert om te kijken... Alsof zíj er niet mee bezig is. Misschien op een andere manier... maar zij is nu eenmaal geen mens voor zoete broodjes bakken.

Wat heeft ze de laatste tijd niet veel gelezen over alcoholisme... ieder boek dat ze in de bibliotheek te pakken kon krijgen, heeft ze verslonden. Ze weet nu hoe iemand tot zoiets komen kan en — wat belangrijker is — hoe zo'n persoon daadwerkelijk kan worden geholpen er weer van áf te komen...

„Ik ben bang, dat we nu het stadium hebben bereikt van het afkickcentrum aan de Notenweg," mompelt Hetty voor zich heen, en kenmerkend voor de efficiënte cheffin van de gemeentelijke typekamer dirigeert ze haar wagentje al in die richting, om er eens poolshoogte te nemen. Daarna kan ze er eens met Frans of zijn vader over praten... tenminste, als haar broer zelf mee wil werken...

Bert, onwetend van Hetty's inmenging, leest landerig de koppen van de krant. Maar het nieuws interesseert hem niet. Hij zoekt het stukje over de examens die Ilse en Matteke samen met duizenden andere studiegenoten afleggen. Dagelijks wordt er melding gemaakt van de opgaven die de kandidaten voorgeschoteld hebben gekregen...

Hij neemt ze door, om Ilse en óók om Matteke, al ziet hij haar nog maar sporadisch. Het is heel goed te begrijpen, dat ze hem liever mijdt. Als ze al eens met Ilse meekomt, is zijn houding links, nee, zelfs halsstarrig. Hoe kan zij weten, dat dit voor hem de enige manier is om te ontkomen aan die zachte, lieve ogen, die hem aanklagen... die iets van hem vragen, dat hij niet geven kán. Niet geven mág...

Matteke... ze is zo puur, zo echt. Zij zal nooit begrijpen, hoe het zo ver met hem heeft kunnen komen. Dat het meter na meter is gegaan, dat afglijden langs dat glibberige pad, tot hij onder zich die inktzwarte poel zag wenken... zo benauwend dicht aan zijn voeten.

Waarom grijpt hij niet een van de handen die er naar hem worden uitgestoken? Zijn ze te laat gekomen? Heeft de donkere diepte geen verschrikking meer, maar is deze eerder een verlokking geworden?

„Een vreemde voorkeur..." Nee, dat was iets anders, die woorden sloegen niet op een poel, waarin je ieder ogenblik dreigde weg te zakken... „Een vreemde voorkeur"... Wie heeft die woorden gezegd? Leeft hij al in een schimmenwereld? Hééft hij deze dingen wel echt gehoord? Deze vraag beangstigt hem zo, dat het klamme zweet hem aan alle kanten uitbreekt.

Bert, Bert Prins, jij bent een verslaafde, jij hebt tegen het uitdrukkelijke doktersadvies in, weer naar de drankfles gegrepen...

Maar ik heb ze toch gehoord? klaagt hij wanhopig zijn geheugen aan. Ik heb... het was... ineens — hij slaakt een sidderende zucht — weet hij het weer: het was zondagmiddag en hij lag net als nu landerig naar de avond uit te zien. Dan kon hij weer naar het Boeketje, eerder niet, want hij had nu al een schép schulden bij Jantje Verdriet. De radio stond aan en toen was daar een stem, onmiskenbaar die van een predikant, die indringend zijn zolder was binnengekomen...

Hij was te futloos geweest om het ding de nek om te draaien en daarom had hij noodgedwongen aangehoord wat de beste man te vertellen had.

En, hoewel hij het zichzelf nooit of te nimmer bekennen zal, er was iets bij hem blijven hangen van de indringende woorden van de predikant...

„Een vreemde voorkeur," zo luidde het thema. Het sloeg op de twaalfjarige Jezus, die zonder dat zijn ouders het wisten, was achtergebleven in Jeruzalem, in de tempel, om daar bezig te zijn met de dingen van zijn hemelse Vader, die hem naar deze zondige wereld gezonden had. Zijn ouders hadden hem gezocht, op plaatsen waar ze hem konden verwachten. Plaat-

105

sen, die zíj voor hun kind hadden uitgekozen. Maar Jezus koos een heel andere. Omdat hij de wil van zijn hemelse Vader had te gaan en die zou hem op nog veel vreemdere plaatsen gaan brengen: Gethsemane, waar hij gevangen werd genomen, en Golgotha waar ze hem vastsloegen aan een kruis. Dat was inderdaad een vreemde voorkeur geweest. Zíjn ouders zouden dat op hún beurt zeggen van hun zoon Bert... de mislukkeling, de prutser...

Al ging de vergelijking niet helemáál op. Zíjn vader zou hem wel degelijk in een kroeg zoeken die niet al te best bekend stond. Hij had nooit vertrouwen in hem gehad. Hij had hem altijd overladen met kritiek, met op- en aanmerkingen. Was hij ooit geprezen, omdat hij iets goeds had gedaan? Had hij ooit iets positiefs van zijn vader gehoord? Van moeder... misschien. Maar toen de zaak zich begon toe te spitsen, had zij hem ook laten vallen, bang als ze was voor vader.

Wat had die zwartrok nog meer gezegd, zondag? Zoiets van: dat de zoon van God de mensen opzocht binnen, maar ook, nee vooral, búiten de kerken...

Een vreemde voorkeur... Waarom kan ik die woorden niet vergeten? Waarom zitten ze met weerhaakjes vast in mijn hart? Ik geloof er immers niet meer in? Ik heb God allang de rug toegekeerd, omdat ik Hem nooit tegenkwam als ik het moeilijk had, omdat ik niets van Hem merkte in deze donkere wereld.

Een vader, die zijn eigen kind laat creperen... Een váder, die in de bijbel de liefde uitbeeldt van God voor de mensen.

Een snik ontsnapt Berts droge lippen. Zijn lichaam hunkert naar de drank, het kan niet langer wachten... Hij komt duizelig overeind en begint zich met onvaste hand beter aan te kleden. Zijn kleren hebben een bedompte transpiratielucht, maar hij mist de fut ze te wassen. De walging voor zichzelf is hij reeds te boven. Wat nu nog geldt en erop aankomt, is: hoe kom ik zo gauw mogelijk bij Jantje Verdriet?

Struikelend, onzeker, vinden zijn voeten de ruwe treden van de zoldertrap en met dezelfde waggelende gang gaat hij langs het huisje, het Jagerspad af.

Patricia ziet hem gaan. Maar ze haalt hem niet terug. Hoe zou ze kunnen? Zelf stikt ze immers ook in de problemen? Het is stomme pech als je in de hoek zit waar de slagen vallen... maar wat doe je eraan? Het noodlot kun je toch niet keren. Sorry voor Bert. In de grond van z'n hart een fijne kerel. Heeft alleen de omstandigheden tegen gehad. Nogmaals: so sorry...

Zodoende bezoekt Bert die dag „Boeket" op een heel ander tijdstip dan gewoonlijk en ligt alweer lang en breed zijn roes uit te slapen, als zijn zuster Hetty daar binnenstapt.

„Ik ga nog even langs Bert, ga je mee?" vraagt Ilse diezelfde avond aan Matteke, die nog met een hoogrode kleur over haar studieboeken gebogen zit.

„Nog twee hoofdstukken... Ik moet nog..."

Ilse klapt resoluut de boeken dicht. „Je moet niet tot het allerlaatste blijven leren. Dan ben je morgen zo duf..."

„Maar ik heb het er nog helemaal niet goed in zitten," jammert Matteke. „O, ik zak vast. En ik móet slagen. Om moeder. Dan kan ik tenminste een baan proberen te vinden."

„Kom nu maar," moedert Ilse. „We gaan fijn een luchtje scheppen en meteen nog even bij Bert kijken. Hij vroeg laatst waarom jij nooit meer meekwam."

Matteke buigt zich over haar tas met schoolboeken. „Hij weet dat we midden in ons examen zitten," zegt ze zo.

„Natuurlijk, maar we mogen hem niet vergeten. Juist nu we het zo druk hebben. Je zult wel van hem schrikken, Mattie. Hij kan niet van die beroerde drank afblijven en je weet, dat ze het hem in het ziekenhuis uitdrukkelijk hebben verboden."

„Maar doet niemand dan iets? Kan dat zo maar in Nederland: dat iemand gewoon voor je ogen kapot gaat en dat de rest staat toe te kijken?" stampvoet Matteke, buiten zichzelf.

Ilse kijkt bevreemd naar haar anders zo rustige vriendinnetje. „Jij hebt anders ook al verschillende weekjes verstek laten gaan," merkt ze niet zonder scherpte op. „Ga dus niet met een beschuldigend vingertje wijzen."

„Ik bedoel jou ook niet," zegt Matteke ontnuchterd. „Maar ik dacht in de eerste plaats aan je ouders en..."

„Ik weet zeker, dat God naar Bert omziet. Al laten wij mensen het allemaal afweten," zegt Ilse zacht. „Maar we mogen ons daar nooit achter verschuilen. We zullen zélf naar hem moeten omzien. Omdat God dat van ons vraagt."

Matteke haalt haar schouders op. „Het zijn zo vaak alleen maar mooie woorden, maar als het erop aankomt, laten mensen elkaar zo vaak in de steek!"

„Ja, je hebt gelijk," zucht Ilse met een kleur.

„Nou ja, laten we maar even gaan." Matteke wil kennelijk

een eind maken aan dit gesprekje.

De meiavond is zwoel en vol van lentebeloften...
Matteke bijt op haar lip, omdat ze dat onbestemde verlangen weer aanwakkeren naar warmte, geborgenheid, liefde...
Is het dan liefde, wat ze voelt voor die beklagenswaardige jongeman? Of... toch medelijden?
Wanneer ze hem terugziet, gelooft ze dat het laatste de overhand heeft. Bert ligt, zoals ze hem zo vaak heeft aangetroffen, op zijn bed luid te snurken. Er is niets vertederends aan deze aanblik. Zijn halflange haar hangt vettig en onverzorgd op het smoezelige sloop.
„Het stinkt hier," zegt Ilse nuchter, om de tranen geen kans te geven, die ze voelt als ze haar broer zo ziet liggen.
Niemand anders dan Matteke zou ze hier kunnen dulden. Omdat Matteke zwijgen kan en ook met hem begaan is.
„Zullen we de boel wat aan kant maken?" fluistert ze Matteke toe. Haar vriendin knikt. O, ja, laten we alstjeblieft iets dóen. Ze kan deze aanblik niet langer verdragen... Bert, Bert toch... hoe moet dit allemaal aflopen?
Zo geruisloos mogelijk zoeken ze zijn kleren uit. Vouwen op wat nog een beetje schoon is, de rest verzamelt Ilse in een grote plastic zak. „Die wast moeder morgen wel." Dát doet ze tenminste.
Matteke zet intussen water op voor de afwas. Stapelt de vuile vaat en spoelt die voor. „Zou hij wel wat gegeten hebben?"
„De aardappels die ik gisteren gebracht heb staan er nog precies zo, en de sla ook. Die had ik thuis al klaargemaakt," ontdekt Ilse zorgelijk.
„Weet je... ik zit erover te denken, nog even naar de Schaardenburgs te fietsen. Als Frans thuis is, vraag ik of hij even meekomt. Dan kan hij zelf zien, dat Bert weer dronken is. Dit mocht immers niet meer gebeuren? Wil jij dan hier blijven, Mat?"
Matteke knikt. „Ga dan nu dadelijk maar. Dan was ik wel af."
Op haar tenen lopend reddert Matteke wat er te redderen valt in de keukenhoek. Als ze met een niet al te fris ruikend doekje het aanrecht afneemt, hoort ze achter zich gerucht.
„Matteke..."
Met een ruk draait ze zich om.

108

„Ik ben hier met Ilse. Ze komt zo dadelijk terug," zegt Matteke, niet erg op haar gemak. „Wil je wat drinken, Bert?" „Ik heb al meer gedronken dan goed voor mij is." Matteke schrikt van de bitterheid in zijn stem. En van de doffe berusting...

Ze gaat op het gammele stoeltje zitten, dicht bij zijn bed. „Voel je je erg naar?" vraagt ze, omdat ze niets anders bedenken kan.

„Naar?" Bert lacht kort. „Beroerd is nog veel te zwak uitgedrukt. Maar hoe zou een heilige als jij dat kunnen begrijpen?"

Tranen springen Matteke in de ogen. „Ik begrijp heus wel, hoe jij je voelt... tenminste..." Ze zwijgt, verward om zijn ogen, die boordevol zijn... waarvan? Zij begrijpt het inderdaad niet.

„Je bent lief!" Zo onverwacht komen die drie woordjes, dat ze denkt ze verkeerd te hebben verstaan. Maar het volgende moment twijfelt ze niet meer, want Bert is overeind gaan zitten en heeft haar naar zich toe getrokken. Of is ze naar hém gegaan? Ze voelt zijn armen om zich heen. Ze ruikt zijn drankadem en lichaamszweet, maar dat beroert alleen maar dieper die snaar, die vibreert in haar binnenste vanaf de eerste keer dat ze hem zag...

„Matteke, Matteke, ik vind je zo lief. Ik heb zoveel aan je gedacht. Nee, stil, ik weet, dat een mislukkeling als ik jou nooit waard ben... Ik had het je ook niet mogen zeggen... het was een moment van zwakte. Vergeef me, Mattie..."

„Ik houd ook van jou. Al heel lang," zegt Matteke en ze nestelt zich nog vaster in zijn armen. „Ik wíl niet dat je zo over jezelf praat. Als je jezelf een slappeling vindt, waarom doe je er dan niets aan? Toe Bert, je weet nu, dat ik je niet in de steek laat en dat ik ook van jou hou. Kan dát niet maken, dat je van de drank afblijft? Toe, Bertie, je hebt mij nu toch?"

Om deze naïeve, hartverwarmende woorden moet hij haar kussen, steeds weer...

„Ik... ik zal mijn uiterste best doen," belooft hij moeilijk, zijn mond in de zachte meisjesharen. O, alle betere gevoelens worden nu in hem wakker. Hij moet... hij zal...

„Daar komt Ilse terug," waarschuwt Matteke, zich haastig van Bert losmakend.

Vlug strijkt ze het verwarde haar uit haar gezicht en zet zich weer op het verschoten stoeltje.

Het is inderdaad zijn zusje, maar eerst zien ze het opgewekte gezicht van dokter Frans.

„Ha, Bert. Ik kom even zien, hoe het met je gaat. Dág Matteke, leuk dat jij Bert ook weer eens opzoekt. Hoe staat het met de examens?"

„Niet al te best," bericht Matteke somber. Haar stralende gezicht is echter in regelrechte tegenspraak met deze woorden.

Terwijl Ilse en Matteke afscheid nemen van Bert, rust de blik van de jonge dokter nadenkend op het gezicht van Ilse's vriendin.

Als de meisjes verdwenen zijn, keert hij zich naar Bert. Eerst als arts. „Ik merk, dat het tóch weer mis is gegaan, Bert. Terwijl je weet hoe je lichamelijke conditie is. We zullen nu dus een manier moeten vinden om er uit te komen. Vind je zelf ook niet?"

Bert knikt nors. Een uur geleden zou hij Frans nog de huid hebben vol gescholden om deze woorden, waarvan hij de strekking drommels goed doorziet. „Een afkicktent, bedoel je."

Frans schudt nadrukkelijk zijn hoofd. „Daaraan denk ik nog niet. Nooit van CAD-bureaus gehoord? Hier in onze stad is ook zo'n consultatiebureau voor alcohol en drugs. Men verschaft daar ambulante hulp. Je hoeft dus niet zoals in een afkickcentrum te worden opgenomen."

„Dat zou mij anders weinig uitmaken. Denk je dat het zo'n pretje is om hier dag en nacht te moeten zitten niksen?"

Frans kijkt er het armetierige zoldertje met het schuine dak vol rag nog eens op aan.

„Nee," geeft hij dan toe. En hartelijk, omdat hij zo intens met de jongen te doen heeft: „Jij zou wat anders moeten. Liefst meteen. Ik zal er eens met mijn vader over praten, zo gauw hij terug is van vakantie. Ik beloof het je."

Bert geeft geen commentaar. Hij heeft het geloof in de mensen reeds lang verloren. Hij gaat niet meer op vage beloften af. In zijn hart heeft hij zich er bij neergelegd, dat er voor hem geen perspectieven meer zijn.

Als hij weer alleen is, komt de herinnering terug aan twee zachte meisjesarmen, aan warme lippen, die hem hebben terug gekust... hém, hém.

Met een kreet werpt hij zich voorover. „Ik ben je niet waard, ik ben je niet waard, liefste...," kreunt hij halfluid.

Toch blijft Matteke's zachte gezichtje hem voor ogen staan en dat beeld weerhoudt hem de rest van de fles, die naast zijn bed staat, leeg te drinken.

Ik wil, ik móet het proberen, om haar. Morgen zal ik naar het adres gaan dat Frans heeft opgeschreven.

HOOFDSTUK 10

Zo onopvallend mogelijk verwent Lisa haar oudste dochter met lekkere hapjes en extraatjes. Het kind is haar veel te minnetjes. Allemaal door dat examen, dat al haar energie en veel van haar nachtrust opeist. Matteke wíl slagen.

„Ik wil zo graag een baan, zodat ik mee kan helpen verdienen," is haar stereotiepe antwoord, wanneer Lisa haar maant het wat kalmer aan te doen. „Láát mij nu maar, mam. Het is immers nog maar een paar weken?"

Lisa is blij, als Matteke er 's avonds een paar uurtjes tussenuit gaat. Maar ze heeft er geen weet van, dat die gestolen uurtjes worden doorgebracht bij de broer van Ilse.

Matteke durft en wil er niet met moeder over praten. Haar liefde voor Bert is nog zo pril en allesoverrompelend. Moeder zou het nooit begrijpen, hoe ze zoveel van hem kan houden. Hoe kan ze haar moeder uitleggen, dat ze er in haar hart zeker van is, dat het met Bert in orde komt? Als hij maar eerst dezelfde kansen krijgt als een ander... Haar liefde is hecht en sterk en zal de stimulans zijn die hij zo bitter hard nodig heeft.

Samen maken ze toekomstplannen en Matteke voelt allengs, dat Bert er zelf in begint te geloven. Net zo zeker als ze in het begin wist dat hij het alleen maar zei om háár...

„Ik ben al een paar keer naar het CAD geweest, op advies van Frans. Die gesprekken hebben me enorm geholpen. Ik heb nu een véél beter inzicht in mijn problemen. We hebben heel veel gepraat. Meest over thuis. Het blijkt, dat de meeste narigheid nog uit mijn jeugd stamt...," heeft Bert haar verteld. „Nu hebben we samen een behandelingsplan gemaakt. Er zijn duidelijke afspraken gemaakt in overleg met mij. Maar daar moet ik me dan ook strikt aan houden. En het lukt tot nu toe, Matteke. Ik voel nú dat er een heel legertje mensen achter mij staat. Dat er mensen zijn die me echt willen helpen..."

„Hoor ik daar ook bij, Bertie?"

„Jij marcheert voorop in dat leger," heeft hij haar lachend

verkondigd. Een lachende Bert...

Matteke heeft zich verzadigd aan dat beeld en zich opnieuw voorgenomen haar moeder pas te vertellen van Bert en haar, als het nóg beter met hem gaat. Zij heeft zich niet vergist: Bert is meer dan de moeite waard, als hij van die beroerde drank af is en werk gevonden heeft.

De laatste examendag...

Matteke zwoegt met honderden andere kandidaten uit het hele land op de wiskunde-opgaven en daarbij dwalen haar gedachten onwillekeurig af naar Bert en naar Ruud van Houtum, die haar met dit vak behulpzaam zijn geweest.

Als dan eindelijk na enkele weken de uitslag wordt bekendgemaakt en Matteke, hoewel op het nippertje, geslaagd is, evenals Ilse, valt er een brok spanning van de beide meisjes af.

Half lachend half huilend vallen ze elkaar om de hals en daarna de hele bups, tot de leraren toe...

„Nu kunnen we pas kampeerplannen maken," joelt Ilse.

„O, ik heb toch zo'n zin." Overmoedig kletst ze Wibo met haar cijferlijst om de oren. „En jij dan, Wibeltje?"

„Ik zou er zin aan hebben, als jij..."

„Joh, dram niet. We gaan eerst samen fuiven en meteen afspreken wanneer we gaan en hoe."

„Met tentjes natuurlijk," zegt één van de andere jongens. „Er zijn er genoeg uit onze klas die kampeerspullen hebben."

„Enig. En waar gaan we heen?"

„Naar één van de eilanden. Texel lijkt me wel iets. Daar zijn we vorig jaar immers met school ook geweest?"

Overmoedig en luidruchtig bestormen ze „hun" ijstent, dezelfde waar Matteke Bert voor het eerst ontmoette...

Het geeft haar een vreemde steek. Ze droomt zomaar wat voor zich uit, tot één van de anderen spottend opmerkt: „Als je niet beter wist, zou je zeggen dat Matteke geen zin heeft. Misschien kan ze niet goed van huis?"

„Welnee, ze is verliefd," komt Esmé, die altijd aan romances denkt.

„Je bent niet wijs," valt Matteke woedend uit. En dit is zoiets ongewoons voor haar, dat ze nu van alle kanten wordt aangekeken. Ilse krijgt medelijden.

„Jongens, niet zo flauw. Terzake. Laten we spijkers met koppen slaan en beginnen een datum te prikken..."

Het volgende halfuur worden er serieuze plannen gemaakt

en als ze joelerig naar huis fietsen, de geslaagden, is alles wat hen betreft in kannen en kruiken...

Ilse laat zich eerst naar behoren feliciteren door haar moeder en door Hetty, die voor háár extra vroeg uit kantoor is gekomen, en dat is toch erg hartelijk. Ook vader Martin is in zijn nopjes met Ilse's mooie lijst.

„Daar kunnen we mee voor de dag komen, Fien," prijst hij handenwrijvend. „Me dunkt, dat mag wel eens worden beloond. Wat zal het wezen, geslaagde dochter? Je mag me alles vragen wat je maar wilt...," besluit hij theatraal, als eens koning Herodes.

Hetty kijkt wat gegeneerd van hem weg. Daarna kijkt ze haar zusje opmerkzaam aan. Ze ziet haar ineens met vreemde ogen: Ilse is een mooi meisje geworden. Haar smalle elfensnoetje met de sprekende grijze ogen, heeft iets heel aantrekkelijks, iets verfijnds, mede door het heel blonde haar, dat Ilse nog steeds tot op haar schouders draagt.

Kribbig valt ze tegen haar vader uit: „Beloof vooral niet te veel, vader. Belofte maakt schuld en je weet maar nooit of je die naderhand wáár kunt maken. Denk maar aan die geschiedenis van Herodes... die heeft zijn vlot gegeven belofte naderhand ook moeten bezuren."

Martin zegt, bekoeld — het heeft tussen Hetty en hem nooit erg geboterd: „Ik meen me te herinneren dat jij indertijd ook niets te kort bent gekomen, Hetty. Ook je oudste broer hebben moeder en ik naar behoren beloond voor zijn prestaties."

Ilse's jubelstemming wil niet stuk. O ja, ook zij denkt net als de anderen nu aan Bert, de enige die niet in de prijzen viel in huize Prins. De woorden van Hetty hebben haar echter op een pracht-idee gebracht. Uitgelaten joelt ze: „Ik zal er over denken, vader. Maar ik houd u aan uw woord: dat ik alles vragen mag, het geeft niet wat..."

„Dát heb ik gezegd, kindje. Zodra je het weet mag je het zeggen."

„Afgesproken," zegt Ilse, en draait zich om, om zich boven te gaan verkleden.

„U hebt toch wel van alles in huis, moeder? Reken er maar vast op, dat er het een en ander aan komt lopen, vanavond."

„Dat is allemaal in orde. Doe alstjeblieft een beetje rustig, ik krijg hoofdpijn van jouw drukte...," kalmeert Josefien.

Ilse dendert naar boven. Ze is niet te kalmeren en laat zich ook niet intimideren door hoofdpijn of wat dan ook. Ze is

113

geslaagd! Geslaagd, mensen. Straks een baan zoeken en wie weet hoe vlug ze dan net als Hetty kamers kan gaan zoeken. Zelfstandig zijn. . . o, ze snakt er gewoon naar.

Na de werkelijk feestelijke avondmaaltijd waarmee zowel haar moeder als Hetty haar om het hardst verwennen, piept het feestvarken er zo onopvallend mogelijk tussenuit.

Regelrecht naar Bert, om te proberen hem over te halen op haar feestje te komen.

Hij ziet er voor zijn doen behoorlijk uit. Hij heeft zich geschoren en zijn haar is ook enkele centimeters korter dan gewoonlijk. Ook ziet hij er een stuk beter uit dan in de afgelopen winter.

Deze ontdekking verhoogt Ilse's feestelijke gevoel nog.

„Toe Bert," vleit ze, „doe het om mij. Ben ik niet altijd een lief zussie voor je geweest?"

„Ja," geeft Bert volmondig toe. „Dat ben je. Hier, een broederlijke kus, plus een cadeautje. Je ziet: ik heb erop gerekend dat je slagen zou."

Ilse's grijze ogen zien alles door een waas als uit het zwart met goud gestreepte papier een klein doosje tevoorschijn komt.

„Véél te erg. . . ," zegt ze met een snik. „Ach Bert, en je hebt al zo weinig geld."

„Ik houd tegenwoordig óver! En zo duur was het nu ook weer niet. Het is geen goud, hoor."

Ilse neemt voorzichtig het schakelarmbandje uit het doosje. „Kan me niets schelen, al was het blik. Het zal mijn liefste sieraad worden, Bert, omdat het van jou komt." Ze bedankt hem spontaan met een dikke pakkerd. „Je komt, hè Bert?" vleit ze opnieuw.

Bert staat in tweestrijd. O, hoe zielsgraag zou hij aanwezig zijn op het feestje ter gelegenheid van Ilse's slagen. Hij gunt het haar echt. Ze heeft er hard genoeg voor gewerkt en toch kans gezien iedere dag bij hem aan te wippen. Al was het soms maar even. Maar als hij denkt aan zijn vader. . . Zal hij hem er niet vierkant uitgooien? Nooit immers is hij meer thuis geweest na zijn vertrek uit de ouderlijke woning? „Alleen als je je denkbeelden wijzigt en die aanpast aan de onze. . ." Hij kent het devies. Kan, mag hij het riskeren, dat door zijn aanwezigheid Ilse's feestje wordt verstoord?

Ilse heeft zijn gedachten allang geraden. „Om vader hoef je het niet te laten. Je denkt toch niet, dat hij zo ver zal gaan om je weg te sturen waar iedereen bij is? Nee hoor, hij is veel te bang voor zijn prestige . . ."

Bert lacht schamper. „Dat heeft anders een flinke deuk gehad door die fraude-affaire."

„Denk je dat vader dat zo ziet? Nee hoor. Die heeft daar beslist geen last van . . . hij heeft het weer helemaal gemaakt. Ik waarschuw je maar vast, dat je je daar niet weer aan begint te ergeren. Doe het alleen om mij en een beetje om moeder. Zij zal het misschien niet laten merken, maar ze zal verschrikkelijk blij zijn je weer thuis te hebben, Bert."

„Dan geef ik me over, Ilse. Maar alleen voor jou, hoor."

„Hoera. Kom vooral niet voor negenen. Dan zit de kamer tenminste vol en loop je de minste kans op herrie." Rrts, is Ilse weer verdwenen.

Bert heeft onmiddellijk spijt van zijn belofte. Hij is me daar mesjokke om vanavond opeens weer in die protserige kamer te staan. „Hallo lui," alsof hij nooit weg is geweest. Alsof er niet drie jaren liggen tussen toen en nu. Eindeloze jaren, vol dagen en nachten dat hij alleen was met zijn broeierige gedachten, zijn twijfels en onlusten. Maar ook zijn hunkering naar een thuis, dat hem door zijn vader werd onthouden. Zelfs de band met zijn moeder, die toch altijd vrij hecht was, heeft zijn vader getorpedeerd . . .

Ik doe het niet. Ik kán het niet . . .

Hij denkt aan Matteke, die hij nog niet heeft kunnen feliciteren met haar behaalde succes. Alleen omdat ik een uitgestotene ben. Waarom kan ik niet gewoon naar haar toegaan en haar in m'n armen nemen? Omdat haar moeder zich naar zou schrikken van zo'n sjappie figuur als ik ben . . .

Zo wroet en wrokt Bert, tot hij vlugge voetstappen op de zoldertrap hoort. Hij ruikt een frisse, lichte geur, Matteke's geur, en dan staat ze ineens voor hem met al haar overrompelende jeugd, een tikkeltje overmoedig door de roes van het succes, een tikkeltje opgewonden . . .

Hij kent haar zo niet, met die blos en die schittering in haar ogen. Ze is zo begeerlijk, zo lief, zo . . .

„Mattie, schat, liefste . . ." Hij kust haar waar hij haar maar raken kan en neemt haar mee naar de oude afgedankte stoel van zijn vader. Daar gaat hij met haar zitten. „Gefeliciteerd, meisje . . . Wacht, ik heb iets voor je."

Zelf wikkelt hij het papiertje van het doosje en schuift een fijn zilveren ringetje aan haar vinger . . .

115

„O, Bert, wat mooi." Ze geeft hem zijn kussen met rente terug. En zo zitten ze zo maar wat verliefd te vrijen, tot Matteke met een verschrikte blik op haar horloge uitroept: „Bert, ik moet gaan. Ik zou nog naar Ilse."

„Ik ga mee," zegt Bert vastbesloten. Wat drommel, hij doet het toch alleen om het zusje, dat zoveel voor hem heeft betekend deze ellendige jaren?

„Ga... ga je mee?" stottert Matteke. Zij weet immers van het verbroken contact en hoe de situatie in het mooie huis van de Prinsen is? „Zou je dat nu wel doen?" vraagt ze zorgelijk.

„Ik heb het Ilse beloofd. Ze heeft het me zowat gesmeekt."

„O, ja. Dan is het wat anders. Maar ik ga met je mee hoor, Bert." Het klinkt zo trouwhartig. Bert moet haar nog even knuffelen. „Schat," fluistert hij schor.

Door de stille avond stappen ze dicht naast elkaar voort. Het doet Bert goed, dat het Matteke kennelijk niet deert met hem te worden gezien. Ach, zo is ze immers? Zij kijkt niet naar een hip pak, een onberispelijk kapsel...

Hoe dichter hij de bekende straten nadert, hoe meer de spanning hem in zijn macht krijgt. O, als het allemaal maar goed afloopt. Want in de eerste plaats is daar vader en dan Hetty natuurlijk. Misschien zelfs zijn broer, hoewel... zo midden in de week. Ze wonen niet in dezelfde plaats en zó veel contact hebben ze thuis niet met hem, weet hij van Ilse. Na vaders misstap is dat zo gekomen...

Matteke geeft Berts arm een drukje. „Ik snap het best, hoor," zegt ze lief. „Je kúnt nog omkeren, Bert."

Maar hij wil in haar ogen niet opnieuw een lafaard zijn. Hij zal juist moeten bewijzen, dat hij dat niet is. Om Matteke, om zijn liefde voor haar...

Om hem af te leiden vertelt ze van hun kampeerplannen. „We gaan over twee weken al," vertelt ze. „Alle geslaagden uit onze klas gaan mee."

„Dus dan laat je mij een hele week alleen," concludeert Bert somber. „Mooi is dat."

„Maar... zal ik?"

„Welnee, veel te leuk voor je. Ik ben een mispunt. Je hebt het best verdiend. Je hebt er hard genoeg voor gewerkt," zegt Bert haastig. Wat ís hij een egocentrische vent geworden. Hij heeft zelf niets gepresteerd, dan mag een ander, die meer pit en doorzettingsvermogen heeft dan hij, toch immers best een verzetje na alle inspanning?

116

„We zijn er bijna," ontdekt Matteke, en plotseling benauwd: „Toe Bert, zou je toch maar niet liever...? Je weet toch hoe je vader is?"

„Ik ga mee!" Vastberaden staat Berts smalle gezicht, met de felle grijze ogen...

Ze lopen achterom. En zo staat Bert dan onverhoeds voor zijn moeder en oudste zuster.

Josefien verschiet ervan. „Bert," stamelt ze. „Jij hier?" „Ja, zoals je ziet. Ik kom Ilse feliciteren. Zij heeft zoveel voor mij gedaan. Het minste is toch wel, dat ik haar nu met haar succes geluk kom wensen. Jij ook van harte, moeder, met je knappe dochter."

Hij geeft zijn moeder een kus en deze, hoewel zichtbaar van streek, kust hem terug. Dat haar hart bloedt om hém die, als een kind nog bijna, van hen wegging, om terug te keren als een man met een door verbittering getekend gezicht, weet niemand. Daarvoor heeft ze haar gevoelens en emoties te lang verdrongen en verdoezeld.

Maar Hetty heeft toch iets van haar ontreddering bespeurd. „Stijlloos, Bert, om juist vanavond hier de boel op stelten te komen zetten," bijt ze hem niet al te vriendelijk toe. „Dat heeft Ilse toch niet verdiend, dacht ik zo."

Voor Bert uit kan leggen, dat zij hier juist op heeft aangedrongen, zien Josefien en Hetty het meisje dat achter Bert de keuken is binnengekomen. „Matteke," zegt Hetty, haar boze toon varen latend, „leuk zeg, loop door, het feestvarken is in de kamer, zoals je hier al kunt horen."

Het komt niet eens in hen op, dat Matteke wel eens met mij meegekomen kon zijn, denkt Bert verdrietig. Ben ik dan zó'n sloeber, dat men er automatisch van uitgaat, dat daar geen meisje naast te denken is? Is Matteke dan blind? Dat lieve kind moet toch ook zien hoe ik eruitzie? Hoe ik er aan toe ben? O, kon ik toch maar bewijzen, dat ik iets in mijn mars heb. Dat ik werken wil, voor haar... voor een toekomst voor ons samen. O, kreeg ik toch maar een keer de kans om me waar te maken en me te rehabiliteren in de ogen van mijn ouders...

Zwijgend gaat hij naar de hal en hangt daar zijn kale, verschoten spijkerjas tussen al die andere jassen. Keurig op een rijtje gerangschikt, lijken ze de zijne te bespotten: „Wat doe jij hier tussen ons, keurige jassen? Zo'n afgedragen, armoedig ding?"

Diep haalt hij adem, voor hij zich omkeert naar de deur,

waarachter hij een gegons van stemmen hoort. . .

„Nu," denkt hij, maar voor hij zichzelf het allerlaatste duwtje geven kan, gaat de deur open en staat Ilse voor hem. Aan zijn hand trekt ze hem tot midden in de feestende kring. Lachende jonge mensen die een toost uitbrengen op de geslaagde.

„Je bent net op tijd om met mij te klinken, broertje. Jongens, dit is Bert. De meesten van jullie kennen hem wel, denk ik." Matteke komt dicht naast hem staan en zo durft hij het glas wel heffen naar het geslaagde zusje, al raakt hij geen druppel van de inhoud aan. Maar de strijd die hem dit kost, is zó groot, dat er fijne zweetdruppeltjes op zijn voorhoofd verschijnen. . .

Achter zich, bij de tuindeuren, weet hij zijn vader, van wie hij bij binnenkomst een glimp heeft opgevangen. Hij heeft hém nog niet begroet. Hij zal nu naar het zitje moeten lopen en hem de hand drukken. . . Maar o, hebben enkele passen ooit zoveel moeite gekost? Hebben zijn benen ooit zo fel geprotesteerd, of is het zijn trotse, koppige hart, dat hem nog tegenhoudt?

Ilse neemt opnieuw de leiding. Ze heeft zo'n medelijden met hem, als ze hem daar zo verloren tussen al die lachende gezichten ziet staan. . . zo somber, zo uitgeblust. . .

„Kom mee, Bert," fluistert ze hem toe. „Even tanden op elkaar. . ." Hij volgt haar als in trance. Tot vlak voor zijn vader, die zijn blik nog afgewend houdt en geanimeerd doorgaat met zijn gesprek met mevrouw Schaardenburg. Maar de doktersvrouw onderbreekt hem en maakt hem kalm op Bert attent. „Meneer Prins," zegt ze nadrukkelijk middenin zijn betoog, „daar is uw zoon."

Martins gezicht wordt donkerrood. Zijn ogen achter de brilleglazen worden koud als leisteen. . .

„Ik mocht immers vragen wat ik maar wilde, vader? Nou, ik wilde Bert bij mijn feestje, hij hóórt toch bij ons? En ik wil graag meegaan met de klas naar Texel, om bij te komen van ons gezwoeg. . . ," zingt Ilse's heldere stem. Achter hen valt een stilte. Alsof iedereen zijn adem inhoudt en wacht op Martins reactie. . .

Nu weet iedereen van de pijnlijke breuk van Bert met zijn ouders.

Martin Prins veegt zijn woede om de streek die zijn twee jongsten hem geleverd hebben, zijn gekwetste vadertrots en zijn pijn om alles wat verkeerd is gegaan in zijn leven, in één

118

wanhopig pogen íets van zijn gezicht te redden, bijeen.
Glimlachend steekt hij zijn hand uit naar Bert. „Zo, jongen,
gefeliciteerd met je knappe zuster," zegt hij minzaam. Bert
proeft in zijn stem duidelijk het sarcasme. Hij doet alsof hij de
hand van zijn vader niet ziet. Hij kán niet huichelen en doen
alsof. Al voelt hij nog zoveel ogen in zijn rug. Al ziet hij de
gespannen verwachting in Ilse's grote kijkers langzaam doven.
Er is niets veranderd tussen vader en hem . . . hij had dit nooit
moeten doen. Hetty heeft gelijk. Dit is stijlloos en lost niets op.
Er zal gepraat moeten worden om over en weer tot begrip te
komen. Tot op de bodem zal moeten worden uitgesproken,
wat hen grieft en kwetst in de ander . . . pas dan zal er een
verzoenende hand kunnen worden uitgestoken. Dit is een
Judasgebaar, om de mensen te misleiden . . .
Hij knikt de moeder van Frans onzeker toe en mengt zich
weer tussen Ilse's vrienden en vriendinnen, tot hij Frans ontdekt, voor in de kamer, in druk gesprek met zijn oudste zuster.
Frans is al even verrast als hij Bert op zich toe ziet komen.
Hij doet geen moeite het te verbloemen. „Hé, Bert, ik had jou
hier niet verwacht, jongen."
„Een streek van Ilse. Die is haar vlegeltijd kennelijk nog niet
ontgroeid," vertelt Hetty in zijn plaats. „Ik zag vanmiddag al
aan haar ogen, dat ze iets van plan was. Dat ken ik nog veel te
goed van vroeger. Vader feliciteerde haar en had de onbe-
dachtzaamheid haar te beloven, dat ze als beloning voor haar
succes hem alles mocht vragen. 'Wat je maar wilt', zo zei hij het
letterlijk. Nou, en dit is het resultaat," besluit ze met een vinger
in Berts maagstreek priemend. Frans kan er niets aan doen,
maar hij schatert het ineens uit, al is de situatie nog zo pijnlijk.
Het vertoornde gezicht van Hetty en het schuldbewuste van
haar broer . . . O, wat maken de mensen elkaar het leven toch
zuur, inplaats van de tijd die God je geeft optimaal te gebruiken . . . ruzies, misverstanden, elkaar kwetsen.
Zijn aardige gezicht betrekt net zo plotseling als de lach er
op doorbrak. Even blijft zijn blik vast in die van zijn vroegere
verloofde. „Sorry," zegt hij dan, omdat hij er zoveel oud zeer in
tegenkomt. Hetty, verward, weet met haar houding geen raad.
Staat Frans hen daar nu leukweg uit te lachen, om zo'n misera-
bele ruzie, die hun leven al jaren vergalt? Om te verhinderen,
dat hij de tranen in haar ogen ziet, die ze tot haar ergernis
plotseling voelt opkomen, draait ze zich abrupt om.
„Beledigd," zegt Bert verbluft. „Nou ja, je kent haar im-

mers? Vaatje buskruit."

„Ik had niet moeten lachen, daar is de situatie te ernstig voor." Verdrietig bedenkt Frans, dat er nu net als vroeger weer een kortsluiting tussen hen is, terwijl ze even daarvoor zo fijn met elkaar hebben geboomd...

„Ik had haar niet moeten stangen," zegt hij nog eens spijtig. „Zeg Bert, 't is dat ik je nu hier zie... ik was anders naar jou toegekomen. Ik heb namelijk iets met je te bespreken. Zullen we even daar in dat hoekje gaan zitten? Daar is het een béétje rustig..."

Bert voldoet maar al te graag aan Frans' verzoek. Hij heeft weinig zin zich opnieuw tussen al die uitgelaten jongelui te begeven. Matteke ziet hij ook al niet en hij wil het liefst maar zo snel mogelijk vertrekken. Hij heeft het immers alleen maar om Ilse gedaan?

„Mijn ouders zijn net weer terug uit Frankrijk. Vader vertelde me bij thuiskomst, dat hij misschien werk voor jou weet, ginds."

„In Frankrijk?" stoot Bert uit. Frans ziet de spanning op het magere gezicht van de jongen. De verwachting, die tóch weer de kop opsteekt, al is die dan nog zo vaak de bodem ingeslagen.

Frans knikt. „Ja. Mijn zwager is daar bedrijfsleider van een goed lopend bungalowpark. Ze zitten momenteel te springen om een jongeman die niet bang is de handen uit de mouwen te steken. Hij moet op kantoor bijspringen, bungalows inspecteren en toewijzen. Voorkomende klusjes opknappen, evenementen helpen organiseren in het hoogseizoen, kortom voor duvelstoejager spelen. Voel je er iets voor om in een paradijselijke omgeving te werken? Bert, ik wil je niet beïnvloeden... maar daar ginds, met elf maanden zon van de twaalf, zal een nieuwe wereld voor je opengaan. Je zou daar helemaal opnieuw kunnen starten en alles hier" — Frans' ogen omvatten de weelderig ingerichte kamer — „alles van hier achter je laten..." Zijn stem sterft langzaam weg.

Hij ziet hoe er iets in die grijze ogen begint te gloeien, een vlammetje van hoop, o zo gering nog maar, dat door het minste zuchtje wind weer gedoofd zal worden. Maar toch een sprankje hoop in een geslagen mensenhart.

„Ik wil er graag meer van weten, Frans." Hij ziet hoe Matteke's ogen hem zoeken en een warm gevoel overspoelt hem. Te midden van haar klasgenoten denkt ze toch aan hem. O en als nu misschien... als hij die baan werkelijk krijgt... Voor jou, Matteke, zal ik gaan, al breekt mijn hart als ik eraan denk dat ik je moet achterlaten... net nu we elkaar gevonden hebben. Maar ik zal de kans grijpen en laten zien dat ik wat kán. In de eerste plaats om vader... zodat hij ziet dat ik niet alleen maar een mislukkeling ben en een alcoholist...

„Loop deze week nog even bij ons aan, dan kun je zelf met vader praten."

Berts onzekerheid keert terug. Hij ziet zichzelf ineens door de ogen van de dokter en zijn sympathieke, maar altijd zeer verzorgde vrouw... Een vogelverschrikker is er niets bij. Ook zijn uiterlijk dient drastisch te veranderen voor hij naar de familie Schaardenburg gaat. Stel je voor, dat hem dat baantje zal ontgaan door zijn slordige uiterlijk. Zal hij dan eindelijk maar bakzeil halen waar het zijn wilde haardos betreft? Hij heeft nu toch voldoende bewezen, dat hij lak heeft aan wat anderen mooi vinden. Hoewel... hij doet het dan nu toch júist om wat anderen vinden! Kun je dan nóóit precies doen wat je zelf het liefste doet? Móet je rekening houden met elkaar en daardoor concessies doen in dit leven? Dat zou dan precies in het straatje komen van vader, die hem dit ontelbare keren heeft voorgehouden, waarop hij prompt de kop in de wind gooide. Nou enfin, hij zal nog wel zien...

Frans signaleert de terugslag bij Bert. Maar hij geeft hem geen kans te ontsnappen. „Wij rekenen morgenavond op je, Bert," spreekt hij meteen af. „Na negenen graag."

Hij springt op om het feestvarken nog even de hand ten afscheid te drukken. „Ilse, ik moet er weer vandoor, meisje."

Ilse maakt zich haastig los van het druk kwetterende groepje. „Ik loop even met je mee, Frans. Leuk dat je tijd gevonden hebt om te komen. Doe je dat bij al je patiënten die geslaagd zijn voor een examen?" vraagt ze ondeugend.

„Maar bij één, baby." Hij geeft haar een speels kusje op haar blonde kruin.

Hetty trekt zich schielijk terug in de keuken. Daar roert ze, een betere zaak waardig, in het pannetje met ragoût.

En waarom niet? vraagt ze haar hart, dat vreemde, fladderende slagen maakt. Ilse is knap en niet langer een kind... en Frans is vrij. Hij weet wat voor hard en ongevoelig spook ík ben en hij weet ook dat Ilse een lief, gevoelig hartje heeft...

Nadat iedereen is vertrokken en Ilse haar moeder door een

eindeloze vaat heeft heen geholpen, komt onverbiddelijk het moment dat ze heeft gevreesd.

„Ilse, ik hoef je zeker niet te zeggen, dat het een zéér pijnlijk ogenblik voor moeder en mij was vanavond, toen je broer hier ineens binnenstapte. Het valt mij bitter van je tegen, deze achterbakse streek," zegt Martin Prins scherp.

Ilse onderkent de woede in zijn nog beheerste stem. Maar bij haarzelf laait de drift op, niet meer te stuiten. Te lang heeft zij onder grote spanning geleefd, maanden, nee, jaren al . . . Alleen heeft ze de zorg om Bert getorst en daarbij kwamen nog de spanningen thuis, moeders migraine-aanvallen, vaders onverzoenbare autoritaire houding, haar zwoegen voor het einddiploma . . .

„Wat denkt u dat u mij doet? Tegenvallen . . . O, was het dat nog maar alleen . . . U bent een prul van een vader, dáár! U stuurt uw eigen zoon weg . . . U wilt hem niet meer kennen. Dat is voor een kind het ergste dat hem kan overkomen . . . als je een vader hebt en toch niet hebt . . . tegenvállen . . ."

Ilse's stem krijgt een onnatuurlijk hoge klank. „U loopt rond met een trotse houding en ziet neer op Bert omdat hij geen diploma's heeft en geen behoorlijke kleding . . . u schaamt u voor hem. Maar al die mooie spullen hier, hoe bent u daar aangekomen?"

Op hetzelfde ogenblik treft haar een suizende klap van Martin. Middenin haar gezicht. Ilse deinst achteruit, doodsbleek. Alleen de plaats waar de hand van haar vader haar raakte, tekent zich steeds meer zichtbaar af.

Josefien gilt: „Houd op, Martin, houd op, wat is dit toch voor een gezin?" En huilend verlaat ze de kamer.

De hand van Martin valt slap neer. Een hevig gekreun ontsnapt hem, als hij ziet wat hij heeft aangericht. Hij doet een stap naar zijn jongste dochter toe. Maar met haar hand beduidt ze hem niet dichterbij te komen. Haar benen trillen als ze naar de telefoon loopt.

„Het lijkt mij beter, dat ik hier vannacht niet blijf. Ik moet eerst rustig over alles nadenken."

„Wie bel je? Toe, Ilse, ik had je niet mogen slaan," stamelt Martin onsamenhangend, omdat het als een steen op hem valt: nu gaat ook de laatste van de vier weg . . . Míjn schuld, míjn schuld, en Josefien . . . o, dit zal ze me nooit vergeven. Ik zag het aan haar ogen. Ik ben ook háár kwijt . . .

Ilse geeft geen antwoord. Ze draait een nummer en wacht af,

met fel kloppend hart.

Aan de andere kant klinkt een rustige stem. Het liefst zou ze nu gaan huilen, maar dat moet nog even wachten, om de man die als een standbeeld naast haar staat...

„Kan ik vannacht bij jullie slapen?" vraagt ze in de hoorn.

„Natuurlijk. Ik kom je halen."

Ze keert zich naar haar vader.

„Gaat u naar moeder en probeer haar te kalmeren. Ik blijf vannacht bij de Schaardenburgs."

Ondanks de penibele situatie voelt Martin zich opgelucht. Gelukkig niet naar Bert, of naar Hetty, of naar die vriendin... De dokter zal hierover zwijgen, weet Martin. Zonder nog iets te zeggen, verlaat hij de kamer. Ilse wacht tot ze hem de trap heeft horen opgaan. Dan sluipt ze naar haar kamer om wat toiletspulletjes voor de nacht. Als ze met haar volgepropte tas de voordeur uitwipt, ziet ze Frans al staan.

„Frans," zegt ze met een snik en dan is het gedaan met haar flinkheid. Hij laat haar uithuilen tegen zijn schouder en verwenst voor de tweede maal die avond de man die de ontreddering van dit kind op zijn geweten heeft. Eerst Bert en nu Ilse? Dat nooit, neemt hij zich heilig voor. Het is net alsof hij Hetty nu pas met andere ogen bekijkt. Want ook zij heeft de tol moeten betalen voor die materialistische vader en die onderdanige moeder, die haar moederhart buitenspel zet om haar man niet tegen zich in het harnas te jagen...

„Leun maar tegen mij aan en schaam je niet voor die waterlanders van je. Ik heb allang gewacht op zo'n uitbarsting. Jij hebt veel te veel in je eentje lopen worstelen met problemen die te groot zijn voor zo'n jong ding als jij."

„Ik ben al achttien en ik voel me negentig door alles wat ik thuis heb meegemaakt," sputtert Ilse, door haar tranen heen, tegen.

„Kan best zijn, maar je bent nog maar een baby," plaagt Frans op zijn oude spottoon, waar Ilse zich zo wonderwel bij op haar gemak voelt.

Toch, als ze zich behaaglijk tegen Frans aanschurkt en de twist met vader ineens niet meer zo allesomvattend lijkt, ziet ze haar oudere zuster en hoe die met Frans heeft zitten praten, net als vroeger... Zoals Frans met Hetty van gedachten wisselt, zal hij het nooit met haar kunnen doen. Hetty zal een prima doktersvrouw voor hem zijn. Ach, en inderdaad: zij is nog maar een kind bij Hetty vergeleken. Het is Frans' zorg en aandacht voor haar, die ze op het ogenblik zo bitterhard nodig heeft. Die hebben het vlammetje van haar genegenheid voor hem weer aangewakkerd. Zo onopvallend mogelijk trekt ze zich van hem terug. De plek op haar wang brandt en schrijnt. En zo is het ook met het zeer binnenin haar. Het is een akelig slot van een feestelijke dag.

Frans merkt het wel, dat van haar overmoedige bui van die avond geen greintje meer over is. Maar hij is zich ook bewust van haar kwetsbaarheid en haar hunkering naar wat warmte en genegenheid na alle kilte thuis. Daar mag hij haar ontvankelijk hart niet onnadenkend mee vullen. Ze is inderdaad niet meer het kleine zusje van Hetty.

Het kost hem buitensporig veel moeite, want wie zou zo'n verdrietig meiske niet willen troosten?

Toch lukt het Frans om zijn opgewekte, oppervlakkige beroepstoon terug te vinden en Ilse iets kalmer bij zijn ouders te brengen dan hij haar zoëven aantrof.

Het is de hartelijkheid van de doktersvrouw die ervoor zorgt dat het meisje met de grootste spoed in het logeerbed belandt. Maar het kalmerende tabletje ten spijt, komt er van slapen die nacht maar weinig terecht.

HOOFDSTUK 11

Wanneer Lisa met een hoogrode kleur van agitatie terugkomt van de specialist bij wie Tommy sedert het auto-ongeluk onder behandeling is, ziet ze de tafel al keurig gedekt staan.

„Dat is een verrassing, Mat," zegt ze en ze laat zich met een zucht op de keukenstoel vallen. Tommy gaat meteen door naar zijn kamer om met zijn trein te spelen.

Wat zeiden ze in het ziekenhuis? wil Matteke vragen, als ze tot haar schrik tranen bij haar moeder ontdekt.

„Mam, was het niet goed met Tommy's been?" vraagt ze angstig. „Moet hij nóg een keer geopereerd worden?"

Lisa lacht door haar tranen heen. „Gek mens ben ik. In plaats van blij te zijn, zit ik hier te huilen. Maar ik heb ook zó lang over ons Tommetje ingezeten. Dokter Staal is dik tevreden. Hij mag weer gewoon alles doen, ja, niet voetballen of een wild spelletje, maar tóch... hij kan weer met de jongens buiten spelen. Ach Matteke, wat leek het niet hopeloos in het begin. Er was wel degelijk iets verbrijzeld, onder zijn knie... De doktoren waren bang, dat hij zijn been nooit meer zou kunnen gebruiken. Er was zelfs sprake van dat een gedeelte geamputeerd moest worden..."

"O mam, wat heerlijk... wat verschríkkelijk heerlijk."
Met de armen om elkaar heen moeten ze even hun emoties uitbrullen.

Natuurlijk komt net op dit moment Evie thuis. Spottend beziet ze het tafereeltje. Jaloezie doet haar sarcastisch opmerken: "Hoe aandoenlijk. Heb je moeder net verteld dat het dik aan is met Ilse's broer? Dat hij behalve op jou ook gek is op alcohol en net zo'n dronkelap is als die vent die pappa heeft aangereden?"

Pats slaat de deur dicht. Matteke kijkt ernaar met een doodsbleek gezichtje. Lisa probeert niets van de ontsteltenis die Evie's woorden hebben veroorzaakt, te laten blijken. "Ik ruik de aardappels, geloof ik," snuift ze. Ze schudt ze in de schaal en Matteke doet de saus in de kom die al klaarstaat. Automatisch. Want de vreselijke woorden — vreselijk omdat ze maar al te waar zijn — bonzen na in haar oren...

"Net zo'n dronkelap als pappa heeft aangereden..."
Tijdens de maaltijd zijn ze alle vier opmerkelijk stil. Evie is de eerste die haar bord leeg heeft. "Ik moet weer weg, hoor."

Ze heeft niet eens naar Tommy gevraagd, piekert Lisa, als ze haar jas aantrekt om naar kantoor te gaan. Ze moet de uren die ze vanmorgen verzuimd heeft nog inhalen en dat kan mooi, nu Matteke thuis is.

"Wat ga jij doen, Tommy? Je bent immers vrij vanmiddag? Het is lekker weer, je zou best een poosje buiten kunnen spelen. Ik wou maar, dat je een paar vriendjes vond in de buurt. Het is niet goed dat je altijd alleen op je kamer speelt."

Tommy, met zijn wijze ogen, kijkt zijn moeder aan. In zijn hartje leven zoveel angsten sedert het vreselijke dat hij heeft beleefd... De boze woorden van Evie, die hij door de openstaande deur heeft opgevangen, hebben er weer een angst aan toegevoegd. Matteke heeft een vriend die óók tegen andere mensen opbotst met de auto en zorgt dat je zo'n zeer been krijgt en steeds naar het ziekenhuis moet en dat je vader dood is en je als het donker wordt altijd bang bent...

„Ik ga beneden spelen en als u terugkomt dan heb ik wel . . .
wel tien vriendjes."
„Lieverd," zegt Lisa en ze knuffelt het kind vóór ze weggaat.
„Mat, jij houdt wel een oogje op hem, hè?"

Tijdens het afwassen piekert Matteke erover hoe ze het Bert
moet zeggen, hoe ze het hem duidelijk moet maken, dat het
nooit iets kan worden tussen hen. Ze mag dit moeder niet
aandoen. Vreemd, dat ze zelf nooit die associatie heeft gemaakt tussen Bert en die automobilist die vader en Tommy
aanreed . . .
Stel dat Bert niet van zijn verslaving afkomt en ook op de een
of andere dag brokken maakt . . . O, als je zoiets aan den lijve
hebt ondervonden en weet hoeveel ellende die afschuwelijke
drank kan brengen over een gezin, dan word je doodsbang . . .
Maar . . . mag ze dit Bert, in deze omstandigheden, wel
zeggen? En . . . zal ze het kúnnen? Want ze houdt tóch van
hem, ondanks alles . . .
Ze spoelt de theedoeken uit en hangt die aan een van de
rekken op het balkon te drogen. Als ze naar beneden kijkt, ziet
ze haar broertje aan de rand van het gazon in het gras zitten.
Hij volgt de bewegingen van een groepje voetballende jongens
uit de buurt. Nee, voetballen is nog taboe voor hem. Maar
Matteke betwijfelt of ze hem anders mee hadden laten spelen.
Ze heeft al een paar keer gemerkt, dat ze Tommy plaagden.
Dat ze hem „manke poot" en „moederskindje" nariepen. Het
geeft haar weinig vertrouwen in Tommy's verzekering dat hij
wel tien vriendjes heeft tegen de tijd dat moeder terug is van
haar werk.
Als Evie onverwacht thuiskomt, omdat er een uur is uitge-
vallen, zegt Matteke gejaagd: „Evie, je moet een poosje op
Tom letten. Ik ben zo weer terug. Even een boodschap."
„Mij goed," zegt Evie landerig. „Ik ga wel op het balkon
zitten leren. Daar is nu zon."
„Je houdt hem wel in de gaten, hoor."
„Ja, moe. De groeten aan je vrijer," stangt Evie.
Matteke doet of ze haar niet hoort. Ze pakt haar blazer en
haast zich naar de lift. O, als Bert er nu maar is . . . Ze weet niet
of ze morgen nog zeggen kan wat ze te zeggen heeft.

Heeft de gouden regen altijd met zoveel trossen zonnegeel
gebloesemd? De kamperfoelie en de clematis . . . droegen ze

126

ooit zoveel geur en kleur?

Bert zuigt diep al die zomerbeloften in zich op en een verwondering, te groot voor woorden, vangt hem in een warmte, die hem koestert en heilzaam al zijn onzichtbaar zeer verzacht. Zijn magere lijf is niet langer ineengedoken, alsof hij ieder ogenblik een nieuwe slag verwacht. En zijn gang mist ook het onzekere dat hem gisteren nog kenmerkte en verried dat hij een dolende is. Iemand die niet weet, waar ergens thuis te kunnen komen...

Werk... ik krijg misschien werk... O, die woorden van Frans, die hem een glanzend beeld voor ogen toveren. Een baan, ver weg van alles wat hem hier benauwt en pijn doet... in een land waar zoveel vaker de zon uitbundig warmt en heelt.

Terwijl hij de junizon onbekommerd voelt schijnen op zijn geheven gezicht, gaat hij vastbesloten op weg naar dat gedeelte van de stad, waar hij zijn jongensdromen heeft gedroomd... waar hij heeft geworsteld met vragen en problemen, zonder een antwoord of oplossing aangereikt te krijgen... Maar niet voorbíj zijn hunkering brengen zijn voeten hem. Te pijnlijk staat hem nog de vorige avond voor ogen. Vader, die hem slechts terwille van eigen prestige de hand wilde drukken... Nee, hij loopt over het pad dat hun achtertuinen van die aan de Leliestraat scheidt. Tussen de bloeiende heesters door werpt hij een schichtige blik op het gazon met de schitterende waterpartij... In een flits ziet hij het grijzende hoofd van zijn moeder. Ze zit op één van de tuinstoelen, gebogen over een mandje. Bonen? Natuurlijk voor de warme maaltijd van vanavond.

Een machtig heimwee bespringt hem. O, nu door dat hek te kunnen gaan en je neer te laten op een stoel, bij moeder. En gezellig een kop koffie drinken en samen wat bomen. Waarom is hij toch altijd zo tegen de draad in geweest? Was het de prijs waard? Zijn eigen visie en strijdbare ideeën, wat is daarvan terechtgekomen? Wat heeft hij ermee gedaan? Heeft hij de mensheid één dienst bewezen met zijn afkeer van alles wat met oorlog te maken heeft en zijn felle verontwaardiging over de oneerlijke verdeling van het voedsel van deze wereld? Heeft hij zelf een wezenlijk steentje bijgedragen om er iets aan te verbeteren? Welnee... hij heeft geschopt en gestriemd met woorden en mokkend als een drenzerig kind zijn ongenoegen over deze vermaterialiseerde maatschappij in een vuil krot uitgekrijt...

Bert wijkt uit voor een paar jochies die met een ongelooflijke vaart op hun cross-fietsjes komen aangespurt. „Aan de kant," gillen ze hem toe.

„Pas op voor die paal," roept Bert terug, als hij zich de waarschuwing van zijn vader herinnert. De dikke paal midden op het pad, die branie-trucjes als deze moet tegengaan. De kinderen horen hem niet eens. Met een griezelige behendigheid ontwijken ze de paal, die al voor diverse ongelukjes heeft gezorgd in plaats van deze te voorkomen. Maar de gemeente wil hem niet weghalen, omdat dan peuters en oudere wandelaars de dupe zouden worden van crossende en brommende jeugd...

Vanuit een achterhek ziet Bert een buurvrouw komen. Stom toch om dit pad te nemen. Maar de verleiding was hem even te machtig. Nu moet hij wel voorbij mevrouw Wessels. „Dag Bert... Zo jongen, ook weer eens thuis geweest? Nog altijd geen werk zeker? Nee, natuurlijk niet, dan liep je hier niet op dit uur van de dag..."

Bert geeft de vrouw een kort knikje en loopt door, voor er een volgende serie vragen op hem kan worden afgevuurd. Allemaal nieuwsgierigheid, wat koop ik daar voor?

Hij ziet niet hoe de vrouw hem meewarig nakijkt. Jammer toch van zo'n jongen. Hij was altijd zo'n lekkere ondeugd, vroeger...

Bert neemt geen enkel risico meer. Hij kiest een zijpad en belandt zo in een andere straat. Via een omweg komt hij voor de flat uit, waar Matteke Versloot woont.

O, hij is daar 's avonds in het donker al vaker langsgelopen, hunkerend om een glimp van haar op te vangen. Of fantaserend, dat hij domweg in de lift zou stappen en aanbellen aan de huisdeur van de familie Versloot. „Ik kom Matteke halen, we zouden nog wat gaan wandelen samen..." Waarom waagt hij zich nu eigenlijk op klaarlichte dag zo dicht bij de flat? Omdat hij eindelijk een baan aangeboden heeft gekregen? Waarom heeft hij er nog met geen woord over gesproken, gisteravond toen hij Matteke thuisbracht? Ach Mattie, het is zo ver bij jou vandaan. Net nu we elkaar hebben gevonden, moeten we afscheid nemen. Ik wilde je stralende snoetje niet weer pijn doen, ik kon het niet... Maar nu moet ik er toch eerst met je over praten, voor ik naar de Schaardenburgs stap.

Hij weet dat Matteke's moeder werkt. Maar tot hoe lang? Bert laat zijn ogen dwalen langs de grijze flat met de vele balkonnetjes, die als vliegen tegen de hoge wanden lijken vastgeplakt . . .

Tja . . . misschien kan hij toch beter aan de galerijkant een kijkje nemen. Bert loopt over het afgetrapte gras, waar een groep jongens over de grond ligt te rollebollen. Als hij dichterbij komt, ziet hij, dat ze er één, een klein jochie nog, te pakken hebben. „Mankepoot, kom dan, laat eens zien dat je voetballen kunt. Toe, pak hem bij z'n stijve poot," hoort Bert één van de straatbengels gillen. Even vangt hij een glimp op uit twee doodsbange kinderogen.

Hij bedenkt zich geen moment. „Aan de kant en snel," roept hij en baant zich al stompend een weg tussen de toeschouwers die het groepje op het gras aanvuren.

„Kunnen jullie wel tegen zo'n klein kind? Helden!" Hij bukt zich en zet het kind voorzichtig op zijn benen. Er rollen tranen over het besmeurde jongensgezicht. „Hoe heet je?" vraagt Bert, de hand van het kind nog in de zijne.

„Tom-Tommy Ver . . . Versloot," snikt het kind.

Matteke's kleine broertje. Hij bekijkt nu het blonde kopje aandachtig, gretig bijna. Ziet hij niet dezelfde kwetsbaarheid die hem ook altijd weer in Matteke's klare blik ontroert?

„Waarom werd je gepest?" vraagt hij zacht, om het stel lafbekken, dat op slechts geringe afstand een afwachtende houding aanneemt.

„Ze . . . ze zeien dat ik helemaal geen vader had . . . en . . . en dat het niet waar is, dat hij dood is . . . dat ik er gewoon nooit een heb gehad . . . en dat is niet waar. Mijn vader is doodgereden. Ik was erbij. Mijn been was ook stuk en dat deed heel erg pijn . . ."

Bert ziet het witte kindersnoetje vertrekken als voelde het weer die erge pijn. Zelf moet hij slikken vanwege de brok in zijn keel. Hij heeft zo te doen met het kleine joch. Nooit heeft hij er bij stilgestaan wat Matteke, haar moeder, zusje en broertje te verwerken kregen door dat afschuwelijke auto-ongeluk.

Tommy veegt met de rug van zijn hand langs zijn neus. Hij kijkt op naar zijn redder in nood. Bert ziet iets in die kinderogen aangloeien, dat hij niet begrijpt. Vrees . . . wantrouwen? . . . Het maakt hem onzeker en daarom vraagt hij maar vlug, wat hij de kleine jongen al wil vragen sinds hij weet wie hij is: „Zeg Tom, vertel eens, is je grote zus thuis?"

„Matteke?"

Bert knikt bevestigend. In plaats van zijn vraag te beantwoorden, hinkt de jongen weg zo snel hij kan. Alsof hem opnieuw een leger straatjongens op de hielen zit. Bert blijft verbouwereerd achter, maar niet lang. Hij sprint achter Tommy aan en haalt hem bij de rand van het grasveld in. Hij pakt een smal schoudertje vast, maar het kind rukt zich los. „Blijf van me af," gilt hij zo hard, dat de jongens die nog steeds bijeengroepen, hun oren spitsen. Zo meteen heb ik die hele meute tegen mij, denkt Bert en hij besluit zich uit de voeten te maken.

Maar vóór hij er vandoor kan gaan, ziet hij een meisje komen aanrennen. Ze grist Tommy voor zijn verbaasde ogen weg en sleurt hem bijna in de richting van de flat. Bert denkt aan het been van het kind, waar zoveel zorg om is geweest. „Hé, zeg, voorzichtig aan, met dat been van hem," roept hij hen na.

Het meisje met het verwarde blonde haar blijft staan. Ze draait zich om en zegt met felle ogen: „Hij is bang voor jou. Hij weet dat jij die vriend van Matteke bent en hij weet ook dat jij vaak dronken bent, net als die vent die onze vader heeft aangereden. En daarom willen wij niks met jou te maken hebben..."

Het tweetal is allang verdwenen en nog staat Bert daar als aan de grond genageld. Het voelt of het blonde zusje van Matteke hem een suizende oorslag heeft toegediend... Hij hoort een vreemd gezoem en gefluit in zijn oren.

Dronken... net als de vent die onze vader heeft aangereden. Hij ziet zichzelf door de ogen van Matteke's moeder, haar zusje en broertje... door die van Matteke zelf en hij kreunt, omdat hem plotseling de schellen van de ogen vallen. Hij weet, dat in het gezin Versloot geen plaats is voor een vent als hij, omdat hij zich ook aan de drank te buiten gaat, net als... o neen, nu niet verder denken. Hij moet hier weg. Weg van Matteke's huis, weg uit haar leven. Ver weg, naar Frankrijk. Het aanbod van de Schaardenburgs is de enige manier om te ontsnappen aan de wrede werkelijkheid.

Op de terugweg naar het Jagerspad achtervolgen hem Matteke's lieve lach, Tommy's angstogen en de vernietigende woorden van het blonde zusje...

Evie heeft maar nauwelijks gelegenheid om haar broertje toe te bijten: „Je zegt niets over die vent, hoor, tegen Matteke," als ze

haar gejaagd langs het keukenraam voorbij zien komen.
„Wat doen jullie? Wat is er met Tommy?" hijgt Matteke als
ze het besmeurde gezicht van het kereltje ziet.
Evie haalt haar schouders op. „Ze plaagden hem weer eens.
Hij kan beter hier boven met zijn trein spelen, dan heeft hij
geen last van die akelige jongens uit de buurt."
„Laat mij maar," zegt Matteke, de keukenhanddoek grijpend. „Zo kleine viespeuk, we zullen jou eens netjes
schoonmaken voor mammie thuiskomt. Heb je al thee gezet,
Eef?"
„Nee, wat denk je? Ik moet vliegen, anders ben ik te laat. Jij
zou op Tommy passen, niet ik."
Evie propt haar boeken in de tas en verdwijnt. Matteke pakt
de groente uit die ze onderweg naar huis gekocht heeft voor de
volgende dag.
Met de bloemkool in de hand staart ze naar buiten. Bert was
er niet en o, eigenlijk is ze daar in haar hart wát blij om. Ze had
hem immers nooit kunnen zeggen, wat haar verstand haar
beveelt? Zij kent Berts moeilijkheden. Zijn grauwe eenzaamheid en hunkering naar huis, naar zijn moeder en — misschien
— naar zijn vader. Al heeft hij dat dan nooit hardop uitgesproken, zelfs niet tegenover haar. Daardoor is hij begonnen met
die afschuwelijke drank, die hem langzaam tot zijn slaaf
maakte.
De man, die vader aanreed, had te veel gedronken, ja, ze
weet het. Maar hij kwam regelrecht van een receptie en dronk
daar ettelijke glazen geestrijk vocht. Zoals helaas zovelen
doen. Hij had nooit, nooit achter het stuur mogen gaan zitten.
Matteke schrikt, als ze de buitendeur dicht hoort slaan.
Tommy. Nu is hij tóch weer naar beneden gegaan. Ze wil al
achter hem aanrennen, als ze zich bedenkt. Eerst op het balkon
kijken wat hij beneden gaat doen. Zodra ze ziet, dat hij weer
geplaagd wordt, haalt ze hem naar boven.
Matteke buigt zich over de balustrade en wacht af. Even
later ziet ze hem naar het grasveld hinken. Het grote verzamel-
punt voor de flatjeugd. Er is daar weer een stel jongens aan het
voetballen. Maar al gauw krijgen ze Tommy in het oog. Matteke houdt zich gereed om bij de eerste aanval haar broertje te
hulp te schieten. Maar zover komt het niet. Ze ziet hoe ze Tom
in hun midden nemen en samen iets bekijken . . . Er is niets dat
op ruzie lijkt.
Gerustgesteld haalt Matteke de stofzuiger tevoorschijn. Als

ze klaar is met zuigen, gaat ze Tom roepen voor thee. Nog eens werpt ze een blik door het grote voorraam. Tom staat nog steeds als één van hen tussen de jongens. Hij is blijkbaar in de groep opgenomen... Fijn, ze hoopt dat moeder het straks ook ziet... Tom heeft wel gepocht dat hij wel tien vriendjes zou hebben als moeder terugkwam, maar daar heeft ze geen ogenblik in geloofd.

Het tafereeltje ontlokt Lisa inderdaad een glimlach als ze met Matteke op het balkon van een kopje thee geniet. „Fijn, Mat, dat hij nu geaccepteerd is."

„Er is eerst gevochten," bekent Matteke. „Ik ben even om een boodschap geweest, toen Evie onverwacht een uur vrij had. Toen ik terugkwam stond Evie hem net schoon te poetsen. Ik vind het dapper dat hij er daarna toch weer in zijn eentje op uit is getrokken."

„Ik ook. Hè Mat, ik kom helemaal bij. Het was gek druk op de krant. Nog een haastklus ertussendoor. Een heel boeiende reportage trouwens. Nou enfin, ik heb het klaar gekregen..."

„Zal ik Tommy roepen om iets te komen drinken?"

„Nee, laat mij maar. Ik zal wat lekkers mee naar beneden nemen. Ook voor zijn nieuwe vriendjes."

Lisa haalt een zak minireepjes chocola uit de kast en gaat daarmee naar beneden. Al kostte het haar tien van deze zakken, ze is zo blij, dat Tommy weer mee kan ravotten met de andere jongens en dat ze hem mee laten doen. Nog altijd worden ze met een zekere reserve bekeken. Zij en de meisjes evengoed. Lisa voelt dat wel. Misschien ligt dat aan hun eigen houding en stellen zij zich te afstandelijk op...

Als Lisa met het lekkers op de kinderen toeloopt, merkt ze, dat er ineens een stilte valt. Enkele jongens zetten het zonder meer op een rennen. Lisa kijkt oplettend het kringetje zwijgende kinderen rond. Tommy, in het midden van de kring, krijgt een gloeiende kleur als hij zijn moeder ziet.

„Hallo, jongens. Ik zag jullie zo mooi samen spelen, ik heb wat voor jullie meegebracht," doet Lisa vrolijker dan ze zich voelt. Er is iets, maar wat? vraagt ze zich af.

„Kijk, Tom, deel jij die maar eens rond. En als je dorst krijgt, kom je boven maar wat drinken. En neem je vriendjes maar mee, hoor."

Lisa draait zich om. Ik zal ze van boven af goed in de gaten houden, neemt ze zich voor. Dat stel broedt één of ander plannetje uit, dat voel ik. Maar zolang ik in de buurt blijf, houden ze zich natuurlijk koest.

Tommy kijkt besluiteloos naar de plastic zak in zijn handen. „Delen," sommeert één van de grotere jongens, zodra mevrouw Versloot uit het zicht is. „En dan vlug naar 't Geveltje. Voordat je moeder 't merkt." Tom deelt haastig de repen rond. Al kauwend slenteren ze ogenschijnlijk zonder al te veel haast in de richting van de klimrekken en daarna via de zandbak waar wat klein grut verzameld is, naar de straat erachter. Als Lisa weer op het balkon gaat zitten, ziet ze het gazon dat als sportveld dienst doet verlaten. „Mat, heb jij Tommy en die andere jongens weg zien gaan?"

„Ja, ik denk richting zandbak. Toe, moeder, nu moet u niet zo benauwd kijken. Als u wilt dat Tom weer gewoon meedoet, moet u niet ieder ogenblik gaan kijken. Ze schelden hem toch al uit voor 'papkind'."

Daar schrikt Lisa van en het eerstvolgende kwartier probeert ze haar onrust manhaftig de baas te blijven. Als Tom op school is en zij op de krant, weet ze ook niet wat hij precies doet. Maar het vreemde gedrag van de jongens indachtig, laat ze toch na verloop van tijd haar verstelwerkje vallen. „Ik ga even kijken."

„Laat mij dan maar. Maar heus, moeder, ik ben het er niet mee eens. Tom moet flink worden en niet zo'n halfzacht eitje. Dat zou vader ook niet willen."

Nee, weet Lisa smartelijk. O Tom, hoe moet ik alleen ons drietal grootbrengen, in jouw geest? Ik schiet te kort, zo schromelijk te kort. Sinds jij van me werd weggerukt ben ik het spoor helemaal bijster. Niets van jouw rotsvaste geloofsvertrouwen is er in mij achtergebleven. Ik heb de kinderen niet gewezen op God, die jij zo liefhad, omdat ik nog altijd vol wrok en opstandige gedachten zit. Ik heb hen zelf proberen te bewaken en behoeden voor gevaren, die dagelijks op de loer liggen. Maar ik ben zo moe, moe van het zorgen en obstakels ruimen. Tom, ik kan het niet meer alleen . . . ik mis jou zo . . .

Lisa gaat naar binnen en drukt daar met een wanhopig gebaar de fotolijst van de man met het ernstige gezicht tegen haar gloeiende gezicht. Het glas is koud en scheidt haar van het beeld van Tom, met wie ze zoveel jaren alles heeft gedeeld.

„Tom is er niet meer. Je zult andere wegen moeten zoeken," hoort ze de zachte stem van haar moeder. Nee, moeder, ik kan het niet. Ik kán Tom niet vergeten. Lisa zet de foto terug en gedwongen door haar wild-kloppend hart gaat ze haar dochter achterna, om te zien waar Tommy is gebleven. „Nergens te zien," bericht Matteke als ze haar moeder gewaar wordt. „Wacht, daar komt Evie. Zeg, ben jij Tom tegengekomen met een stel jongens uit de flat?" „Niks gezien," zegt Evie onverschillig, haar voet op de trottoirrand. „Ik ga nog even met Ellen naar de stad, hoor. We moeten nog wat kopen voor die fuif van vrijdag."

Fuif? denkt Lisa vaag. Ik weet van geen fuif. Straks eens goed naar vragen.

„Ik kijk wel even in de buurt. Mijn fiets staat nog in het gangetje," zegt Matteke met een oog op het bezorgde gezicht van haar moeder. Ze zou er eens tussenuit moeten, maar hoe krijgen we haar zover? Ach en nu moet ik vandaag ook nog over Texel beginnen. Ik heb dat zolang mogelijk uitgesteld, maar het kan nu niet langer meer wachten. Eind volgende week gaan ze immers al?

Het is niet zo moeilijk om Tom en zijn kornuiten op te sporen. Bij het winkelcentrum ziet ze hen vóór de cafetaria staan. Ze merken haar niet op, druk als ze zijn met hun patat, frikadellen en andere snacks... Nog snapt Matteke niet de context van het groepje jongens waarvan haar kleine broertje onmiskenbaar het middelpunt is. Matteke ziet zijn blauwe ogen schitteren van opwinding. Tommy geniet nog meer van zijn nieuwe vriendjes dan van de patat. Maar ineens ontdekt één van de jongens haar. Hij zegt iets en binnen enkele tellen zijn ze allemaal verdwenen, op Tommy na.

„Nou zeg, zijn jouw vriendjes zo bang voor mij?" vraagt Matteke verbluft. „Het was niet mijn bedoeling ze weg te jagen."

„Nare meid," krijst Tommy en hij ziet eruit of hij het bakje frites zo in het gezicht van zijn grote zus wil slingeren. „Het is jóuw schuld dat ze weg zijn. En ik wilde ze nog wel aan mammie laten zien... geménerik!"

Huilend zet hij het op een lopen. Matteke volgt hem met traag bewegen van de trappers. Ze heeft danig het land, dat ze Tommy van zijn splinternieuwe kameraadjes heeft beroofd, alleen om móeder gerust te stellen.

Tommy is na het standje van zijn moeder lusteloos op zijn kamer naast zijn rails gaan zitten. Traag zet hij de wagons op het juiste spoor. En traag drupt af en toe een traan op de kleurige stukjes lego... Pappa, pappa moet met mij spelen, maar pappa is dood, die komt nooit meer terug. Als zijn moeder hem roept voor het eten, wipt hij gehoorzaam op zijn stoel. Trek heeft hij niet en hij laat dan ook het grootste deel van de andijvie en aardappels staan. „Dat komt ervan," berispt Lisa, „als je die vette patat tussendoor eet. Dan heb je geen zin meer als we eten moeten." Evie worstelt met een probleem, waar ze geen weg mee weet. O, wat heeft ze zich in een afschuwelijk parket gewerkt. Door eigen schuld... Ze werpt tersluiks een blik op het gezicht van haar moeder. Nee, ze voelt dat ze nu niet bij haar aan kan komen met haar moeilijkheden. Ineens denkt ze aan Tommy's spaarpot. Tommy heeft behalve de verjaardagen nog geen uitgaven. Maar wel doet oma er iedere keer als ze komt iets in. Omdat ze Matteke en haar ook altijd wat toestopt...

Zodra ze haar moeder en Matteke in de keuken bezig hoort met de afwas, sluipt ze naar Tommy's kamertje. Tommy zelf kijkt in de huiskamer naar de fabeltjeskrant, dus kan ze ongemerkt van hem wat geld lenen. Evie houdt het grappige kabouterhuisje op de kop en morrelt met een mes in de gleuf... Juist als ze een opgevouwen briefje van tien behoedzaam naar buiten trekt, hoort ze achter zich de deur. „Afblijven, dief." Tommy staat met een beschuldigend gezicht voor haar. „Geef hier, er zit bijna niks meer in."

„Dat is míjn schuld niet. Het huisje was al leeg," zegt Evie, meer geschrokken dan ze wil laten blijken. Moeder zal laaiend zijn als ze merkt wat zij van plan was. En ja hoor, daar komt ze al op Tommy's geschreeuw af.

„Wat is dat hier? Weer ruzie? Houd toch eindelijk eens op, jullie. Ik word dol van dat geharrewar. Dat jij niet wijzer bent, Evie. Jij bent al veertien."

„Ze heeft mijn geld gestolen," roept Tom. „Kijk maar, dat tientje is van mij."

„Is dat waar, Evie?" vraagt Lisa streng.

„Alleen maar lenen, ik kwam te kort voor die fuif," lispelt het meisje kleintjes. „Hij krijgt het echt terug."

„Ja, dat zal wel. Jij geeft meer geld uit dan je hebt, dame. En dat loopt altijd op narigheid uit. Waarom heb je het mij niet gezegd?"

Om Evie's mond trekt een schamper lachje. „Omdat u nooit geld hebt. U komt zelf altijd te kort."

Lisa neemt het kabouterhuisje en zet dat terug op de plank boven Tommy's bed. „Geef hier, Tommy's geld," sommeert ze. Ze duwt het bankbiljet door de gleuf. Ze ziet Tommy gespannen toekijken. Dan, een ingeving volgend, pakt ze de spaarpot weer op. „Waarom is dat huisje zo licht?" vraagt ze van Evie naar Tom kijkend.

„Ik had alleen dat tientje, echt waar, mam," zegt Evie, driftig met haar voet op de grond stampend. „U gelooft me niet, hè?"

„Ik weet niet meer wat ik van jou wel of niet geloven moet, kind." Hoofdschuddend bekijkt ze haar tweetal. Tom, o, wat moet ik toch met ze aan? Kon jij me dat nog maar zeggen. Spreekt Evie de waarheid, of is ze zo'n doortrapte leugenares dat ze me voorliegt?

Tommy begint ineens te snikken. Heel zijn magere lijfje schokt. „Ik... ik hè-heb het voor u ge-gedaan," hikt hij.

„Wat gedaan, Tommy?"

„Mijn huisje leeggehaald. Om... om vriendjes te krijgen, vóór u thuiskwam. Ik... ik wilde u blij maken..."

„Wat heb je met die spaarcentjes gedaan, Tom?"

Matteke, in de gang ademloos meeluisterend, kent het antwoord al.

„Bij 't Geveltje patat gekocht en kroketten en frikadellen en ijs...voor allemaal" klappertandt het ventje.

O, nu zou Lisa het blonde kereltje het liefst in haar armen trekken, hem over de zachte krullen strelen. Lieve, lieve Tommy, dat je voor míj vriendschap probeerde te kopen... Hoe kan ik je uitleggen dat echte vriendschap niet te koop is? Dat je alleen surrogaat kunt kopen met geld? Amper zes... ach, en wat heb je al niet veel verdrietigs meegemaakt in je korte leventje...

Lisa slikt krampachtig. Ze móet proberen streng te blijven.

„Dit gebeurt nooit meer, Tom, dat spreken wij samen af. Dat geld is voor verjaardagen of voor iets waar je heel erg graag voor sparen wilt. En jou, Evie, spreek ik straks als Matteke en ik klaar zijn met afwassen. Tom, kleed je vast uit en ga naar de badkamer."

Maar als Lisa en Matteke in de keuken klaar zijn, is Evie er stilletjes vandoor gegaan.

„Ik ga er even tussenuit, Mat," zegt Lisa, als Tommy in bed ligt. „Ik heb een barstende hoofdpijn."

Nu heb ik nog niet over Texel gepraat met mammie, piekert

Matteke. En over Bert durf ik al helemaal niet te beginnen. Ze is blij, als ze het belletje hoort snerpen, dat bezoek aankondigt. Ilse misschien?

HOOFDSTUK 12

Ruud van Houtum is weer terug in zijn „hunker-bunker". O, hoe haat hij tegenwoordig die spottende benaming van de nog nieuwe appartementen waar hij zich zo gerieflijk mogelijk heeft geïnstalleerd . . .

Kritisch laat hij zijn ogen gaan over de witte meubels, de lichtgrijze wanden en dito tapijten, die de vloeren van het gehele appartement van een rijk verende zachtheid maken. De accessoires vormen met het moderne interieur een vreemd contrast en toch een wonderlijk geheel. De persoonlijke noot, die meer van de mens Ruud van Houtum onthult, dan hij zelf gewoon is prijs te geven.

Een wondermooi ikoon, afkomstig uit Polen, een wandtapijt uit Jemen, veel houtsnijwerk uit diverse Afrikaanse staten, zijden kussens uit Japan, te veel om op te noemen. Stuk voor stuk zijn het kleurige beelden, die weer gaan leven als hij de voorwerpen na een periode van afwezigheid opnieuw beziet. Na een urenlange vertraging eerst laat in de nacht terug op Schiphol, is hij rechtstreeks teruggereden naar zijn flat. Toch is hij al weer bijtijds zijn bed uit. De aantekeningen over zijn recente reis naar India, waar hij de opening van de nieuwe dam heeft bijgewoond, branden als het ware zijn vingers. Eerst moet hij zijn kersverse impressies aan het papier toevertrouwen. Ruud weet, dat dit zijn beste werk oplevert. Nu nog is hij boordevol van alles wat hij ginds heeft gezien. Hij boogt op zoveel ervaring, dat hij met rake beelden kan komen. Niet alleen met wat men de buitenwereld graag wil laten zien en geloven . . . Hij kent de kanalen, de binnenwegen om ook aan de achterzijde te zien van een knap staaltje architectuur, een indrukwekkend irrigatiegebied, of de realisering van de fabuleuze dam, waar televisie en andere media zoveel publiciteit aan hebben gegeven . . . Trots om dit indrukwekkende meesterschap van eigen bodem heeft ook Ruud doorzinderd bij het aanschouwen van het splinternieuwe project. Maar altijd is daar de keerzijde, die hem trekt, en aan hem rukt. De wetenschap, dat er zoveel honger en ellende heerst ook in dit zwaar beproefde land... Ik ben mijn roeping misgelopen, denkt Ruud steevast als hij via slingerweggetjes in contact is getreden met het leed. Als hij de snelweg heeft verlaten en clandestiene bezoekjes brengt aan onbekende dorpjes en nederzettingen. Als hij zich zet tussen mensen met holle hongerogen en kinderen blij maakt met wat hij heeft meegebracht. Ach, het is maar zo miniem, zo nietig, nog geen druppel op een gloeiende plaat. De deernis met deze medemensen, die hem aanzien als verwachten ze van hem een wonder, heeft hem voorgoed gestempeld. Heeft hem voor altijd de betrekkelijkheid leren zien van zoveel dingen waar men zich thuis druk om maakt.

Terwijl Ruud driftig de woorden uittypt, die de tolk zijn van zijn overvolle gemoed, weet hij dat hem die betrokkenheid is ingegeven door de liefde van Christus die hem omringt en vergezelt op zijn reizen. Die hem een open oog geeft voor het lijden van anderen. Hij weet ook, dat hij in deze geest zijn reisverslagen schrijft en dat hem dat door anderen dikwijls niet in dank wordt afgenomen. Hij heeft naast veel waardering, ook veel kritiek geoogst en ook nu weer zal zijn subjectieve inkleuring niet onopgemerkt blijven. Ook weet Ruud dat er op hem wordt gelet, omdat hij niet de koninklijke wegen bewandelt, die de journalistieke wereld geacht wordt te gaan. Ruud weet dat hij een „gezochte" verslaggever is... dat zijn betrokkenheid, dikwijls in felle beschuldigingen aan officiële instanties geuit, hem niet in dank wordt afgenomen.

Ik kan niet zwijgen, Heer, als ik het onrecht zie. Het leed van zoveel medemensen. Ik kan niet onbewogen toekijken, zoals zovelen. Omdat ik Uw opdracht ken, o God. Ik kán immers niet vragen: „Heer, wanneer heb ik U hongerig gezien, of dorstig, ziek, of in de gevangenis?" Ik kan er niet onderuit, want ik héb hen gezien, die lijden. Ik ken de woorden: als je één van deze geringste mensen geen hulp hebt geboden, heb je geweigerd Mij te helpen en daarom ken Ík jou niet als je voor Mij verschijnen zult."

Daarom schrijft Ruud zijn verslag, koortsachtig, gedreven, niet rustend voor hij ván zich heeft geschreven, wat hem zo intens heeft beziggehouden deze dagen. Als het avond wordt en hij totaal leeg en zeer vermoeid achterover leunt in zijn bureaustoel, overvalt hem plotseling een zwakte. Hij voelt de impuls om die volgetypte vellen tot een prop te ballen en weg te werpen. Wat heeft het voor zin, wat haalt het uit, om het lezerspubliek te confronteren met de ellendige omstandigheden waaronder mensen leven in het land waar de wereldberoemde dam gereed is gekomen? De mensheid wordt immers overspoeld met soortgelijke berichten en langzamerhand wordt een immuniteit opgebouwd, een zelfbescherming om niet ten onder te gaan in die zee van narigheid... Men wil lezen over de constructie, de totstandkoming van het meesterwerk, door ingenieuze koppen bedacht.

Ruud schuift de foliovellen met een driftig gebaar opzij. Uit zijn tas haalt hij een paar in folie verpakte broodjes, die hij in het restaurant van Schiphol kocht. Hongerig begint hij te eten. Hij heeft vanaf 's morgens nog niets gehad.

Als hij zijn gedachten met geweld losscheurt van zijn reisimpressies, gaan ze als vanzelf naar Lisa en haar kinderen. Ach, hoe dikwijls zijn die niet naar hen afgedwaald, tijdens de meest enerverende ogenblikken zelfs.

Lisa... je zou eens mee moeten gaan en zien hoe klein jouw wereld is. Jouw verdriet, de zorg om je kinderen... Natuurlijk, ik bagatelliseer het niet. Maar de wereld is zoveel groter, de liefde van God zo allesomvattend, zó tot helpen bereid, dat het dom en kortzichtig is om niet de hulp in te roepen van de God, die regeert over wind en wolken, over de beperkte dingen die wij kunnen waarnemen en de onzienlijke dingen, waar wij slechts bij benadering de grootsheid van kunnen bevatten...

Lisa...

Ruud veegt de kruimels op zijn bureau bijeen, zwenkt zijn stoel om en strekt zijn stramme rug. Hij is stijf van het lange zitten in een geconcentreerde houding.

Hij kan plotseling niet langer wachten. Hij moet haar nú zien en niet morgen op de afdeling buitenland, achter stapels papieren en een onpersoonlijke lach. Sfinx... ik geef het niet op. Je hebt iets uitgehaald met dat hart van mij. Zonder dat ik erom heb gevraagd ben jij mijn leven gaan beheersen...

Hij rommelt in zijn koffer. Hij heeft voor allemaal wat meegebracht. Hij ziet de stralende ogen van het kleine joch al. Hij kijkt op de klok. Nee, Tommy zal ongetwijfeld al in zijn mandje liggen. Nou, enfin, dan moet Lisa het hem morgen maar geven.

Fluitend bergt hij alles in een grote plastic draagtas. En links en rechts groet hij de mensen die hij op de gangen tegenkomt. De meesten kennen hem en zien hem graag om zijn knappe, vrolijke gezicht, dat hij de mensheid immer toont. Want niemand kent hem in ogenblikken van diepe neerslachtigheid, van bijna lijfelijk zeer om wat een bespotting lijkt van het eens zo volmaakte origineel: het paradijselijke oord, Gods wereld.

Matteke doet hem open. „Meneer van Houtum." Ondanks de onmiskenbare blijde klank, ziet Ruud meteen dat er iets aan schort.

„Is je moeder thuis?"

Matteke schudt haar hoofd, ontkennend. „Maar ze blijft niet lang weg. Ze had hoofdpijn en is even gaan lopen."

„Zo, tja, dat kan helpen... als het tenminste niet door narigheid komt. Die neem je op een wandeling natuurlijk mee."

„Er was wat met Tommy, en Evie is zonder iets te zeggen weggegaan."

Kleine vossen in de wijngaard, doorschiet het Ruud, indachtig zijn kersverse belevenissen. Maar als hij Matteke's ernstige ogen ziet, weet hij, dat het voor Lisa en Matteke problémen zijn en dat hij niet in staat is te beoordelen of iets een vos dan wel een olifant is van afmeting.

„Lust u vast een kopje koffie?" vraagt Matteke, bang dat de onverwachte gast haar weer zal ontsnappen. Misschien dat ze over Texel durft te beginnen als Ruud erbij is. Hij heeft al zoveel over de aardbol gezworven, hij heeft een veel ruimere kijk op alles, weet Matteke. „Wanneer bent u teruggekomen? U bent bruin," zegt ze, hem vrijmoedig aanziend.

„O, dat ben ik altijd gauw. En ja, het wás daar een temperatuurtje! Hoewel... het is hier momenteel ook prima. Zeg, Matteke, ik heb je nog niet eens gefeliciteerd met je slagen. Want je bént toch geslaagd?"

„Gelukkig wel. En voor Duits heb ik zelfs een zeven," vertelt ze glunderend. „Dank zij u. Nog heel hartelijk bedankt voor uw hulp. Ik was van plan dat officieel te komen doen, maar dat komt dan nog."

„Ik houd er niet van bedankt te worden. Maar je mag evengoed komen, hoor. Ik zou het zelfs heel gezellig vinden. Ik moet altijd wennen als ik weer terug ben in mijn flat."

Matteke kijkt hem bij deze woorden opmerkzaam aan. Heeft de bekende, zeer bereisde verslaggever van de krant ook zijn heimelijk verlangen naar warmte en medeleven, als hij terugkeert van een verre reis? Ach ja, waarom niet? Matteke denkt aan Bert. O, durfde ze maar met Ruud over hem te praten.

„Ik dacht dat jij vakantie had. Heb ik je niet over één of ander kampeerplan horen praten?" vraagt Ruud.

Matteke's gezicht licht op. „Ja, met de examenklas. Volgende week gaan ze al! Maar ik weet niet... ik heb er nog niet met moeder over gepraat. Ze weet er wel íets van, natuurlijk, maar ze gaf er weinig commentaar op, misschien herinnert u zich dat nog wel. Ik ben bang, dat ze het niet goedvindt. En ik wil niet, dat ze ook hier nog eens door van streek raakt."

„Onzin," meent Ruud gedecideerd. „Jij hebt best een verzetje verdiend en als het op het geld vastzit... ik wilde je toch nog wat extra's geven voor je slagen."

„Nee," zegt Matteke verschrikt. Het is net alsof ze op Ruuds vrijgevigheid heeft gespeculeerd. „Het is niet alleen het geld. We gaan met tenten, ziet u, en dat lijkt moeder maar niets. Ze is natuurlijk bang dat er iets gebeurt. Maar we gaan gewoon als klas met elkaar om, er zijn helemaal geen lui bij die iets hebben met elkaar."

Ruud glimlacht onwillekeurig. Een opmerking wordt hem verder bespaard, want ze horen de buitendeur en even later komt Lisa binnen. Ze krijgt zowaar een kleur als ze Ruud daar zo onverwacht ziet zitten.

„Ik dacht dat jij morgen pas terugkwam."

„Dag Lisa," zegt Ruud nadrukkelijk. „Ben je een beetje blij om me weer te zien?"

Onmiddellijk krijgt haar gezicht weer dat afstandelijke waarom Ruud haar wel dooreen zou willen schudden. Hij beheerst zich echter, zij het met veel inspanning. „Ik hoorde van je dochter dat je hoofdpijn had. Hoe is het daar nu mee?" vraagt hij hartelijk.

„Een stuk beter. Heb jij al koffie, Mat?"

„Ik zal een kopje voor u halen. Wij hebben maar vast genomen."

Als Matteke de kamer heeft verlaten, zegt Lisa geprikkeld: „Ik zou het op prijs stellen Ruud, als je je aan de gewone vriendschapsregels wilt houden. Wat moet Matteke wel niet denken van die vraag van jou?"

„Hhhh?"

Ruuds donkere ogen kijken Lisa zo onschuldig aan, dat ze er bijna inloopt.

„Ach, je weet best wat ik bedoel," zegt ze half boos, half

toegeeflijk. Wie kan nu onberoerd blijven als Ruud alle registers van zijn charme opentrekt?

Lisa, Lisa... wanneer leer jij weer te leven en te ontwaken uit je verdoving? denkt Ruud. Hardop zegt hij: „Ik kan er niets vreemds in zien als ik vraag of je blij bent, dat ik weer terug ben. Je bént toch blij, Lisa?"

Ze zucht. „Ach jij!"

„Je ziet er moe uit, Lisa. Last van de warmte? Het is hier benauwd. Waarom zitten jullie eigenlijk niet op het balkon?"

„Dan wordt Tommy misschien wakker."

„Hoe is het met zijn been?" informeert Ruud. Als Lisa hem de laatste ontwikkelingen verteld heeft, meent Ruud: „Het is goed voor hem weer gewoon met de andere jongens mee te kunnen doen. Dat heeft dat joch nodig. Altijd met drie moeders... hij wordt onwillekeurig te veel betutteld..."

„Toe zeg, dat valt wel mee. Trouwens, ik durf hem na vanmiddag niet meer alleen naar beneden te laten om te spelen." In enkele zinnen vertelt Lisa wat er die middag is voorgevallen. Tot haar ontnuchtering barst Ruud uit in een vrolijke schaterlach.

„Die Tom... dacht wel tien vriendjes te kunnen kopen van z'n spaarcentjes... de túrf," eindigt hij met een nieuwe uitbarsting van vrolijkheid, nu om Lisa's vertoornde gezicht. Matteke, met het koffieblad balancerend, schiet onwillekeurig ook in de lach. Té aanstekelijk werkt die van Ruud op haar lachspieren. Kijk mammie nu toch eens ernstig blijven... heeft ze nu helemaal geen gevoel voor humor, of wíl ze zich niet meer overgeven aan vrolijke gedachten sinds vader er niet meer is?

„Ha, ha, Matteke! Dat broertje van jou wordt nog eens een goede diplomaat. Ik zie al die patat etende jochies al voor me. Grote vrienden zijn met hun weldoener tot het zakje leeg is en dan is hun vriendschap ook op. Ja, Mona Lisa, zo gaat dat in dit materialistische wereldje... Ik zou jullie nog heel andere verhalen kunnen vertellen, maar dan op een andere keer. Waar is Evie?" vraagt hij zonder overgang.

„Ik was nog niet uit verteld. Die heeft ook wat op haar kerfstok. Nee, Ruud, nu niet wéér lachen, want dan vertel ik het niet. Jij denkt dat je met al mijn problemen de draak kunt steken... maar opvoeden is een heel zware opgave, vooral tegenwoordig."

„Kind, ik ontken dat toch niet? Vooruit, vertel maar, ik ben één en al oor."

Matteke verdiept zich schijnbaar in het weekblad, dat ze van Ilse heeft gekregen. Maar intussen ontgaat haar geen woord van het gesprek tussen moeder en meneer van Houtum. Ze verbaast zich, zo jong als ze is, over het verschil in karakter tussen die twee. Haarscherp ziet ze ineens het ernstige gezicht van haar vader voor ogen. O, hij was zo ánders dan deze Ruud. Ouder en bezadigder... Geen wonder, dat moeder vergelijkt... Nee, moeder zal het vast nooit met deze sympathieke journalist aandurven, tenzij... tenzij ze ontdekt dat hij veel serieuzer is dan men op het eerste moment zou denken.

„Nog meer gepasseerd, Lisa?" vraagt Ruud als Lisa moeizaam haar zorgen heeft verwoord. Ze schudt haar hoofd. Met een blik op Matteke's gebogen hoofd, zegt ze: „Er zijn ook fijne dingen geweest tijdens jouw afwezigheid. Matteke is immers geslaagd?"

„Ik heb haar al gelukgewenst. En gezegd dat ik dacht dat ze op vakantie was met de geslaagden."

„Eh... wanneer is dat eigenlijk, Mat, dat Texelplan?"

„Volgende week. Ik mág toch, mam?"

„Alleen als jullie onder gedegen leiding gaan. Ik voel er niet voor je met een stel jongelui erop uit te laten gaan. Stel je voor," ze wendt zich nu tot Ruud, „ze willen met een stuk of wat jongens en meisjes in tenten bivakkeren. Zonder leiding."

„Hebben jullie een tent?"

„Welnee, die lenen ze van elkaar."

„Van wie zou jij er een lenen, Matteke?" vraagt Ruud.

„Van een van de jongens. Ik slaap er met Ilse en nog twee andere meisjes in. De andere meisjes hebben er één met z'n vijven. En de jongens gaan ook met twee tenten. Die zijn met z'n achten."

„Jij vindt zoiets natuurlijk heel gewoon?" zegt Lisa niet zonder bitterheid.

„Wat ík vind is niet belangrijk. Jij kent Matteke beter dan ik en jij weet, of ze deze verantwoordelijkheid aan kan. En verder, ja, verder denk ik dat je het moet overlaten. Je kunt haar niet als een klein meisje blijven beschermen. Daarvoor hebben we gelukkig een alom aanwezige Vader, die voor Zijn kinderen zorgt. Als Matteke dat weet en daarmee leeft, met die wetenschap, dan zit het wel goed..."

Lisa heft als in verweer haar kopje. „Ik ben verantwoordelijk. Ikzelf en niemand anders. Ik zou rust noch duur hebben

143

als Matteke die week op stap ging en dat wéét ze."

Matteke wil er tussen springen. Teleurstelling omdat het vakantieplannetje voor haar in duigen valt, kropt in haar keel. Maar ze zegt niets om het gezicht van haar moeder, dat zo intens zorgelijk staat.

Lusteloos legt ze het tijdschrift in de lectuurbak. „Ik ga naar bed, welterusten," zegt ze.

Pas als ze de kamer uit is, denkt Ruud aan het pakje dat hij haar had willen geven. Maar misschien is dit niet het juiste ogenblik voor geschenken. Hij moet eerst Lisa proberen ervan te overtuigen, dat ze haar dochter dit uitje niet mag misgunnen. Of nee, dat is het juiste woord natuurlijk niet. Hij zal er haar nog eens op wijzen, dat Matteke zo langzamerhand eigen verantwoordelijkheden moet aankunnen. Dat ze haar ervoor klaar moet maken om die bruisende, gevaarvolle wereld tegemoet te treden. Weliswaar met de ruggesteun van alles wat ze haar door de jaren heen heeft meegegeven, maar verder met de vrijheid zelf beslissingen te nemen. Zelf het onderscheid te leren tussen zwart en wit, afhankelijk van haar eigen geweten en inzicht. En dat dat ook weleens níet zou kunnen stroken met dat van Lisa Versloot...

„Wil je nog iets drinken, Ruud?" Hij houdt haar aan haar hand tegen als ze langs hem loopt met de vuile kopjes. „Nee, blijf nog even zitten, Lies. Toe, laten we nog even doorpraten over dat kampeerplan."

„Je weet hoe ik erover denk." Onwillig gaat ze weer tegenover hem zitten. „Ik neem het jou heus niet kwalijk, Ruud. Jij bekijkt zoiets als een buitenstaander. Maar een moeder voelt het alsof er een stukje van haarzelf wordt afgerukt, of ze moedwillig één van haar ledematen aan gevaar blootstelt. Ik kan het niet beter uitleggen."

„Lisa," vraagt Ruud indringend, „ben jij ook niet weggetrokken, een slordige twee jaar ouder dan Matteke nu is, weg van huis, weg van de bezorgde moeder die de jouwe ongetwijfeld ook is?"

„Dat lag heel anders. Ik was verloofd en Tom was serieus en solide. Vader en moeder hebben mij met een gerust hart laten gaan. Nee Ruud, deze vergelijking gaat wel zó mank..."

Ruud klemt zijn kaken stijf opeen. O, die confrontatie steeds maar weer met die man met zijn wijze, onderzoekende ogen, die hem ook nu weer lijken te zeggen: Wat doe je hier? Jij bent geen figuur om de vaderrol te vervullen voor het drietal

144

van Lisa en mij. . . het zou jou niet echt raken, wanneer mijn oudste in moeilijkheden kwam. Het zou jouw hárt niet beroeren zoals dat mij zou doen. Ruud dwingt zich een andere kant uit te kijken, zodat hij de grote kleurenfoto niet meer kan zien. Nog eenmaal probeert hij een lans te breken voor Matteke's zo zeer begeerde uitje, maar Lisa blijft bij haar besluit. Teleurgesteld gaat hij terug naar huis.

Zijn pakjes staan onaangeroerd op de tafel. Lisa ziet het eerst als hij weg is. Een voor een neemt ze ze in haar handen. Deze bewijzen, dat hij daarginds aan hen heeft gedacht en iets voor hen heeft uitgekozen.

Ze voelt een pijnlijke zwelling in haar keel. Ruud, ach, maak het mij niet zo moeilijk. Jij bent zo levend, zo bruisend, zo jong. . . en ik zo moe van alle zorgen en gepieker. Tom. . . nee, nee, ik mag er niet eens aan dénken. Ruud neemt alles veel te zorgeloos en luchtig. Op mij drukt een grote verantwoordelijkheid. Matteke kent de gevaren niet van die zelfzuchtige, immorele wereld om haar heen. Het is niet dat ik mijn kínd niet vertrouw, ik vertrouw de wereld om haar heen niet, en welke ouder zal dit niet met mij meevoelen?

Lisa weet nu nog niet, dat ze, nauwelijks een dag later, er zélf bij Matteke op zal aandringen tóch naar Texel te gaan.

Hoe grillig is het leven soms.

HOOFDSTUK 13

Ilse heeft zich in het doktershuis onledig gehouden met allerlei steeds terugkomende werkjes, zoals het opruimen van de wachtkamer, het schoonmaken van instrumenten, het sorteren en klaarleggen van verbandartikelen en nog vele andere handelingen, waaruit haar steeds duidelijker bleek, dat ze dit het liefst zou willen: assistente worden van een huisarts. . .

Toen ze er wat aarzelend met de dokter over sprak, heeft hij haar gewezen op de mogelijkheid om een dagcursus te gaan volgen in de stad, te beginnen in september. Tevens heeft hij haar voor enkele weken in de zomervakantie geclaimd. Ilse kan haar geluk niet op. Heerlijk is het om in zo'n ontspannen sfeer, vrij van ruzie en dreiging daarvan, te ontwaken en daarna te ontbijten, samen met de doktersvrouw, de telefoon onder handbereik. . .

Maar toch, na twee keer dit genoegen te hebben gesmaakt, bevangt de onrust haar en meteen na het ontbijt stapt ze in de nu al warme junizon naar huis, om te zien hoe haar moeder het maakt. Wel heeft ze haar vanuit het doktershuis een paar maal gebeld om hiernaar te informeren, maar beide keren was moeder kennelijk niet alleen, omdat haar stem iets opgeschroefds had. . .

Ilse gaat gewoontegetrouw achterom. Als het tuinhekje achter haar is dichtgeklapt, houdt ze haar adem in. De tuin met z'n overdaad aan zomerbloemen en geur is een oogstrelend plaatje.

Ilse moet zich bedwingen om niet haar schoenen uit te wippen en op blote voeten over het gladgeschoren tapijt te lopen naar de iets lager gelegen vijver met de flonkerend uitwaaierende fontein. O, éven met haar tenen in die koele regen van druppels. . .

Ze ziet een reiger, die spoorslags de wieken neemt als ze inderdaad aan haar impuls toegeeft. Ilse lacht, is zij even net op tijd om hem te verhinderen een visje uit de vijver te verschalken?

In de kamer, donker en koel door de zonneschermen die zijn neergelaten om de te verwachten zonnehitte tegen te houden, kijkt Martin Prins bijna hongerig naar het fleurige tafereeltje. Daar is Ilse, zijn jongste dochter. Hij heeft haar na die ongelukkige klap die hij haar toediende niet weergezien. Drie dagen. . . zijn het slechts drie dagen? Maar van hoeveel oneindige uren vol en nog voller de nachten ertussen. . .

„Ik voel me niet goed," heeft hij zijn vrouw de morgen volgend op Ilse's overhaaste vertrek gezegd. Ze heeft niet gevraagd wat er aan scheelde, als beleefde vreemden zijn ze langs elkaar gegaan, slechts het hoognodige zeggend. Die vreemde kalmte van Josefien heeft hem hevig verontrust. Hij had een vreselijke scène verwacht, een vloed van verwijten, omdat hij nu door zijn houding ook de jongste vogel het nest had uitgewerkt. Maar niets van dat alles. Josefien zet hem op tijd zijn eten voor en geeft hem koffie of thee naar gelang het tijdstip. Maar verder gaat ze haar eigen gang, als was hij er niet. Als zag ze hem niet. Zoveel jaren is ze zijn trouwe schaduw geweest, zo lang voer ze op hetzelfde kompas, dat hij zich voelt als een schipbreukeling, aangespoeld op vreemde stranden. Niets meer is bekend en vertrouwd. Alles wat hij dacht te bezitten, is slechts fictie gebleken...

Zijn vrouw, zijn kinderen... ze hebben zich van hem afgewend. Geen vrienden, geen familie, geen mens die zich bekommert om Martin Prins en daar heeft hij het zelf naar gemaakt... Fiens houding maakt langzaam maar zeker een paniekgevoel in hem wakker.

Geen mens... geen God... een helse verlatenheid neemt die dagen bezit van hem, zonder dat iemand dit bemerkt. Het accentueert slechts zijn zielekoude: pijnlijk en meedogenloos als een ontleedmes.

Nu ziet zijn doffe oog het kind, bij wie hij in de schuld staat. Hij kan haar niet onder ogen komen, niet nu...

Martins ogen zuigen zich vast aan zijn laatste aanwinst: een orante in gips, het beeld van een biddende vrouwenfiguur. Terwijl dit via zijn netvlies binnendringt en hem kwelt met psychosomatische pijnen, zakt hij kreunend neer op de grond. Die vrouwenfiguur... het is zijn moeder, die hem waarschuwt voor de hoogmoed en de demon van de hebzucht...

Martin hoort duidelijk haar stem: „Je hebt een drang in je om altijd maar meer, om altijd maar béter te zijn dan anderen. Als je die karakterfouten niet biddend bestrijdt, zal het verkeerd met je gaan, m'n jongen..."

Ze heeft gelijk gekregen. Gelijk en ook weer niet. Want zelfs zijn moeder wist niet dat aan zijn hoogmoed onzekerheid, een bewustzijn van eigen onkunde ten grondslag lag. „Ik wilde me juist bewijzen," mompelt hij kreunend. „Ik deed het om Josefien en de kinderen het beeld te geven van een geslaagd man en vader. Ik wilde niemand mijn frustraties, mijn bangelijkheden tonen. En dat is me lange tijd gelukt. Men zag tegen mij op. Ik had een prachtig huis, met een schitterend interieur. Een tuin, waar men nog altijd voor blijft staan. Maar toen begon Bert dwars te liggen en later Ilse..."

Een helle schrik doorvaart Martin als hij aan haar denkt. Ilse... zij kan ieder ogenblik binnenkomen. Ze mag hem niet zo zien, niet klein en afhankelijk. Zelfs in dit precaire ogenblik doet Martin nog een schamele poging om te lijken die hij zo lang scheen... Hij krabbelt moeizaam overeind en spiedt in de zonovergoten tuin. Hij ziet hoe het meisje aan de rand van de vijver is gaan zitten en haar voeten in het water op en neer beweegt. Nee, Ilse heeft niet gemerkt dat hij binnen is. Zij weet niet beter of hij is aan het werk. In zijn nieuwe baan waarin hij net als in de vorige alweer door zijn flair en harde werken het vertrouwen heeft verworven van zijn superieuren. Zovelen hebben boter op hun hoofd tegenwoordig. Hij heeft zijn hoofd niet gebogen. Fier rechtop bleef zijn gang. O, hij weet wel hoe ze wachtten op een teken van berouw, op iets waaruit bleek dat de door hem gepleegde fraude hem niet onberoerd had gelaten.

Niemand, ook Fien niet, weet van de martelende gedachten, de angstaanjagende dromen, die hem sindsdien kwellen. Alleen zijn onrust en zijn slechte slapen zouden hem kunnen verraden. Maar die schoof hij handig juist op háár nerveuze gedraai...

Martin recht zijn rug. Hij zal zich voorlopig boven in zijn kamer terugtrekken en zich onzichtbaar houden. Want hij deinst terug voor een nieuwe confrontatie met Ilse. Niet wéér die tartende ogen, die beschuldigende stem...

Langs het gipsen beeld wil Martin de kamer verlaten. Maar als hij voorbij de staande vrouwenfiguur gaat, lijkt hij ineens te wankelen. Want de biddende gedaante verandert ineens in een vrouw van vlees en bloed, met liefdevolle ogen en handen die zich beschermend op zijn hoofd leggen. „Martin, jongen, vergeet niet om te knielen en God te vragen je te beschermen tegen het kwaad, dat voor jou zoveel aanlokkelijks heeft..."

„Moeder," murmelt hij, andermaal wankelend. Maar dan, in hevige toorn en buiten zinnen de zinsbegoocheling met geweld van zich af schuddend, vliegt hij weer op en grijpt het beeld van de witte sokkel. Met twee handen werpt hij het met ongekende kracht van zich af. Rinkelend, met veel lawaai vliegt het door de glazen deur naar de tuin.

Het geeft Martin een enorme genoegdoening, al dat springende, rinkelende glas, maar als hij zich realiseert wat hij heeft gedaan, als hij Ilse hevig geschrokken aan ziet komen rennen, pakt de angst hem en dwingt hem tot handelen. Ze zullen denken dat ik gek ben, dat ik... dat ik...

„Vader," schreeuwt Ilse, „blijf hier. Wat is er gebeurd. Váder..."

Als een opgejaagd dier meet hij zijn kans tot ontsnappen. Langs Ilse heen naar de gang en door de keuken...

Maar daar zet juist Josefien haar tas met boodschappen neer, nog onwetend van de ravage die hij heeft aangericht.

„Wat is er aan de hand?" begint ze op de afgemeten toon die ze zich uit zelfbehoud heeft aangeschaft. Maar als ze zijn radeloze blik ziet, het vreemde trekken van zijn mondhoeken en achter hem Ilse die haar sommeert hem tegen te houden, handelt ze buiten zichzelf om.

Sussend spreekt ze hem toe, als tegen een kind. Ze neemt zijn arm en loodst hem met Ilse achter zich veilig de trap op en in bed. Ze vraagt Ilse een paar kalmerende tabletten te halen en helpt hem die innemen met een glas water. Ze blijft bij hem tot hij schijnt weg te doezelen. Maar ook dan nog vertrekt zijn gezicht van tijd tot tijd als in hevige pijn en schokt zijn lichaam onder het laken, dat Josefien zorgzaam over hem heeft gespreid.

„Moeder," fluistert Ilse ademloos, „wat moeten we doen? Dokter Schaardenburg waarschuwen?"

„Doe jij dat," beslist Josefien, „dan blijf ik bij vader. Hij is totaal van de kaart."

Ilse roetst de trap af en terwijl ze het zo bekende nummer draait, verbaast ze zich over de verandering die zich in haar moeder heeft voltrokken. Wat heeft zich hier tijdens haar logeerpartij in het doktershuis afgespeeld? Vader niet naar zijn werk, en zó in de war, dat hij in een vlaag van — ja wát eigenlijk? — iets door het raam heeft gegooid. Moeder, die als was het de gewoonste zaak van de wereld, de touwtjes in handen neemt, zonder de gebruikelijke hoofdpijnaanval...

Mevrouw Schaardenburg geeft Ilse de verzekering, dat de dokter zo vlug mogelijk zal komen. Ilse besluit koffie te gaan zetten en haar moeder een kopje te brengen, zodra het klaar is.

„Wil jij naar Bert gaan, Ilse?" vraagt haar moeder, als ze op haar tenen de slaapkamer binnenkomt. „Vader noemt steeds zijn naam. Hoor maar."

En ja, dan hoort ook Ilse hoe hij de naam zegt, die zo lang niet over zijn lippen is geweest. Is vader in zijn koortsachtige dromen met hem bezig? Doen ze er goed aan, Bert hierheen te halen?

„Kunnen we niet beter wachten, tot de dokter er is?" oppert Ilse voorzichtig.

„Bert is er nog niet. Wie weet hoe lang het duurt voor jullie terug zijn. Toe, ga nu maar."

„Goed, ik fiets meteen naar hem toe."

Staande drinkt Ilse in de keuken haar koffie op. Daarna pakt ze haar fiets en spurt naar het Jagerspad.

Juist als Ilse de trap op wil klimmen, gluurt door de toegangsdeur naar het voorhuis het onderwijzeresje. „Kom even mee," vraagt deze haar.

Ilse, nauwelijks bekomen van de schrik om haar vader, ziet het meisje met de koperkleurige haren angstig aan. „Is er iets met mijn broer? Er ís toch niets?"

„Nee, je hoeft echt niet zo benauwd te kijken. Bertie loopt in geen zeven sloten tegelijk. Hier, neem een zit. Een sigaret? Niet? Kijk, hier zijn twee enveloppen. Ja, ze zijn geparfumeerd, hij heeft ze van mij geleend. Eén is er voor jou en de andere voor zijn vriendin. Die wil jij haar wel geven?"

„Vriendin?" Ilse kijkt niet al te intelligent. Patricia lacht klaterend om Ilse's naïviteit. „Zeg niet dat jij het niet wist van Bert en dat donkere meisje. Ze is toch een vriendin van jou? Ik heb jullie meer dan eens samen naar Bert zien gaan."

„Matteke?" Dus toch, bonst het door Ilse's hoofd. Maar waarom zo stiekem te doen? Ik heb het vaak gedacht, maar dan begon ik weer te twijfelen, omdat Matteke altijd over iets anders begon, of ontwijkende antwoorden gaf.

Ilse pakt de beide lila enveloppen. „Betekenen die, dat hij er niet is? Wég is?" vraagt ze gealarmeerd, alsof deze veronderstelling nu eerst tot haar doordringt.

„Precies geraden," knikt Patricia niet geheel zonder leedvermaak. Voor dit meisje vindt ze het sneu, de overhaaste aftocht van haar bovenbuurman, maar de rest van zijn familie gunt ze het, dat hij met stille trom is vertrokken. Hopelijk zitten ze nu eindelijk eens over hem in de piepzak.

„Hij is vertrokken met onbekende bestemming, zoals dat heet."

„Waar naar toe?" vraagt Ilse scherp. „Jij weet het, of niet?"

„Al zou ik het weten, dan kreeg je het nog niet uit me. Spijt me voor jou, maar hij wil eindelijk rust om alles op een rijtje te zetten en een nieuwe start te maken. Maak die envelop open, misschien word je daar wijzer van."

Ilse draait zich om en verdwijnt met een vaag bedankje. Pas als ze op het zoldertje staat, ritst ze met haar pink de envelop open. Op een half velletje postpapier lijken in haast wat woorden te zijn gestrooid. Ze dansen voor Ilse's ogen.

„Ik kreeg een tip voor werk in een andere plaats. Je hoort wel als het gelukt is. Bert."

Ilse schuift het geparfumeerde postpapier terug in de envelop. Ze steekt hem met de andere in de zak van haar blouson. Ze besluit meteen langs Matteke te gaan en haar de brief te geven.

Matteke heeft zich die morgen met een ware schoonmaak-woede op de slaapkamers geworpen. Ze heeft de bedden verschoond, deuren gelapt en wastafels gepoetst tot ze glommen. Nu haalt ze een doek over de meubels, om het laatste stof weg te werken. Als ze de stofdoek uitslaat op de galerij, ziet ze haar vriendin aankomen. Ilse wappert al van ver met een envelop. „Van Bert," hijgt ze als ze bij haar is. „Hij is ineens vertrokken, zonder iets te zeggen, de stiekemerd. Zeg, wist jij daar ook niets van?"

Matteke bloost prompt. „Nee, niks. Ik schrik ervan."

„Hier, jouw brief. Maar vlug open. Die van mij was bijna één-regelig."

Net als Ilse scheurt Matteke de envelop met haar vinger open. Als ze het korte briefje gelezen heeft, barst ze prompt in huilen uit. „Toe, ga mee naar binnen," jacht Ilse gegeneerd links en rechts kijkend. Straks genieten de buren mee; je zit hier niet zo'n klein piezeltje op elkaars lip.

„Ik moet meteen weer naar huis, mijn vader is niet goed," legt ze binnen uit, maar ze betwijfelt of Matteke haar hoort. „Schrijft hij, waar hij is? Toe, Mat, ik moet weg."

„Nee, hij schrijft alleen dat hij weggaat en . . ." Ilse slaat haar arm om Matteke heen. Ze kan gewoon niet aanzien, dat ze net zo verdrietig huilt als toen ze hier de eerste keer aanbelde.

„Zeg het maar, Mat. Er was iets tussen jullie, hè?"

„Nu . . . niet . . . meer," hakkelt Matteke. „Hij zegt, dat het uit is tussen ons. Dat hij niet . . . niet genoeg om me geeft . . ."

„Het mispunt! Maar dat krijgt hij geheid op z'n brood. Zo gauw ik weet waar meneer uithangt. Ik beloof het je," foetert Ilse. „Bah, ik schaam me voor het eerst diep voor mijn broer. Toe, kop op. Wij gaan over een paar dagen fijn uit met de hele bups. Heus, die broer van mij is geen enkele traan waard. Om jou zo voor het lapje te houden en dan laf de benen nemen en zich er met een briefje van afmaken."

„Ik mág niet mee naar Texel," onthult Matteke snikkend. „O, alles is even naar."

„Onzin, ik kom vanavond terug en dan leg ik het je moeder precies uit. Er is niets stiekems aan dat Texelplan van ons. Nou, Mat, ik ga."

„Ik heb niet eens naar haar vader gevraagd," piekert Matteke, terwijl ze met trage gebaren een stoel afstoft. „Bij nader inzien geef ik toch niet genoeg om je, Matteke, en ik wil me dan ook niet gebonden voelen door een belofte of wat ook. Het ga je goed! Ik wens je het allerbeste . . ." Ze kent de enkele zinnen al uit haar hoofd, maar haar hart rebelleert en wil die woorden niet aanvaarden. Bert, heb ik me zó vergist? Kán een hart zich zo vergissen? Maar al zou dat met jou zo zijn, ik kán zo maar niet ophouden met van je te houden . . . Bert, waar ben je nu? Kon ik maar naar je toegaan om uit je eigen mond te horen wat je geschreven hebt.

Een schokje van blijdschap voelt Ilse als ze Hetty's wagentje tegen de stoeprand geparkeerd ziet. Zou moeder haar gebeld hebben?
Hetty roert in de keuken met een houten lepel in een pan. Soepel en toch met kracht maakt de lepel alsmaar rondjes . . . Ilse kijkt er naar met iets van naijver. Zelf zou ze zoveel geduld niet kunnen opbrengen. Als zij soep of saus, om het even, roeren moet, vergeet ze binnen de kortste keren waar ze mee bezig is. Steevast heeft ze dan een bieb-boek of een dictaatcahier in haar andere hand, met het gevolg dat er altijd klonten in haar brouwsel drijven.
„Ha, die zus," groet ze Hetty, „hoe kom jij hier op een gewone door-de-weekse-morgen verzeild?"
„Ik had een snipperdag. Ik belde toevallig hierheen en toen hoorde ik wat er gebeurd was."
„Hoe is het met vader?"
„Dokter Schaardenburg is net weg. Hij denkt dat het eindelijk tot een uitbarsting is gekomen. Vader moet al tijden tegen een overspanning hebben aangezeten."
„Nooit iets van gemerkt," schokschoudert Ilse, niet helemaal conform haar gedachten. Toen vader haar de avond van haar examenfeestje die suizende klap gaf, was hij immers ook zichzelf niet?
„Jij komt bij Bert vandaan? Wat zei hij?" informeert Hetty, onderwijl de gehakte soepgroenten door de bouillon roerend.
„Bert is weg. Hij heeft een briefje voor mij achtergelaten. Hier, lees maar, ik roer wel even."
„Nee, dat ken ik. Geef maar op, dan kun jij boven vragen of vader nog iets nodig heeft. En laat moeder dan koffie komen drinken. Die arme ziel is zo geschrokken . . ."
Hetty leest het slordige, aan haar zusje geadresseerde briefje. Eigenlijk is één blik voldoende voor de enkele woorden

152

op het lila briefpapier. Hetty houdt het papier tegen haar neus. Ze snuift. „Lavendel," mompelt ze voor zich heen. En of het nu die geur is, die haar zintuig vertaalt met: linnenkastluchtjes en oude-dames-zakdoekjes besprenkeld met het extract van de lavendelbloem, ze weet het niet. Maar terwijl haar hand automatisch blijft roeren in de dampende pan, voelt ze iets nats langs haar gezicht glijden. . .

Ze schrikt hevig wanneer de achterdeur opengaat en Frans Schaardenburg binnenstapt.

„Ik zag je auto staan. En omdat ik dacht dat je moeder wel boven zou zijn, ben ik maar zo vrij geweest achterom te lopen. Wat doe jij, Hetty?" Hij tilt haar kin op en bekijkt oplettend haar smalle gezicht. Hij ziet de schrandere grijze ogen nu glinsterend van tranen. Het geeft Frans een vreemd gevoel van binnen. Zelden heeft hij haar zien huilen in de tijd dat ze samen plannen maakten. Ze was altijd de flinke, de evenwichtige, die geen zwakheid als tranen scheen te kennen, herinnert hij zich. En nu. . .

„Het komt wel goed," zegt hij sussend. „Wees maar blij, dat hij eindelijk zijn emoties de kans geeft te ontsnappen. . . behalve fysiek, is het ook ethisch een meer aanvaardbare reactie, dan de houding die hij zo lang heeft weten te verkopen als zijnde zíjn reactie op alles wat gebeurd is. . ."

Hetty veegt met een driftig gebaar over haar ogen. „Ik verdien je begrip niet, Frans. Die tranen golden niet mijn vader, ik ben nog altijd een zelfzuchtig mormel, dat alleen aan eigen belangen denkt."

„Zelfzuchtig mormeltje." Frans schudt haar voorzichtig bij haar schouder door elkaar. „Zolang je het zelf onderkent en de moed hebt dit eerlijk op te biechten, valt het nog wel mee met Hetty Prins. Zeg, dat brouwsel ruikt verrukkelijk. . . is het al klaar?" vraagt hij met een duim op de grote pan soep.

„Nee, maar je kunt wel een kop koffie krijgen. Die is wél klaar."

Tegenover elkaar gezeten, drinken ze hun koffie. Er is iets in dit ongedwongen samen-zijn dat herinneringen oproept aan hun vroegere verhouding.

Ik heb haar veel verdriet gedaan, weet Frans als hij haar gezichtje van zo dichtbij bestudeert. „Je ziet bleek, Hetty, werk je niet te hard?" vraagt hij neutraal.

„Niet harder dan gewoonlijk. Maar het is vakantietijd, de meisjes zijn om beurten weg en de rest moet dan extra aanpakken. Vandaag had ik trouwens vrij genomen om wat in m'n huis te doen."

„En nu zit je hier... ga je nog met vakantie?"

„Ik heb geen plannen. Ik weet niet...," zegt ze wat hulpeloos. Hoe kan ze hem zeggen, dat ze er tegenop ziet om alleen ergens heen te gaan? Haar vriendinnen gaan met hun vriend of echtgenoot, het is stil geworden om haar heen.

„En Ilse dan?" vraagt Frans erop door.

„Die gaat een weekje met haar klasgenoten."

Frans bijt zich op de lip. Hij is hier niet voor de patiënt heen gereden. Zijn vader heeft meneer Prins immers al onderzocht? En hém heeft vader carte-blanche gegeven in de kwestie van Hetty's broer Bert.

Hij staat op. „Ik moet mijn rijtje visites af. Jouw koffie was voortreffelijk, meisje. Zeg, à propos, weet jij waar Bert uithangt? Ik heb hem niet thuis getroffen gisteravond."

Hetty steekt hem het briefje toe. „Lees maar. Dit liet hij voor Ilse achter."

Frans proeft de bitterheid achter haar woorden, maar hij zegt niets. Ilse heeft Bert nooit in de steek gelaten en Hetty's belangstelling dateert eerst van de laatste tijd. Het is spijtig, maar waar. Jammer genoeg kun je de tijd niet terugdraaien en alles anders, béter overdoen. Dat is een verschrikkelijk gegeven, dat bij het leven hoort...

„Asjemenou...," roept hij verbouwereerd uit. „Kom ik juist met een kant en klare oplossing voor meneer en dan piept hij ertussenuit."

„Ik wist óók niet wat ik hoorde. Heb jij geen idee waar hij kan zitten? Je had het over een oplossing. Bedoel je werk?"

Frans knikt. „Inderdaad. Tijdens Ilse's feestje heb ik hem er al wat van verteld. Het is net iets voor hem: een soort duvelstoejager in dat bungalowdorp van mijn zus en zwager in Frankrijk. Hij had er wel oren naar. En nu gaat hij zelf ergens op af... ik begrijp het niet. Er moet iets gebeurd zijn..."

„Datzelfde denk ik ook. Hij is ergens voor op de vlucht gegaan. O, als er nu maar niet weer iets met hem is... me dunkt, de maat is zo langzamerhand vol... en net nu vader er zo aan toe is... hij mompelt steeds Berts naam. Zijn overspannen brein is blijkbaar met hem bezig."

„Ik zal mijn gedachten er nog eens goed over laten gaan waar hij kan zijn. Maar nu moet ik echt weg!"

Hetty blijft zitten, diep in gedachten. Tot moeder Josefien

en Ilse om koffie komen. „Vader slaapt nu op die zware valiumspuit van de dokter," bericht mevrouw Prins.

„Laten we búiten onze koffie opdrinken," stelt Hetty voor. „U ziet er uit of u een hap buitenlucht bést kunt gebruiken, moeder."

„Ach kind," verzucht Josefien. „Ik heb zólang in zorg gezeten. Om vader, om Bert... en om jullie net zo goed, al heb ik misschien die indruk nooit gegeven. Op het moment, dat jij de deur achter je dichttrok om midden in de nacht naar de Schaardenburgs te gaan, Ilse, ben ik alles anders gaan zien..." Mevrouw Prins slikt even. En met een blik op Hetty's verbaasde gezicht: „Ja, jij weet nog niet eens, wat er toen is voorgevallen." In enkele woorden vertelt ze van de onenigheid tussen Martin en Ilse, aangevuld door Ilse zelf.

„Ik moet verblind geweest zijn, al die jaren," besluit ze met een vreemd-ijle stem. „Kinderen... ik ben als moeder heel erg te kort geschoten. Ik zag alleen vader. Alles wat hij dacht, dacht ik, en wat hij voorstelde, was ook mijn idee. Dácht ik... ik was letterlijk blind voor zijn fouten. Het enige excuus voor mijn handelwijze was mijn liefde voor hem... ik heb door dik en dun altijd van hem gehouden." Ze begint zo in-triest te huilen, dat ook de beide meisjes het gemoed volschiet.

„Moeder, dat u hem door dik en dun bent blijven volgen en verdedigen... dat heeft op ons een diepe indruk gemaakt, niet Ilse? En nu u toch zelf ziet, wat er mis is gegaan, dat geeft toch hoop, dat alles straks beter zal gaan?"

„Ik ga mijn spulletjes ophalen bij Frans' ouders. Dan bent u niet alleen als er soms iets is met vader," is Ilse's antwoord op de moeizame schuldbelijdenis van haar moeder.

Josefien ziet haar jongste dochter aan met een warme blik. „Lief van je, Ilse. Ik denk... als we allemaal bidden om Gods hulp, speciaal voor vader... we hebben jullie daar veel te weinig op gewezen. We letten alleen op uiterlijkheden en op ge- en verboden door mensen ingesteld. Maar waar het ten diepste om gaat: de liefde tot God en onze medemens, daarin zijn we veel te kort geschoten. Nu besef ik pas, dat wij Bert door onze schíjn-christelijkheid kopschuw gemaakt hebben voor alles wat met de kerk te maken heeft."

„Zeg hem dat, moeder," dringt Hetty aan. „Net zoals u het nu tegen ons zegt. Ik denk dat u daarmee op Bert meer indruk maakt en echter overkomt, dan dat jullie volharden in die onechte schijnhouding."

„Bert is immers weg?" ontvalt het Ilse. Zodra de woorden haar zijn ontsnapt kan ze haar tong wel afbijten. Maar ze zijn reeds gezegd.

„Wèg, wat is er met hem?" vraagt Josefien schril.

„Moeder, niets om je ongerust over te maken. Hij schijnt ergens werk aangeboden te hebben gekregen. Zodra hij precies weet hoe en waar, zou hij dat laten weten," bagatelliseert Hetty Berts verdwijning.

„Nou, dan hoop ik, dat dit zo gauw mogelijk is. Liefst vandaag nog," verzucht mevrouw Prins.

Diezelfde middag nog komen er twee mannen van glashandel Bruining om de kapotte tuindeur te vervangen door een nieuwe ruit. Josefien staat geruime tijd met het beschadigde gipsen beeld in haar handen. Het onderste gedeelte is afgebroken en ook het hoofd van de vrouwenfiguur ontbreekt. Slechts de in devotie gevouwen handen zijn ongeschonden. Biddende handen . . . in deze ogenblikken ervaart Josefien sterk de nabijheid en de kracht van het gebed, nu ze voor het eerst sinds lange tijd haar hart heeft opengezet om de liefde en Gods heilige Geest binnen te laten . . . en weer overspoelt haar het verdriet om zoveel gemiste kansen, om zoveel verspilde jaren van het kostbare tijdsbestek dat haar is toebedeeld . . . Toen Ilse als laatste van ons viertal wegging, besefte ik dat pas en ik weet bijna zeker, dat het Martin evenzo is gegaan. Dat hij daardoor in één klap tot het besef kwam, dat hij alles kwijt dreigde te raken.

Voor de zoveelste keer die dag sluipt ze op haar tenen naar boven, om even om het hoekje van de grote slaapkamer naar hem te gaan kijken. Niet meer als een vrouw die slaafs de wil doet van haar heer gemaal. Maar nu als een vrouw die de man die ze liefheeft verzorgen wil zo goed ze kan.

„Voortaan delen we de zorgen om onze kinderen sámen," fluistert ze tegen de man die nog steeds in diepe slaap, nauw grenzend aan een toestand van verdoving, verkeert.

Veel overredingskracht heeft Ilse die avond niet nodig om voor haar vriendin toestemming te krijgen met hen mee te gaan naar Texel. Lisa is bij thuiskomst geschrokken van het behuilde, verdrietige gezichtje van haar oudste. Zonder nadere uitleg heeft ze haar moeder het briefje van Bert laten lezen.

„U hoeft er dus niet meer over in te zitten. Het is uit tussen Bert en mij," zei ze met zo'n doffe berusting, dat het Lisa door het hart snééd. Er was dus wel iets tussen jullie. Evie had gelijk, wilde ze te berde brengen.

Maar ze had het niet gekund. Matteke moet hier weg, wist ze als ze naar het verstilde gezichtje keek. Te lang heeft ze mijn zorgen om de kleintjes gedeeld. Daarbij heeft ze alles op alles gezet om haar diploma te halen . . . Ruud heeft gelijk: ik moet het dan maar overgeven . . . ze is er zo op gebrand om met haar klasgenoten mee te gaan.

Toen Ilse kwam, was er maar weinig voor nodig om te zeggen dat het goed was.

De zon die toen éven doorbrak op Matteke's gezicht, was voor Lisa een grote genoegdoening. O, als het kind maar weer vrolijk werd en die jongen zou kunnen vergeten als ze ginds aan zee is, hunkert ze.

Zo vertrekken een paar dagen later de beide meisjes met een luidruchtig stel vrienden en vriendinnen. Hun fietsen volgepakt met kampeerspullen, nagezwaaid door een bezorgde moeder Lisa.

HOOFDSTUK 14

„De winter gaat scherpen, Betty." Dokter Schaardenburg tikt met zijn vinger op het glas van de barometer. „Kijk maar, bestendig . . . de vorst houdt aan. Er staat een strenge winter voor de deur, wat ik je brom."

Zijn vrouw lacht fijntjes. Ze weet, wat deze inleiding betekent. „Wanneer denk je te gaan?" vraagt ze pardoes.

Even staart hij haar beteuterd aan. Dan begint hij onbedaarlijk te lachen. „Rakker. Dat ik jou na zoveel jaren nog niet doorheb."

„Wie heeft hier wíe door?" plaagt ze hem.

Frans, die net terugkomt van visite rijden, vraagt, huiverend zijn handen wrijvend: „Wat staan jullie daar vreemd te doen? Laatste mop, of mag ik het niet weten?"

„Je vader heeft heimwee naar z'n oogappel," verklapt mevrouw Schaardenburg.

„O, ik dacht dat ik dat was. Nou enfin . . . jullie pakken de valiesjes maar, ik heb er al op gerekend."

„Heb je al een vervanger?" ontvalt zijn vader.

„Nou nog mooier! Je hebt zelf een stagiair aangevraagd. Toch zeker omdat je er met moeder tussenuit wilde trekken naar het milde zuiden?" vraagt Frans met overdreven klemtoon op „het milde zuiden".

„Nou, in de eerste plaats om iemand de gelegenheid te geven zijn studie af te ronden, zoals jij dat in Groningen hebt gedaan," zegt de dokter schijnheilig. Nu heeft hij er twee tegen zich.

Maar het eind van het liedje is natuurlijk, dat het doktersechtpaar, evenals voorgaande jaren, voor enkele weken naar Frankrijk vertrekt. Naar hun dochter, hun schoonzoon en de twee kleinkinderen.

Op een avond, halverwege de decembermaand, komt Frans langs het buurthuis, waar zoveel herinneringen liggen. Jarenlang is hij daar actief geweest in het clubwerk. Nu echter ontwikkelt zich één negatief haarscherp op zijn netvlies: de kerstherberg! De adventstijd zal daar niet vreemd aan zijn, vermoedt hij.

Hij kan de impuls niet weerstaan om zijn auto voor de stoeprand te parkeren en het pad op te lopen naar de hoofdingang.

Net als iedere avond is er wel het een en ander te doen in het wijkontmoetingscentrum, zoals het tegenwoordig wordt genoemd.

Frans duwt de deur open en kijkt de gang vóór zich af. Daar is niemand te zien. Vastbesloten gaat hij de rechter zijgang in. Achter de deur aan het eind is de grote ruimte, waarin in het begin, toen het gebouw nog niet méér was dan een verbouwde boerderij, noodkerkdiensten werden gehouden. Hier hebben ze een jaar of wat terug de eerste kerstherberg gehad. Het idee kwam van Hetty, hoewel ze er met een hele groep enthousiaste jongelui aan hebben gewerkt. In die tijd was hij met haar verloofd. Van Hetty zelf weet hij dat ze nog steeds actief meedoet aan diverse projecten. Misschien... is dít zijn drijfveer?

Maar als hij onwennig — hij is hier nooit meer geweest — de deur van de bewuste ruimte opent, ziet hij geen Hetty Prins. Wel zijn er mensen druk in de weer met hamer en spijkers. Frans ziet, hoe tegen de rechterwand een kleurig oosters kleed wordt opgehangen. Maar het is niet daarom, dat hij zich een moment inbeeldt naar een oosters sprookje te kijken. Een sprookje uit duizend-en-één-nacht. De ruimte is herschapen in een woestijn, compleet met geel zand op de stenen vloeren... slechts hier en daar prijkt een palmboom, die van een afstand bedrieglijk echt lijkt. Schuin links staat een grote berbertent, waar natuurlijk de inwendige mens versterkt kan worden...

Al met al is het zo'n andere aanblik dan die hem hierheen dreef, dat hij zich teleurgesteld wil omdraaien. Maar op hetzelfde ogenblik is hij ontdekt. Een man van ongeveer dezelfde lengte als hij komt met grote stappen naar de deur.

„Dokter Schaardenburg," zegt hij. Bruin-groene ogen lachen in een jongensachtig gezicht. „Ik heb u bij de familie Versloot ontmoet. Mijn naam is Ruud van Houtum."

„Aha!" zegt Frans verrast. „De journalist. Ik herinner me u weleens op een receptie te hebben gezien. En ja... ook wel in de flat van mevrouw Versloot." Een ogenblik zien ze elkaar peilend aan.

„Ik kwam hier langs," verklaart Frans zijn aanwezigheid. „Ik heb hier zelf ook nogal wat voetstappen staan. Jeugdwerk en zo, vóór mijn dokterstijd vanzelf. Nu heb ik jammer genoeg geen tijd meer voor iets dergelijks."

„Tja... dat kan ik me voorstellen." Ruud van Houtum harkt eens door zijn krullen. Deze ongezochte gelegenheid om een babbel met de huisarts van Lisa te maken, is té verleidelijk om ongebruikt te laten.

„Wij zijn hier druk met een uitheems evenement. De bedoeling is het over een week open te stellen. Speciaal voor buitenlandse minderheden die zich rond deze tijd dikwijls aan hun lot overgelaten voelen... maar natuurlijk hopen we ook veel eigen volk te zien. Zodat er meer contact komt en hopelijk meer begrip groeit voor elkaar..."

Frans knikt instemmend. „Prachtig. Het is gewoon een vervolg op onze kerstherberg van tóen. Ik denk dat dit een goede adventsgedachte is, om daadwerkelijk mee te werken aan een betere verstandhouding tussen de volkeren. Daarmee moeten we in het klein beginnen."

„Zo is het precies. Ik ben door mijn werk met zoveel andere rassen in aanraking gekomen... mij laat deze opdracht niet meer los. Het móet mogelijk zijn, het móet kunnen, dat mensen elkaar beter leren verstaan en verdragen..."

„Er is maar één bindmiddel, helaas...," verzucht Frans.

Het klinkt wat spijtig.

Zou de journalist dit ingrediënt ook kennen, of stoelt zijn betrokkenheid slechts op puur humane gronden? Ruud zegt echter, simpelweg: „Ik weet het: liefde. Als die er niet is, komt alles in dit wereldje op losse schroeven te staan. Liefhebben, speciaal die naaste die het totaal anders doet dan jij, en toch hem desalniettemin proberen te begrijpen, ja, dat is een schier onmogelijke opdracht. Dat lukt ook niet op eigen kracht. A propos, heeft u gelegenheid om even wat te drinken? De meisjes zijn net koffie halen voor ons, arme zwoegers."

Frans kijkt, uit gewoonte, op zijn horloge. Maar waarom zou hij hier niet even blijven plakken? Hij heeft zijn „pieper" bij zich en thuis wacht hem immers niemand? Zijn ouders komen eerst aan het eind van de week uit Frankrijk terug. De lege bungalow lokt hem totaal niet.

„Graag," zegt hij daarom. „Maar dan trek ik wel even mijn jas uit."

„Doe dat en zoek een zit."

Frans kijkt rond. Er staan omgekeerde kisten, aan het oog onttrokken door kleurige kleden en kussens. Op één ervan gaat hij zitten en dan voelt hij hoe die oosterse sfeer hem langzaam begint in te spinnen in een verwarrend web van herinneringen. Hetty, hier hebben we elkaar leren kennen. We hadden zoveel gemeenschappelijke interesses. Is hij dan toch nog niet los van haar? Hij schrikt, als Hetty ineens voor hem staat met een blad met dampende kommen koffie.

„Frans! Wat leuk, dat jij je hier weer eens laat zien. Hoe gaat het met jou? Ik heb je een tijd niet gesproken."

„Met mij prima," zegt hij, zich losscheurend van het verleden. De realiteit is zo totaal anders, dat hij verwilderd naar haar opziet.

Hetty weet niet hoe ze zijn verwarring uit moet leggen. Is Frans in de war, omdat hij mij hier ineens op ziet duiken? Heeft hij mij hier soms verwacht? Is hij daarom een kijkje komen nemen? Dat dwaze hart, dat het nooit opgeeft te geloven dat hij eens bij haar terug zal komen, omdat zíj hem nog altijd niet vergeten kan . . .

„Koffie, Frans," zegt ze hartelijk. „Daar zul je best trek in hebben. Me dunkt, je bent magerder geworden. Zorg je wel goed voor jezelf, nu je moeder dat niet kan doen?"

Mis, weet ze onmiddellijk. Frans' ogen worden donker. Net als toen ze hem indertijd naar zijn zin veel te veel betuttelde. O,

160

wat is het toch moeilijk niet in vroegere fouten terug te vallen.
„Sorry, Frans," stamelt ze. Het is zo ongewoon voor de zelfverzekerde Hetty, dat Frans zijn ontstemming snel kwijt is. „Dat kan ík beter zeggen, meisje. Ik ben geen haar beter dan jij. We hebben blijkbaar nog dezelfde streken als vroeger..." Plagend kijkt hij naar haar op, tot ze abrupt het blad van de kist neemt en ermee naar de anderen loopt. Frans hoort hoe ze met gejuich wordt begroet.

Ruud voegt zich weer bij hem. Hij opent op zijn eigen vlotte manier het gesprek. „Ik hoorde van Ilse en Hetty, dat hun vader weer thuis is. Hoe gaat het eigenlijk met hem?" Frans kijkt hem verrast aan. „Tja..." Peinzend drinkt Frans de laatste slokken van zijn koffie. Alle verdriet en narigheid van het gezin Prins, waarmee hij zich nog altijd zo nauw betrokken voelt, komt weer boven. „De eerste weken nadat hij terug was uit dat rusthuis ging het vrij goed, maar nu... ik ben bang dat het weer mis gaat."

„Ook een moeilijke opgave voor dat jonge ding, die Ilse, om dat steeds allemaal mee te maken. Maar waar ik héél benieuwd naar ben: hoe is het met die broer? Ik heb gehoord, dat hij bij familie van u in Frankrijk werkt."

Frans knikt. „Nadat hij deze zomer met stille trom vertrok, heeft hij ons een dag of wat flink in de penarie laten zitten. Toen kwam er een telefoontje van m'n zuster uit Frankrijk, dat hij daar veilig was aangekomen en dat hij meteen aan de slag was gegaan. Nou, en volgens de laatste berichten maakt hij het prima. Ze zijn vol lof over hem. Hij heeft daar een heel nieuwe start willen maken."

„En dat is gelukt?"

„Ho, ho... niet te hard van stapel lopen. Hij is daar nog niet lang genoeg om nu al de narigheid van jaren te kunnen vergeten. Ik weet bijvoorbeeld, dat hij er erg naar verlangt zijn ouders terug te zien. Maar dat is op dit tijdstip nog geen haalbare kaart."

„Door de bank genomen gaat het dus een stuk beter dan toen hij daar in dat krot woonde?"

Frans vraagt zich af, waarom de ander zo met een hem toch onbekende bezig is. Hij stelt die vraag ook.

Nu is het Ruuds beurt om met een rimpel tussen zijn ogen naar het oosterse decor te staren. Ineens ziet hij de jonge arts vol aan. „Ik voel me erg betrokken bij het gezin Versloot. Zodoende weet ik, dat Matteke's hartje nog steeds naar die

161

jongen trekt, al zegt ze dat niet met zoveel woorden."
„En de moeder? Hoe staat het met háár hart?" vraagt Frans langs zijn neus weg. Hij heeft de genoegdoening de journalist te zien kleuren als een betrapte schooljongen op zijn eerste scharrelpartijtje.

„Ik kom met haar geen steek verder," verzucht Ruud na een lange pauze, waarin hij bij zichzelf overlegt, in hoeverre hij Schaardenburg in vertrouwen zal nemen. Deze, als huisarts, beschikt hoogstwaarschijnlijk over veel meer achtergrondinformatie dan hijzelf.

„Mevrouw Versloot...," zegt Frans langzaam, „tja... dat zal je niet meevallen, man. Ten eerste: haar leeftijd... Ik schat dat ze ettelijke jaartjes langer op dit wereldje toeft dan jij." Ze zien elkaar aan als oude vrienden omdat er contact is over en weer. Het werkt de vertrouwelijkheid in de hand.

„Dat is bedrieglijke schijn. Maar ik geef toe: ik héb die tegen. In werkelijkheid gaat het maar om drie of vier luttele jaartjes. Nee, dat is het probleem niet. Ze is nog steeds niet los van haar man en heeft een muur om zich opgetrokken. Ik dop mijn eigen boontjes, is haar motto. Verder ziet ze mij als een snotneus, die van kinderen, om maar een voorbeeld te noemen, totaal geen kaas heeft gegeten. Ze vergeet," besluit hij wat wrang, „dat ze stuk voor stuk met hun narigheid naar mij toekomen. Zelfs de meest grillige van haar drietal."

„Evie," weet Frans meteen.

„Ja, die stelde zich aanvankelijk heel vijandig tegenover mij op. Maar ja, zo zijn meisjes op die leeftijd vaak, daar zie ik wel doorheen. En Tommy... dat lekkere jong... Ach, ik kan ze niet eens meer wegdenken uit mijn vrijgezellenleventje. Maar ja..." Hij heft zijn hand en laat die machteloos weer terugvallen op zijn knie. Het gebaar heeft iets berustends.

„Moed houden! Ze is het waard om voor te vechten. Een dappere vrouw! Maar iemand die het zichzelf en daardoor haar omgeving niet direct gemakkelijk maakt."

„Hoe was haar man?" vraagt Ruud plotseling nieuwsgierig. Zo weinig weet hij eigenlijk van de man die zo onverwacht uit zijn gezin is weggerukt. Deze jonge arts moet meer van hem weten, of anders diens vader.

Frans beaamt dat al. „Mijn vader zou je beter kunnen vertellen wie hij was. Ik ben pas sinds een dik jaar zijn assistent. Maar wat ik me van hem herinner..." Hij knijpt zijn ogen half dicht. „Een man met een smal, scherp gezicht. Donker, al wat kalend, meen ik. Tja... een ernstig type, dacht ik. Een harde werker, maar wel sympathiek en dol op zijn vrouw en kinderen..."

„Serieus," licht Ruud eruit. „Ja. Ik begrijp het. Mij ziet Lisa als een zieltje zonder zorg."

„Over mensenkennis gesproken!" Frans kijkt de ander hoofdschuddend aan. „Ze zou haar handjes mogen dichtknijpen met zo'n man als jij," zegt hij dan op kameraadschappelijke toon. „Troon haar maar eens mee hier naar toe. Of duw haar één van je reportages in de handen. Man, je meeleven en schreeuw om begrip voor de ander springt er gewoon uit!"

„Meen je dat?" vraagt Ruud verrast.

Frans knikt heftig. „O ja, daar kun je gewoon niet omheen."

„Dan is mijn boodschap toch duidelijk. Nou ja, ik mag vanzelfsprekend niet té subjectief te werk gaan. Dan word ik prompt op m'n vingers getikt. Maar je ontkomt er nooit helemaal aan. Alles wat je publiceert, kleur je met een eigen tintje."

„De kleur misstaat je niet. Ik zou willen, dat er veel meer in deze trant geschreven werd. Dan ben je opbouwend bezig en doe je niet mee aan die beroerde doemdenkerij. Zo... ik moet weer eens gaan. Bedankt voor je koffie en ik hoop bij de opening present te kunnen zijn."

Met een armzwaai naar Hetty-in-de-verte verdwijnt hij.

Ruud ziet hem met gemengde gevoelens na. Niet dat hij spijt heeft van zijn ontboezeming, hij voelt dat zijn geheim veilig is bij dokter Schaardenburg. Maar wat schiet hij er mee op? Lisa heeft het laatste woord. Zíj zal hem moeten accepteren.

De rimpel staat nog op Ruuds gezicht als hij teruggaat naar de anderen.

Hetty is de enige die het opmerkt. Heeft zwaar met Frans zitten bomen. Over Bert? Ze weet van Ilse, dat de journalist nogal veel bij Matteke thuis over de vloer komt.

Maar dan verheldert haar gezicht. Met Bert gaat het veel beter, sinds hij in dat bungalowpark werkt. Wat wás het een opluchting toen ze bericht kregen dat hij veilig was aangekomen bij Frans' familie in Frankrijk en meteen aan de slag had gekund. Stilletjes smeedt ze een plannetje hem daar in de vroege zomer samen met vader, moeder en Ilse te gaan opzoeken... misschien dat dan alles weer lichter wordt, óók voor vader. Hij moet nu langzamerhand proberen alles in de juiste proporties te zien en zijn schuldgevoelens ten opzichte van Bert niet te overdrijven!

Niet veel later gaat Hetty terug naar haar eigen etage. Ze heeft er niet toe kunnen komen die vaarwel te zeggen en weer bij haar ouders in te trekken. Al beseft ze heel goed, dat het wéér Ilse is, die de kastanjes uit het vuur moet halen. Zoals altijd.

De tweejarige opleiding die Ilse volgt, valt haar niet altijd mee. Wel weet ze, dat ze goed heeft gekozen. In de zomervakantie heeft ze een week of wat geassisteerd bij dokter Schaardenburg en dat is haar heel goed bevallen. Ze heeft geholpen in de spreekkamer en in de huisapotheek van de dokter. Ze heeft allerlei voorkomende werkjes spelenderwijs geleerd en die komen haar nu van pas. Bij de opleiding hoort ook een stagejaar en dat zou ze het liefst bij dokter Schaardenburg doormaken. Alleen... ze durft er niet goed mee voor de draad te komen. Er is iets dat haar dat belet. Ze kan uit zichzelf niet goed wijs worden. Waarom vraagt ze het niet gewoon? Ze is zo goed met hen bevriend geraakt... Het is gewoon absurd, om zo lang te wachten. Straks is een ander haar vóór. Zij weet immers, dat ze lang niet de enige is, die dat praktijkjaar ergens vol moet maken? Maar, mokt een stemmetje in haar, dokter Schaardenburg weet zelf ook van die stage en anders Frans wel. Ze hebben er met geen woord op gezinspeeld en daarom wil ik niet uit mezelf erover beginnen.

Misschien zijn ze wel niet tevreden over haar, nu ze haar een tijdje hebben meegemaakt of... en vooral deze gedachte keert Ilse om en om... misschien willen ze het niet om Hetty. Die reageerde zo vreemd, toen ze hoorde dat haar zusje in de vakantie in het doktershuis ging werken... Daarom volgt Ilse, net als vroeger, die twee, als ze toevallig tegelijk haar ouders opzoeken. Ieder woord, iedere blik over en weer registreert ze zo ongemerkt mogelijk. Tot nu toe kan ze niet anders ontdekken dan wat ze allang wist: dat Frans en Hetty elkaar goed verstaan en over veel onderwerpen samen van gedachten kunnen wisselen.

De dag nadat Hetty in het buurthuis Frans ontmoette, begeeft Ilse zich tegelijk met haar zuster op weg naar het ouderlijk huis. Hetty loopt een eindje voor haar uit in de Irisstraat.

Ilse doet er een stapje bovenop, om tegelijk met Hetty thuis te kunnen zijn.

„Hé, wacht eens even," hijgt ze, als de afstand niet al te snel slinkt. Hetty neemt ook altijd van die kolossale stappen. Hetty kijkt om. Als ze haar zusje ziet, houdt ze haar pas in. „Zo, wat ben jij laat. Waar kom je vandaan?" vraagt ze oudergewoonte.

Ilse proest het uit. „Wat valt er nu te giechelen?" vraagt Hetty geïrriteerd. Zoals ze dat overdag nogal eens aan de meisjes op de typekamer vragen moet.

„O meid, hou op. Je bent nog geen spat veranderd, al heb ik dat tegen Frans beweerd. Ik ben in jouw ogen nog steeds het kleine zusje, aan wie je zoiets hoort te vragen als oudere wijzere zuster . . ."

„Nou ja," zwakt Hetty af. „Zo was het niet bedoeld, Ilse. Maar al ben je dan niet meer 'het kleine zusje', ik maak me wel degelijk zorgen over je. Denk je dat ik niet weet, dat het voor jou om de drommel niet meevalt, thuis? Vader die nog altijd niet beter is en moeder die tobberig blijft. Je hebt tenslotte je cursus waarmee je ook 's avonds druk bent. Gaat dat nu allemaal wel?"

De tranen springen Ilse in de ogen bij Hetty's hartelijke woorden. „Soms niet," bekent ze eerlijk en dan, gejaagd, omdat ze al bijna voor hun huis staan: „Moeder is zó met vader bezig. . . ik kán er soms maar niet doorheen prikken. Als ik thuiskom, vertel ik maar wat ik die dag heb beleefd. Uit zichzelf vraagt ze er niet naar. Bij haar cirkelt alles om dat ene: vader. Ze komt gewoon niet verder. Ze ziet vader weer door een roze bril. . . ik word er soms naar van. Of er geen lievere, betere man bestaat. . . Ik had gehoopt, dat ze nu meer belangstelling voor Bert zou krijgen. Niemand die haar nú nog belet contact met hem te hebben. Maar nee. . . ik lees altijd zijn brieven voor, al zijn belevenissen in Frankrijk. . . maar commentaar geven ze er niet op." Wild boent Ilse over haar ogen.

„Ik begrijp het," zegt Hetty en even legt ze een arm om het tengere zusje heen. „Vader en moeder hebben veel meer tijd nodig dan wij beseffen. Het is een proces van jaren. Dat veeg je niet in luttele maanden uit. Maar ik heb hoop. . . Ilse, tegen de zomer, als jij ook vakantie hebt, dan moeten we proberen hen mee te krijgen naar Frankrijk. Ik zal bij Frans eens informeren naar een bungalow op dat park waar zijn zuster en zwager de scepter zwaaien. . ."

Ilse lacht door haar tranen heen. „O Hetty, wat een prachtidee! Het is daar fantastisch en die bungalows zijn schitterend... een zwembad, en altijd zon...:"

Hetty ziet tot haar tevredenheid hoe haar zusje is opgeveerd uit haar neerslachtigheid. Waarom moeten kinderen altijd de tol betalen voor wat ouderen verprutsen? vraagt ze zich voor de zoveelste keer af, terwijl ze achter Ilse het pad naar het ouderlijk huis afloopt.

Binnen vinden ze hun moeder in de gemakkelijke stoel van vader, terwijl ze doelloos voor zich uit tuurt. Naar de tuin, waarvoor vader indertijd kosten noch moeite heeft gespaard om er een lusthof van te maken. Nu is het er doods en kaal. Ilse heeft in het najaar tientallen bollen gezet en in het voorjaar zal alles weer uitlopen en bloeien en groeien... nu is het echter een troosteloos gezicht, die wintertuin. Even triest als het gezicht van Josefien Prins.

Het verandert niet, als ze haar beide dochters ziet binnenkomen.

„Koud," zegt Ilse, even haar hand op moeders wang leggend. „Hè, ik smacht naar een kop warme thee."

„Of koffie," vult Hetty aan. „Dag moeder, hoe is het met vader gegaan vandaag?"

„Ja, hoe zou het zijn? Hij komt niet verder dan zijn spijt en berouw. En als je daar dan de hele dag alleen mee rondtobt... Niemand die eraan denkt je eens op te zoeken. Van de kerk zie je ook geen mens. Om van de dominee maar helemaal niet te spreken. Ach, het nieuwtje is er natuurlijk allang af... Het is vandaag precies een half jaar geleden, dat vader instortte."

„Moeder, daar denken we allemaal met elkaar heus wel aan. Denkt u dat Bert het er ginds ook niet heel moeilijk mee heeft? U moet er weer eens uit. Eens een tegenbezoek brengen aan de mensen die u zo trouw hebben opgezocht, toen vader die maanden in dat rusthuis was en ook toen hij weer thuiskwam."

„Nu zien we praktisch niemand meer," houdt Josefien vol. „Ja, alleen Tina Derksen, die kletskous. Die komt alleen met de laatste roddeltjes naar me toe."

Ilse proest zenuwachtig. „Dat leidt meteen wat af. Hè, moeder, als u zo klaagt en alleen maar over vaders depressies kunt praten, dan blijven de mensen op een gegeven ogenblik ook weg."

„Alleen maar over vader," bauwt Josefien na. „Jullie doen er maar zo gemakkelijk over. Alsof het jullie niets doet, dat hij er zo aan toe is." Intriest begint ze te huilen.

Ilse zakt naast de leunstoel neer. „Zo bedoel ik het immers niet, moeder . . ." Wat onwennig strijkt ze over moeders haar, dat schreeuwt om een permanent.

Hetty tript geërgerd naar de keuken, waar ze het koffieapparaat inschakelt. Denkt moeder er nu nooit eens aan, dat Ilse ook moe en koud terugkomt uit de naburige stad, waar ze een hele dag lessen heeft gevolgd? Kan moeder nu nooit haar eigen zorgen even aan de kant zetten? Het heeft veel tijd nodig . . . Ach, ze weet het immers maar al te goed? Ze heeft dat zoëven nog tegen Ilse gezegd. Maar ja, zij heeft nu eenmaal geen karakter om bij de pakken neer te zitten. Ze is minder teergevoelig dan moeder en Ilse. Ja, kan zíj het helpen? Zij heeft zichzelf ook niet gemaakt.

Terug in de kamer, ziet ze Ilse nog steeds naast haar moeder, terwijl het arme kind pogingen doet moeder te troosten. Zo gaat dat iedere avond, flitst het door Hetty heen. Dat is voor Ilse niet vol te houden. Toch eens met Frans over praten . . .

Al meteen de volgende dag brengt ze dit voornemen ten uitvoer.

Frans toont zich oprecht verrast, als hij Hetty ziet staan. Een spoedgeval, heeft hij gedacht, toen om half tien de deurbel iemand aankondigde. Natuurlijk gebeurt dit wel vaker in een huisartsenpraktijk, maar nu hij er alleen voor staat . . . Hij zal blij zijn als zijn vader maandag weer meedraait. Al heeft hij best veel steun aan de stagiaire, die hem overdag veel uit handen neemt.

Trea Torenvliet, een jonge, aanstaande arts, is op zijn uitnodiging een stukje mee blijven eten. De huishoudelijke hulp van moeder heeft zich bereid verklaard deze weken voor hem te koken en vandaag heeft zij voor een extra portie gezorgd. Daarna hebben ze zich in diverse medische „gevallen" verdiept, en zo komt het dat Hetty tot haar verrassing een heel aantrekkelijke vrouw naast de haard ziet oprijzen. „Hetty Prins," stelt ze zich vlot voor.

„Trea Torenvliet. Ik doe hier mijn praktijkjaar bij de Schaardenburgs," vertelt de jonge vrouw eigener beweging.

Hetty ziet in een flits het fijne, donkere gezichtje met de helm van zwart glanzend haar. Iets in dit gezicht — de donkere ogen? — herinnert aan Gulay. Het verwart en doet pijn . . . opnieuw hevige pijn, waarover ze zich in stilte verwondert. Het ligt allemaal alweer zo ver achter haar. En wie zegt, dat er iets is tussen die twee? Een dokter heeft nu eenmaal assistenten. Ook vrouwelijke, ook charmante... Maar zelf voelt ze zich weer de trut, de ouwe vrijster waarvoor Ilse haar meer dan eens onbarmhartig heeft uitgemaakt.

„Sorry, ik wist niet dat je bezoek had, Frans. Ik wilde met je over thuis praten, maar dat kan ook een andere keer."

„Welnee," lacht Trea Torenvliet, „ik moet nodig weer eens opstappen. Ik ben al veel langer blijven plakken dan mijn bedoeling was. Frans, tot morgen en bedankt voor de heerlijke hap. Je komt die bij mij maar weer eens ophalen. Tenslotte zit ik in hetzelfde schuitje als jij: in m'n zielige uppie op een huurkamertje..."

Over Hetty's gezicht glijdt een spottend lachje. „Dit hier," zegt ze wat scherp, „kan ik niet direct een huurkamertje noemen. En bén je direct zielig als je toevallig in je eentje bent? Ik woon zelf al jaren alleen op een etage en het bevalt me prima. Ik voel me niet eenzaam en ook niet ongelukkig."

Ze kán niet uitstaan, dat deze dokter in spé zielig gaat doen en zodoende op Frans' gevoel probeert te werken. Zij als geen ander weet immers de zwakke plekken van dokter Frans? Het zijn exact háár manco's, háár onmacht om spontaan te zijn en aanhalig, die Frans in de armen van het warmbloedige meisje Gulay dreven. Moet ze dat nu opnieuw zien gebeuren met deze zwarte spinnende poes?

Frans redt de situatie vóór die echt pijnlijk kan worden. „Ik zal je er uit gooien. Dan kunnen Hetty en ik de problemen van haar thuis onder de loep nemen."

Aanvankelijk heeft Hetty nog moeite de gedachte aan Frans' knappe assistente weg te duwen, maar allengs wijkt dit onprettige intermezzo voor de vertrouwelijke boom die ze samen opzetten over haar ouders en over het zusje.

„Ik maak me zorgen over Ilse," zegt Hetty. „Je moet niet vergeten, dat ze al vanaf de tijd dat Bert uit huis is, alles alleen heeft moeten opvangen. Ze heeft Bert, tegen de wil van mijn vader, altijd opgezocht en hem geholpen zoveel ze kon. Vaak met moeders stilzwijgende medeweten. Dán plunderde ze de koelkast weer, dán nam ze weer een zak was- of verstelgoed van Bert mee naar huis... Als vader daar achter kwam, was hij altijd des duivels. Dan kreeg Ilse de volle laag, die eigenlijk voor Bert bestemd was..."

Frans kijkt haar warm aan. „Ik weet ongeveer, wat dat kleine ding heeft meegemaakt, Hetty. Ik vind het fijn te horen, dat jij je ook zorgen om haar maakt. Maar daarmee zijn we er natuurlijk niet. Vader en ik hadden gehoopt, dat het beter zou gaan met jullie vader. Natuurlijk mag en kun je niet verwachten, dat hij nu al die zware overspanning te boven is . . . daar zijn misschien wel jaren mee gemoeid, maar intussen kunnen we je zus niet voor alles op laten draaien. Ik ben vaak bang geweest, dat het Ilse op zou breken. Tot nu toe is dat niet gebeurd."

„Nee, daar verbaas ik mij ook over. Ze beschikt waarschijnlijk over veel veerkracht . . . gisteren bijvoorbeeld kwam ze nogal moedeloos naar huis, maar toen ik haar vertelde van mijn plannetje voor de zomervakantie, was ze in alle staten . . . Dat is echt Ilse. Zó heet, zó koud . . ."

Frans lacht. „Ja, zo is ze. Mag ik ook weten wat dat plan van jou behelst, Hetty? Ik moet je namelijk bekennen, dat ik ook een plan heb . . . hoewel ik strikt beschouwd natuurlijk geen recht heb plannen voor jullie te maken."

„Doe niet zo flauw, Frans. Jij hebt altijd zo meegeleefd met ons, ook nadat het tussen ons spaak is gelopen . . . ik mag je daar wel eens voor bedanken . . . want dat zal best moeilijk voor je zijn geweest . . ."

„Welnee," zegt Frans, „we zijn toch als vrienden uit elkaar gegaan? Dat zijn we immers nóg, Hetty?"

Ze knikt, verward. Ze ziet zijn ogen warm op zich gericht, zijn lieve, vertrouwde gezicht . . . Vrienden, ach ja . . . kruimeltjes zijn immers ook brood?

„Natuurlijk," antwoordt ze haperend. „Vertel jij eerst maar."

„Ik speelde met de gedachte je ouders naar Frankrijk te sturen voor een week of wat. Zodra het daarginds echt aangenaam is vanzelfsprekend. Ze zijn dan eens in een totaal andere omgeving. Er zijn altijd Nederlanders, die daar zo ongeveer permanent wonen. En mijn eigen zus is daar immers ook? Die zou ik kunnen vragen op je vader te letten. Ze zouden dan ongedwongen weer met Bert in contact kunnen komen. Ik denk dat, als die band weer hersteld zou zijn, het met je vaders gezondheid een stuk beter zou gaan. Want geloof me, Hetty, al zullen ze dat nooit tegen jullie zeggen: ze tobben over hem. Dat hebben ze al gedaan vanaf de eerste dag dat hij uit huis wegging."

„En toch nooit de spirit om naar hem toe te gaan. Om het weer in orde te maken. Wat een despoot is die vader van mij toch altijd geweest," roept Hetty vertwijfeld uit. Dan, wat kalmer: „Maar jij bent wel ongeveer op dezelfde gedachte gekomen als ik. Ik wilde hier juist mijn licht eens opsteken over een bungalow in dat beroemde park in Zuid-Frankrijk. Waar Ilse ook helemaal weg van is. Ik zou daar graag wat huren, in juni bijvoorbeeld."

„Nou, dat zal vast wel gaan. Het is nog vroeg. Maar denk ook eens aan wat ik zei over je ouders. Het zou heel goed voor hen zijn, daar al wat eerder naar toe te trekken. Als ze bijvoorbeeld al in mei zouden gaan, dan zouden ze met mijn ouders mee kunnen reizen. Die gaan dan ook weer voor een paar weken. Ze zouden dan hun eigen huisarts bij zich hebben die eerste weken. Als jullie hen dan weer mee terugnamen als jullie daar in juni zelf vakantie hebben gehouden . . . dat zou prachtig zijn . . ."

Hetty's gezicht staat nu minstens zo opgetogen als dat van Ilse, toen die over het plannetje hoorde . . .

„Als het zo allemaal eens zou kunnen . . . en als het met vader dan ook eens wat beter zou gaan . . ."

Niet veel later nemen ze afscheid, als twee goede vrienden. Of . . . is het meer?

Als hij Hetty's hand in zijn warme greep gevangen houdt, komt ineens een idee bij hem op. „Ik kon gelijk met jullie wel eens mijn vakantie opnemen . . . wat vader betreft is dat geen probleem, die is dan al weer terug. Als jullie daar tenminste niets op tegen hebben."

En weer zegt Hetty: „Doe niet zo flauw. Ilse zal ook in de wolken zijn. Ik ga het haar morgen meteen vertellen."

„Wacht liever tot ik een telefoontje met mijn zwager heb gepleegd," tempert Frans. „Je hoort zo gauw mogelijk van me."

HOOFDSTUK 15

Ruud van Houtum werpt zich met het hem eigen élan op de culturele kerst-inn. Intussen kunnen ze nog best wat extra handen gebruiken. Met dat doel gaat hij op een avond naar de flat van de familie Versloot, waar een nerveuze Lisa hem opendoet. Aan haar opgezette ogen ziet hij dat ze gehuild heeft, hoewel ze dit naarstig voor hem tracht te verbergen, door haar ogen hardnekkig neergeslagen te houden. Hoewel de aanblik van haar trieste gezicht hem wel degelijk iets doet, kan hij slechts met moeite een lach onderdrukken. Lisa, dom vrouwtje, móet je dan alles alleen blijven opknappen? Mag ik je daar nog altijd niet mee helpen?

„Hallo," zegt hij monter. „Ik kom eens kijken, of hier nog een paar handen en wat tijd beschikbaar zijn. Niet voor mij hoor," voegt hij er trouwhartig aan toe, „maar voor dat culturele evenement in het buurthuis. Dus puur een menslievende aangelegenheid."

„Ik heb mijn handen vol aan mijn eigen vrachtje." Het klinkt stroef.

„O, dat geef ik je grif toe. Maar het zou kunnen zijn, dat je daarnaast ook nog belangstelde in andere mensen om je heen. Bootvluchtelingen bijvoorbeeld of andere minderheden die het dikwijls moeilijk hebben in een vreemd land, tussen mensen die zo totaal anders denken en doen dan zij."

Lisa vergeet haar behuilde ogen. „Je begrijpt er werkelijk niets van. Ik moet voor drie kinderen zorgen! Ik heb een baan die mijn energie grotendeels opslokt en zodra ik thuiskom kan ik nóg eens beginnen, als een andere huisvrouw allang klaar is en op theevisite kan gaan."

„Arm, onbegrepen moedertje," plaagt Ruud, omdat hij niet met haar mee wil klagen. Hij schrikt als Lisa ineens begint te huilen. „Nou, nou," sust hij, omdat hij hier geen raad mee weet. „Zo erg bedoelde ik het niet. Moet je hier nu zo om huilen? Je kent me toch langer dan vandaag?"

„Het... is... niet... om jou," hakkelt Lisa. „Het is om Evie..."

„Wat is er met haar? Zeg, zou je me niet eens behoorlijk in de kamer laten?"

„Daar zitten Matteke en Tommy. Die huilt ook al. Dat joch hoort veel te veel voor zo'n jong kind."

„Laat hem er dan buiten."

Fel kijkt ze hem aan. „Weer zo'n gemakkelijke oplossing. Echt van iemand die geen kinderen gewend is."

Ruud voelt zich driftig worden. Hij kan veel van haar hebben, hij heeft al heel wat van haar geslikt... Hij heeft het verdragen omdat hij van haar houdt... Maar alles heeft z'n grenzen. Ook zijn loyaliteit. Misschien had hij al veel eerder tegengas moeten geven.

„Met deze woorden doe je me ontzettend veel pijn, Lisa."
Ze lijkt op slag te kalmeren. Nooit eerder heeft hij op zo'n
toon tegen haar gesproken.
„Ja, kijk me maar niet zo aan. Besef je eigenlijk wel, dat je
met dergelijke woorden mensen hevig kunt bezeren? Goed, ik
heb zelf geen kinderen. Maar impliceert dat, dat ik ze ook niet
wéns? Dat ik niet zielsgraag een paar kinderen zou wíllen
hebben?"
„Ik... misschien wel... daar heb ik nooit zo over nage-
dacht."
„Nee, jij denkt alleen aan Lisa Versloot, die het 't allerbe-
roerdste heeft op dit wereldje. Niemand, die méér zorg en
verdriet kent dan zij."
„Ruud!" Het is niet minder dan een noodkreet. Hij hoort
het, maar hij verandert niet van tactiek. Het mes moet er nu
maar eens in. Lang genoeg heeft hij naar haar pijpen gedanst.
Overigens geheel tegen zijn aard in... maar ja, voor Lisa is hij
nu eenmaal zwak. Tot vanavond...
„Niks Ruud! Het moet maar eens gezegd. Jij koestert je
verdriet. Ik ben de laatste om te ontkennen dat je het moeilijk
hebt. Maar deze jongen, die jij oppervlakkigheid verwijt en
zorgeloosheid en Joost weet wat nog meer, deze jongen heeft
heel wat meer ellende gezien dan jij. Als je ooit de moeite
genomen had daar eens naar te informeren, je eens in mijn
buitenlandse reizen te verdiepen — die tussen haakjes verre
van plezierreisjes zijn — dan wist je wel beter... Sorry, dat ik
hier naar toe gekomen ben met mijn vraag om hulp. Ik had
kunnen weten, dat ik hier nul op het rekest zou krijgen.
Gegroet, ik ga wel een deurtje verder. Ik weet zeker, dat er in
ons egocentrische wereldje toch nog wel een paar idioten meer
rondlopen zoals ik. Of moet ik zeggen: dwazen, die nog altijd
hopen op een andere wereld, hier en nu... waar mensen in
begrip en vrede met elkaar leven..."
Vóór Lisa het hem kan beletten is hij verdwenen. Bewegingloos leunt ze met haar rug tegen de koude gangmuur. Tot
ze de oplettende ogen van haar jongste dochter door de deur
van de meisjeskamer ziet gluren.
Rtss! Evie schiet onverhoeds langs haar moeder heen, grist
haar jack van de kapstok en roept, vóór ze de voordeur achter
zich in het slot trekt: „Ik heb alles gehoord. Wat Ruud zei. Hij
heeft groot gelijk."
„Evie, kom terug," roept Lisa gebiedend. En zich ten volle

weer de omvang van de scène die ze net achter de rug heeft te binnen roepend, schiet haar stem nog feller uit: „Evie, je zúlt luisteren."

Er komt geen antwoord meer. Ze hoort de vlugge voetstappen van Evie wegsterven. „O, die meid. Die meid..."

„Kom nu maar," hoort ze ineens Matteke's stem, als tegen een kind. „Maak je nu niet zo overstuur, moeder. Laat Evie nu eerst maar rustig betijen. U merkte toch wel: het zit haar lang niet lekker... misschien is dit wel de waarschuwing, die ze nodig had om zoiets nooit weer te doen..."

„Een winkeldievegge, mijn kind," jammert Lisa weer.

„Dat is een groot woord, moeder. U snapt toch wel, hoe Evie tot zoiets is gekomen?"

„Nee," zegt Lisa zuchtend.

„Evie is een type dat heel gevoelig is voor wat anderen zeggen. Ze wil erbij horen, bij de club. En dat betekent, dat je over behoorlijk zakgeld moet beschikken en dat je hippe dingen draagt."

„Hebben jullie dan te klagen? Zit ik niet avond aan avond voor jullie achter de naaimachine te heksen om wat nieuws in elkaar te flansen?"

„Natuurlijk," sust Matteke weer. „U doet genoeg uw best. Ik snap ook best, dat het nu een stuk minder moet, dan toen pappa leefde..."

„Waarom jij dan wel, en je zusje niet?"

„Evie is anders. Mij kan het geen biet schelen wat de anderen zeggen. Trouwens, wij hadden toevallig een fijne klas. Die geen voorwaarden stelde om vriendschap te sluiten..."

„Waar zou ze nu naar toe zijn gegaan? O, als ze maar geen gekke dingen doet. Het is allang donker en zo koud..."

„Laten we nu maar gauw naar Tommy gaan. We hadden hem beloofd nog een spelletje te doen."

Gelukkig, dat helpt. De gedachte aan de kleine Tom geeft Lisa moed om terug te gaan naar de kamer en hoewel ze in gedachten onophoudelijk met Evie bezig is, lukt het haar toch enig enthousiasme voor te wenden voor het aloude „mens-erger-je-niet"spel.

Matteke denkt ondertussen aan Ilse, die feitelijk in hetzelfde schuitje zit als zij. Ook Ilse moet thuis dikwijls de sterkere zijn. Deze dingen hebben onze vriendschap nóg hechter gemaakt, weet Matteke. Eén ding is er echter, dat ze Ilse nooit heeft durven bekennen: dat ze nog steeds met heel haar hart van haar broer houdt. Of Ilse er een vermoeden van heeft? Ze brengt haar trouw de groeten van Bert over, als hij daar in zijn brief om heeft gevraagd. Ze vertelt ook wat hij schrijft en hoe het hem ginds gaat. Soms ook laat ze haar lezen wat hij schrijft. Hierdoor is ze vrij goed op de hoogte van Berts wel en wee. Natuurlijk stemt het haar evenals Ilse dankbaar dat het zoveel beter gaat dan de laatste jaren in Nederland...

Maar daarnaast doet het pijn te merken, dat hij het voldoende acht haar vluchtig de groeten te zenden via derden. Nooit rechtstreeks... Nee, ze doet er het beste aan Bert Prins uit haar hoofd te bannen.

„Er af," gilt Tommy dwars door haar gepieker over Bert heen... „Jij hebt ze alle vier weer op stal staan, Matty."

„Akelig ventje. Wacht maar, als ik weer zes heb gegooid. Dan ren ik achter jou aan..."

„Het wordt veel te laat voor je, Tommy," zegt Lisa met een blik op de klok.

„Nog even het spelletje uit," soebat hij. „Ik heb er al bijna drie in."

„Min één. Hup, daar ga je," zegt zijn moeder. „Nee, nu wordt het echt te laat."

„Tommy kan het niet helpen, dat we zo laat begonnen. Toe moeder, laten we het spel uitmaken. Daarna gooi ik hem er subiet in," helpt Matteke haar kleine broertje, omdat hij zo beteuterd kijkt. Zo leuk was het nu ook weer niet voor Tommy, dat gezanik met Evie. En zo is er zo vaak wat tegenwoordig.

Jammer toch, dat moeder geen enkele toenadering van Ruud van Houtum wenst. Zíj is hem dit laatste jaar als een oudere vriend gaan beschouwen. Hij weet van zoveel dingen af en komt al met een oplossing aandragen, als je nog niet eens verteld hebt waar de schoen wringt. Meer dan eens heeft ze haar eerste bezoek aan hem herhaald. Ook voor Tommy is hij enig. Zelfs Evie heeft haar aanvankelijke aversie tegen hem vergeten... alleen moeder volhardt in haar afwerende houding. Om hen is het dus kennelijk niet. Ze moet wel merken, dat ze allemaal met Ruud zijn ingenomen... Dus is het nog altijd om vader. Natuurlijk... ze zullen hem nooit kunnen vergeten en dat hóeft toch ook niet? Ruud van Houtum is een reële vent. Die zal zoiets nooit verlangen...

Zodra ze haar broertje naar bed heeft geholpen, gaat ze weer bij haar moeder zitten. Het liefst was ze nog even bij Ilse aangewipt. Ze snakt ernaar het zorgelijke gezicht van moeder te ontvluchten. Maar Evie is er ook niet en ze wil moeder niet alleen met haar gepieker achterlaten. „Zal ik de patroondelen voor die bloes doorslaan? Die wordt vast heel leuk. U zult eens zien, hoe Evie daarvan zal opkijken."

„Nou, als je dat doen wilt?" gaat Lisa dadelijk op het voorstel van Matteke in. „Daar help je me fijn mee. Dan kan ik alles in elkaar rijgen en als Evie thuiskomt, kan ze hem zo aanpassen."

Evie heeft beneden uit de berging, waar het in de smalle gangetjes altijd stinkt naar benzine en uitlaatgassen, haar fiets gehaald.

Het afgeluisterde gesprek van haar moeder met de journalist heeft haar op een gedachte gebracht: Ruud van Houtum moet haar uit de penarie helpen.

Vrouwtje-in-de-dop heeft ze met listige intuïtie aangevoeld, dat hij dat ook zal doen, al heeft ze hem nooit zo aardig behandeld. Hij zal het doen omdat hij gek is op haar moeder. Ondanks de harde waarheden die zij hem tegen moeder heeft horen zeggen. Ondanks het feit, dat zij nooit begrijpen zal wat een vlotte, knappe vent als Ruud ziet in háár moeder. Ze is echt een sloofje geworden sinds vader . . . Evie bijt op haar lip en trapt nóg sneller de trappers rond. Ze weet precies waar Ruud woont. Ze is daar al eens met Ellen langs gefietst. Ellen weet, dat de bekende journalist erop hoopt Evie's stiefvader te worden. Het heeft Evie voldoening gegeven, dat dit grote indruk op haar vriendinnetje scheen te maken. Maar écht schik begon ze pas te krijgen, toen ze merkte, dat Ellen het had rondgebazuind. Het is of ze sindsdien pas écht is geaccepteerd, ondanks het feit, dat ze er nooit zo hip uitziet als de andere meisjes in de klas . . . maar dat komt wel, dat zal gauw genoeg veranderen als Ruud van Houtum eenmaal bij hen woont. Die man verdient natuurlijk een schep geld . . . Bovendien is hij nogal eens weg, dus veel last zullen ze niet van hem hebben. En hij neemt vast de leukste dingen voor ze mee. Dat heeft hij immers al een paar keer gedaan?

Zo stilletjes haar zelfzuchtige plannetjes smedend, belandt Evie bij de bewuste flat waar Ruud woont. Ze is er hevig in geïnteresseerd hoe het er van binnen bij hem uit zal zien. Ze weet, dat Matteke hem al vaker heeft opgezocht, maar die

175

vertelt nooit meer dan ze kwijt wil. „Ga zelf maar kijken," heeft ze haar zusje geadviseerd, als zij er Matteke naar vroeg. Dat doet ze nu dus. Als hij nu maar rechtstreeks van hen naar zijn huis is gegaan! Het wordt al met al maar een bibberbelletje, en ook de bezoekster zélf is lang niet zo zelfverzekerd als anders. Ruud ziet het bij de eerste oogopslag, als hij de deur voor haar opent. Hij doet echter of hij het niet merkt. „Nee maar, Evie, dat is een verrassing! Wat brengt jou in het hol van de leeuw?"

„O... eh... zo maar... ik dacht, laat ik ook eens kijken hoe u hier woont," hakkelt het meisje. Ze ontmoet Ruuds lachende ogen. Ziet het spottrekje op zijn knappe gezicht. En ze zou impulsief rechtsomkeert hebben gemaakt, als er niet die benauwenis was... ze heeft immers geen keus? Wie anders zou ze kunnen en durven vragen haar uit de narigheid te helpen? Oma... ja, die zou dat wel kunnen — ze heeft geld genoeg — maar oma mag het nooit weten. Die heeft Matteke toch al veel hoger dan haar, Evie.

„Kom er eerst maar eens in," noodt Ruud, die toch een beetje medelijden krijgt met Lisa's zorgenkind. Zie me dat angstige smoeltje nu toch eens. Die heeft wat op haar kerfstok. Iets minder leuks, want Lisa wilde het niet vertellen. Enfin, het kind komt eigener beweging naar hem toe, dus kan hij er niet meer buiten blijven.

„Zo, jasje uit. Ook nog haartjes kammen?"

„Ik ben geen baby," zegt Evie boos. Het liefst zou ze hebben gestampvoet, maar dat durft ze niet goed.

„Zo ken ik je weer, lieve kind," knikt Ruud tevreden. „Je keek alsof je je laatste oortje versnoept had..."

„Heb ik ook," gooit Evie er met de moed der wanhoop uit, Ruuds gezegde als een handvat grijpend. „Het is allemaal begonnen met die bloes, die rótbloes." Snikkend volgt ze Ruud naar diens grote zitkamer. Ze heeft totaal geen oog voor de smaakvol gemeubileerde kamer, die niets kouds of ongezelligs heeft, zoals de buitenwacht dat vaak klakkeloos aanneemt van vrijgezellenkamers. Ruud houdt van sfeer en is dol op bloemen en planten. Die zijn dan ook royaal vertegenwoordigd. De roomkleurige leren bank, de grijze dikke vloerbedekking, de crème en grijze kussens die er in overvloed zijn, messing wand- en staande schemerlampen... Nee, het lijkt in de verste verte niet op een mannenkamer.

„Zitten," gebiedt Ruud. „Ja, hier maar op de bank en vertellen wat er is. Begin maar met die rotbloes."

En dan vertelt Evie, te beginnen met die middag dat ze met oma naar de stad ging en voor de verleiding van een bloes bezweek. „Ik wilde niet oneerlijk zijn, echt niet, Ruud," zegt ze met een ruk naar hem opziend. Ze merkt niet eens dat ze hem bij zijn naam noemt. Maar wat zou dat ook? „Het was om Jan-Willem," legt Evie uit. Ruud ziet haar lip kinderlijk trillen. „Jan-Willem?" vraagt hij met een lange uithaal.

Evie schudt ontmoedigd haar hoofd. „Ik was zo dol op hem! Maar het is niets geworden... al had ik dan die mooie bloes aan, toen met die fuif. Hij zág mij niet. En nu zou ik hem niet eens meer willen. Die patser... verwaande kwast. Dat wordt nog eens een yuppie..."

Ruud heeft moeite om serieus te blijven. Hij beseft echter, dat het wel degelijk om een serieuze zaak gaat. Lisa was niet voor niets zo van streek. „Vertel verder," zegt hij kort.

Evie moet zich een moment bezinnen. Jan-Willem, o, nu komt die vernederende avond haar weer zo helder voor ogen... Hoe Jan-Willem ten aanhoren van iedereen vertelde dat Evie Versloot een centje bijverdiende door ouwe mensen in invalidewagentjes door de stad te rijden... Wat had ze zich geschaamd, toen. Ze had niet eens durven vertellen, dat het haar oma was, met wie hij haar gezien had... en nu gelooft natuurlijk iedereen, behalve Ellen, dat het zo is. Steeds als ze met iets nieuws op school komt. Of het nu om kleren of make-up gaat... heb je weer met een karretje gereden?... Ze vertelt het Ruud, allemaal. Ook hoe graag ze er desondanks bij wil horen. „Ik krijg maar zo weinig zakgeld. En we trakteren elkaar om de beurt... en daarom... het was niet eens moeilijk... maar nu gisteren... ze hebben me gesnapt. Die mevrouw in die dure parfumeriezaak... ik moest een cadeautje voor Dorien kopen en ik had geen sou meer en Dorien houdt nogal van duur en chic. Ze vroegen mijn naam en toen hebben ze moeder opgebeld... nou ja... en ik moet zelf vóór zaterdag het bedrag aanzuiveren. Moeder wil het mij niet voorschieten. En als ik niet betaal... dan maken ze er politiewerk van. O, Ruud, je moet me helpen!"

„Zo? Móet ik dat? Zo héél lief ben je nooit tegen mij geweest, als ik mij wel herinner..."

„Nee, nee, dat weet ik," jammert Evie. „Maar dat was om vader... ik kan niet hebben dat jij deed alsof je zijn plaats wilde innemen..."

„Als je er zó over denkt... waarom ben je dan naar mij toegekomen, Evie?"

„Omdat jij om mijn moeder geeft," flapt ze er uit. „En misschien ook een beetje om ons... om Tommy en Matteke," verbetert ze haastig, want Ruuds gezicht is nu één en al spot.

„O, raadsel, uw naam is vrouw," roept hij, vertwijfeld zijn handen heffend.

Evie lacht waterig mee. Dat hij haar als „vrouw" bestempelt streelt haar, maar zijn lachje is daarmee totaal in tegenspraak... Nou ja, hij is in ieder geval niet boos, zoals moeder.

„Om welk bedrag gaat het?"

„Om tachtig gulden."

Ruud fluit langgerekt tussen zijn tanden. „Dat is me nogal niet wat voor een cadeautje voor één van je vriendinnen."

„Dat was het niet alleen. Ook eyeliner en eyeshadow en een dure eau de toilette...," fluistert Evie.

„En dat allemaal voor zo'n jong smoeltje? Jammer toch! Meid, breng terug die rommel."

„Nee, nee, ik heb er al van gebruikt. Ik zal het moeten betalen. Dan moet ik maar naar mijn oma."

„Dát zul je wel laten," valt Ruud uit. „Jij hebt een oma uit duizend. Die ga je niet opzadelen met jouw vervelende zaakjes, wat denk je wel? En ik zal je nog eens iets zeggen, jongedame: van nu af aan zoek je vriendinnen, die het waard zijn om vriendschap mee te sluiten en die die vriendschap niet laten afhangen van een laag make-up of de hippe kleren die je draagt. Je bent totaal op de verkeerde weg, en dat weet je drommels goed. Of niet soms?"

Het meisje blikt in zijn boze ogen. Ze slaat haastig de hare neer. Met gebogen hoofd staat ze voor hem. Ze zegt niets. Maar Ruud ziet hoe langzaam een paar tranen naar beneden glijden.

„Evie..."

„Ik kan er 's nachts niet van slapen... ik ben bang, doodsbang, dat iemand het merkt. Ik... ik denk vaak aan God en dat Hij ziet wat ik gedaan heb... en dan word ik nóg banger. O, oom Ruud! Ik dúrf het niet aan mammie te zeggen! Ook niet hoe bang ik ben dat God mij hiervoor zal straffen. Ze praat nooit meer over Hem sinds pappie dood is."

„Ach kind..." Ruud voelt, sterker nog dan ooit tevoren, hoe deze schreeuw om hulp regelrecht zijn hart binnendringt.

Hoe zielsgraag hij dit kind en ook de andere twee wil helpen de weg terug te vinden naar hun hemelse Vader die hun nóóit ontnomen kan worden. Lisa, Lisa... dat wij samen hen mogen begeleiden en wijzen op het enige houvast in deze wereld-in-de-smeltkroes. Juist jónge mensen moeten wij het zicht weer geven op Hém.

Ruud schraapt zijn keel. Hij weet, dat hij op dit moment daadwérkelijk hulp moet verschaffen en niet kan volstaan met een paar treffende volzinnen. „Voor deze ene keer zal ik je dit bedrag voorschieten: vóórschieten! Maar dat is meteen voor het laatst. Dit gebeurt nóóit meer, Evie, beloof het me."

„Ik beloof het!"

„Mocht je tóch op een gegeven ogenblik krap zitten en er moet zo nodig iets worden gekocht, kom dan naar mij toe... enne... laat dit onder ons blijven. Begrepen?"

„Maar..."

„Nee, niks maar. Ik wil niet dat je moeder de indruk krijgt, dat ik achter haar rug met haar spruiten zit te konkelefoezen. Ik houd van recht-door-zee en niet van trucjes, om haar voor mij te winnen..."

„Moeder is mal, dat ze zich nog steeds moet bedenken...," zegt Evie hartstochtelijk. „Ze moet toch zien, dat u een moordvader voor ons zou zijn? We komen stuk voor stuk naar u toe, als er iets is..."

Nu zegt ze weer „u", hoort Ruud. Hij heeft even een binnenpretje. Met heel haar air van volwassen willen zijn, is het nog een kind, die hele Evie. Hij zegt: „Wie had het hier ook nogal moeilijk mee? Wie wilde mij persé niet op de plaats zien van haar eigen vader?"

Evie kijkt als betrapt. „Ja, dat is ook zo. En voor moeder is het natuurlijk nog moeilijker. Ik heb nog iedere dag verdriet om mijn vader," bekent ze Ruud. „Ik zal hem natuurlijk nooit kunnen vergeten en hem altijd blijven missen."

„Dat doe ik mijn vader ook nog altijd," zegt Ruud ernstig. „Denk jij, dat ik dat ooit zou verlangen van één van jullie? Ik zou wel de grootste egoïst, de ongevoeligste kerel zijn die er op twee benen rondloopt. Een vader, een moeder... ach, die vergeet je toch immers nooit?"

Hierop smoort Evie hem pardoes in haar stevige armen en, zich prompt kapot schamend, rent ze weg, haar jas achter zich aanslepend. Zodat Ruud als de wiedeweerga achter haar aan moet spurten, om dát, waar Evie eigenlijk voor kwam: het geld, in haar handen te drukken.

Als ze echt weg is, staat Ruud nog lange tijd met nietsziende ogen voor het raam van de woonkamer, dat uitziet op een drukke verkeersweg. Eindelijk keert hij zich om. „Lisa," prevelt hij in zichzelf. „Of je me geloven wilt of niet: ik voel me sinds vanavond pas écht vader. Al zijn het dan niet mijn natuurlijke kinderen, ik voel me zó nauw bij hen betrokken. Lisa, liefste, ik zou niet anders willen, dan jouw zorgen om hen met je delen . . . Laat me alsjeblieft niet langer wachten, mijn blonde sfinx."

HOOFDSTUK 16

Loom krabbelt de jongeman in de hel-blauwe zwembroek overeind en verlegt zijn badlaken, zodat hij weer in de schaduw van de moerbeiboom ligt. Hij tast naar de fles frisdrank naast zich: leeg! Dan, met een sprongetje, veert hij lenig omhoog.

Bert Prins rekt zijn gebronsde lijf. Hij zoekt tussen de bladeren van de mûrier naar de zoete, langwerpige vruchten en eet deze, bijna gulzig, vanwege zijn droge keel.

Al kauwend laat hij zijn ogen dromerig dwalen over de intens blauwe zee achter het smalle strand . . . naar de hemel erboven, die nóg blauwer lijkt. Hij zucht. Van een blijheid, binnen in hem, nauw grenzend aan geluk, om meteen daarop wéér te zuchten, maar nu omdát hij zich hier aan de mediterranée zo ontspannen voelt. Is hij dan alles al vergeten? Dezer dagen is het precies een jaar geleden, dat hij er als een lafaard vandoor is gegaan. Zijn zusje en Matteke heeft hij afgescheept met een paar woordjes, hen in het ongewisse latend waarheen hij was gevlucht. Ook zijn ouders heeft hij sindsdien niet meer gezien.

Hij grabbelt naar zijn broek en haalt een gekreukelde envelop uit de broekzak. Het is een brief van zijn oudste zuster Hetty, waarin ze schrijft dat hij zijn ouders, Ilse en haar dezer dagen kan verwachten in bungalowpark „Tamarinier", naar de vele tamarindebomen die met tal van andere exotische soortgenoten het engelse park tot één van de mooiste parken van de Rivièra maken.

„We rijden mee met Frans Schaardenburg. Het is de bedoeling drie weken te blijven. Frans had vader en moeder in het voorjaar al naar die veel bezongen zon van jullie willen laten vertrekken, maar vader was toen nog té labiel. Nu gaat het eindelijk iets beter en we hebben alle hoop, dat het nog beter gaat als ze daar bij jullie zijn. Ze verlangen erg naar jou, Bert."

Vooral deze woorden hebben een hevige beroering in Bert ontketend. Een verlangen, dat hij heeft onderdrukt zolang hij hier is. Ach, hij heeft eigenlijk altijd aan zijn moeder gehangen, al werd dat door de slechte verstandhouding met zijn vader geleidelijk-aan minder. Moeder had nu eenmaal maar te doen wat pa zei, anders was het huis te klein. Al is hij sinds vaders inzinking dan wat milder over hem gaan denken, en al beseft hij nu, dat hij zelf ook een belangrijk aandeel had in de breuk met zijn ouders, toch ziet hij tegelijkertijd met gemengde gevoelens naar een ontmoeting uit. Ze komen dus. Over enkele dagen al. Echt Hetty, om hem dat zo op het nippertje te schrijven. Natuurlijk Ilse de pin op de neus gezet, dat ze nog niets mocht vertellen. Want die schrijft hem iedere week. Hij kan er bijna de klok op gelijk zetten. Nee, dat gaat natuurlijk niet helemaal op, want er wordt hier nogal eens gestaakt of er is een andere gewichtige reden waarom Ilse's brief niet op tijd arriveert. Die brieven hebben hem door de eerste moeilijke weken heen geholpen. Nou ja, niet alleen... het gezin van Frans' zuster heeft hem meesterlijk opgevangen en begeleid. Hij zal dat nooit vergeten. Echte vrienden zijn Cuny en Patrick voor hem geworden en de beide kinderen kennen hem als oom Berty, die zo vaak met hen speelt. Gelukkig spreken die ook Nederlands, want anders zou hij hier maar weinig zijn eigen taal horen gebruiken. Het is allemaal Frans en Engels, wat hij om zich heen hoort...

Bert kijkt op zijn horloge. Het wordt zo langzamerhand tijd zijn geliefkoosde plekje even voorbij de boulevard te verlaten. Over een uur moet hij weer beginnen. Deze week heeft hij 's morgens vrij. De warmste uren zit hij binnen op kantoor, waar het dank zij de airconditioning, climatisé, zoals ze hier zeggen, heerlijk koel is. Het enige plekje in het park overigens, zo tussen twaalf en drie.

Bert rolt zijn handdoek op, bergt hem in de zwarte badtas en overweegt of hij nog even snel een biertje zal nemen, of een glas jus de fruit.

Maar nee, alles is hier tamelijk duur aan de boulevard en de supermarkt op het park is toch nog een stuk voordeliger.

Hij knipt het slot open van het lage vehikel onder de mûrier, dat het midden houdt tussen een brommer en een scooter. Zo'n ding zie je hier veel en speciaal op de sterk hellende paden in het uitgestrekte park blijkt het een prima vervoermiddel.

Binnen een kwartier bereikt hij „Tamarinier". De jongen bij de ingang — een vakantiehulp — doet de slagboom omhoog, zodat hij verder kan gaan. Bert rijdt meteen door naar het pad „les Pins", waaraan de caravan staat die hij deelt met twee Engelse jongens, die óók vanaf de herfst meedraaien. De één als technisch manusje-van-alles — er valt hier altijd wel iets te repareren in een bungalow of caravan — de ander verzorgt de tuintjes om de huisjes...

Snel doucht Bert zich en fris komt hij weer tevoorschijn, hoewel de warmte weer op hem slaat, zodra hij onder de koude waterstraal vandaan komt. Ik begin er aan te wennen, denkt hij. 'k Ben benieuwd wat ze van me zullen zeggen, volgende week. Voor de spiegel in het piepkleine douchecelletje kamt hij zijn natte pruik. Zijn blonde haren zijn hier terdege ingekort. Veel te warm, een lange haardos in je nek. En verder ziet hij er ook stukken beter uit dan in de tijd dat hij in die onbewoonbaar verklaarde krotten woonde. Dat ziet hij best...

Dan komt, onstuitbaar, toch die éne gedachte, die hem nooit meer los wil laten: hoe zou het met Matteke zijn? Hij heeft nooit afscheid van haar genomen..

Hoewel hij weet, dat hij tóen niet anders kon... hij was kapot, murw... nadat Matteke's zusje hem zó onverhoeds een spiegel had voorgehouden waarin hij eenzelfde dronkelap zag als die hun vader had doodgereden.

De tijd, die verstreken is, heeft echter ook in Bert alles tot de juiste proporties teruggebracht. Via Ilse is hij aardig van Matteke's doen en laten op de hoogte. Zo weet hij, dat ze nog steeds geen andere vriend heeft en nauwelijks te bewegen is met Ilse uit te gaan. Hoeveel vermoedt zijn zusje? Waarom schrijft ze zo plichtsgetrouw alle belevenissen rond Matteke voor hem op?

Ook sloot ze onlangs een kleurenfoto van haar vriendin bij een brief in. Die heeft nu een speciaal plaatsje in zijn portefeuille.

Straks loopt zijn verblijfsvergunning af... zal hij hier terug kunnen komen na een korte onderbreking? Zal het in orde komen met Matteke als hij haar in Nederland op gaat zoeken?

182

Zelf heeft hij amper naar een ander meisje omgezien, hoewel hij ze hier te kust en te keur tegenkomt... Patty bijvoorbeeld, dat leuke Engelse meisje, dat duidelijk laat merken, dat hij haar lang niet onverschillig laat... Maar steeds weer schuift Matteke's donkere gezichtje met de gevoelige ogen en mond voor zijn netvlies, zodra hij aan Patty denkt...

Omdat hij zijn tijd heeft staan verdromen, is er amper gelegenheid nog wat te eten. Enfin, dat staat hier toch maar op een laag pitje, tussen de middag. Hij laat het meestal bij een paar toastjes of een croissant uit het bakkerswinkeltje, waar elke morgen verse stokbroden en croissants worden afgeleverd... Een glas koude melk uit de koelkast, klaar!

Bert wipt weer op zijn cyclomoteur en bromt naar het kantoor naast de ingang van het park. In zijn hoofd gonst nog steeds Hetty's blijde bericht: we komen... over een paar dagen al... we komen, vader, moeder, Ilse en ik...

Het heeft nog heel wat voeten in de aarde eer het zover is, dat Frans de familie Prins kan komen halen. Gelukkig beschikt hij over een ruime wagen, met een grote bagageruimte, want als hij ziet wat ze allemaal mee denken te nemen...

Bedenkelijk schudt Frans zijn hoofd als Ilse nog eens teruggaat naar het huis, waarvan de zonneschermen al zijn neergelaten...

Het is nog héél vroeg in de morgen. Maar Frans heeft beslist dat ze niet later dan om vijf uur vertrekken. De heer en mevrouw Prins heeft hij al zo comfortabel mogelijk op de achterbank geïnstalleerd. Ilse naast haar moeder en Hetty zal hem op de voorbank gezelschap houden... Het is een lange ruk en ze zullen met het oog op de patiënt halverwege overnachten.

„Toe Ilse, er kan echt niets meer bij."

„Ja, maar ik heb nog iets voor Bert... daar heeft hij om gevraagd."

„Dat loont nauwelijks de moeite. Hij komt over een maand of wat weer terug, dat weet je."

„Alleen om zijn vergunning te laten verlengen," zegt Ilse beslist en trippelt opnieuw naar het huis.

Het begint Hetty te vervelen. „Ilse, trek die deur achter je dicht en gooi de sleutel bij de buren door de brievenbus, zoals is afgesproken. Toe kind, Frans wil weg, dat weet je toch?"

Eindelijk rijden ze dan toch. Het wordt een warme, vermoeiende rit, ondanks het feit dat ze geregeld een stop maken. Laat in de middag rijden ze een dorpje binnen, enkele kilometers van de snelweg landinwaarts. Ze zijn dan Dijon al gepasseerd.

„Er is hier een goed hotelletje. Daar heb ik met mijn ouders ook wel overnacht," vertelt Frans.

Inderdaad lijkt „Auberge de la Colombe" precies wat ze op dit ogenblik nodig hebben: de hal is koel en schemerig, de kamers, met de neergelaten rolgordijnen zijn echter nog doordrenkt van de hitte van de afgelopen dag.

Martin Prins is tengevolge van de lange rit moe en Josefien is — om dezelfde reden — prikkelbaar. Niemand kan momenteel iets goed doen in haar ogen.

„Ik zal wat eten boven laten brengen en dan moet u allebei meteen gaan rusten," beslist Frans met zijn doktersstem.

Hij plooit het zo, dat de meisjes hun kamer tussen die van hem en van hun ouders hebben. Hij ként zijn pappenheimers!

„Veilig tussen ons allemaal in," fluistert hij Ilse in haar oor. Ilse krijgt een kleur. Heeft Frans dat ook alweer door, dat ze het in haar hart best eng vindt, om in een vreemd land, in een vreemd hotel, de nacht door te brengen? Hetty zal daar geen moment aan hebben gedacht. Zelf is ze immers niet zo bang uitgevallen?

Ze lacht wat onzeker naar Frans. Maar bij Hetty zorgt dit vertrouwelijke moment tussen Frans en haar zusje voor een anti-climax. Ze heeft de lange rit als één doorlopende heerlijkheid ervaren. Frans, zo dicht naast haar. Af en toe een paar zinnen... kaartlezend, of hem wijzend op iets dat de moeite waard is... er was een saamhorigheid die Frans ook moet hebben gevoeld. Meer dan eens heeft ze zijn blik opgevangen, ze kan het zich niet verbeeld hebben.

In zichzelf gekeerd helpt ze haar moeder de toiletbenodigdheden uitpakken. Helpt haar vader in bed, zodat hij daar wat kan eten van het blad dat op Frans' bestelling wordt gebracht. Als ze haar moeder daarna van het nodige heeft voorzien, haast ze zich met de lift naar beneden, waar Frans en Ilse haar in de koele lounge wachten met een drankje...

Na een voortreffelijke maaltijd zoeken ook de zusters al spoedig hun bed op, terwijl Frans aankondigt nog een wandelingetje in de omgeving te willen maken...

Ilse kan de slaap niet vatten. Ze heeft het laken teruggeslagen en nog lijkt het om te stikken in de kamer... Op haar tenen sluipt ze naar het mini-barretje en haalt er een flesje gekoeld sinaasappelsap uit en een glas. Daarna gaat ze, nog steeds zonder gerucht te maken, door de half openstaande deuren naar het balkonnetje. Dan pas herademt ze. Heerlijk is het daar, met dat zachte briesje. Ademloos kijkt ze naar de vele lichtjes van het slapende stadje, gedeeltelijk gebouwd tegen de bergen... beneden zich hoort ze stemmen, en voetstappen van mensen die een laat bezoek gebracht hebben aan één van de vele cafeetjes of pizzeria's, die hier aan de rue Courbet in overvloed aanwezig zijn... Als ze zich diep over de balustrade buigt, kan ze nog net een stukje zien van de tuin voor hun hotel, waar tussen cypressen, ananasbomen en andere exotische struiken waarvan ze de naam niet kent, mensen zitten op de witte tuinstoelen of schommelbanken...

„Zul je niet naar beneden vallen?" hoort Ilse een stem, zo dichtbij, dat ze bijna een gil van schrik had gegeven. Maar natuurlijk is het Frans, op het aangrenzende balkon, dat slechts door een rasterwerk van het hare gescheiden is. Frans, die net als zij nog een oogje waagt aan het schitterende panorama beneden hen.

„Frans," fluistert Ilse. „Kon je óók niet slapen? Is het bij jou óók om te stikken?"

„Welnee, lekker tropisch temperatuurtje. Ik zou maar gauw je bed opzoeken, meisje. Morgen vertrekken we weer bijtijds en dan hebben we echt een aantal warme uurtjes voor de boeg."

„Frans," vleit Ilse, „zie je die bergen? Er lijkt een blauw waas voor te hangen... schitterend, hè?"

„Ja, het is onwerkelijk mooi," beaamt Frans.

„Zeg Frans, beneden in de tuin zitten nog een heleboel gasten... Wat lijkt me dát gaaf, om daar nu te zitten! Kijk die hemel eens, net fluweel en wat een sterren..."

Ilse's enthousiasme slaat op Frans over. „Was je hier nog niet eerder? In Frankrijk?"

„Nooit! Thuis moesten ze altijd zo nodig sparen voor het één of ander. Een stuk antiek of zo. Van vakantie kwam meestal niets."

Frans speurt net als Ilse naar beneden. Ja, die diepe tuin met de lampjes op de tafeltjes, de wuivende palmen, het gedempte stemmengeroes...

„Ben je al uitgekleed?" vraagt hij zacht.

„Ja, maar ik kan zo m'n rok en bloes aanschieten, die had ik al klaargelegd voor morgen..."

„Kom dan, maar zachtjes, dat je Hetty niet wakker maakt. Maar éven, hoor Ilse. Omdat je voor het eerst in Frankrijk bent..."

Het is spannend, om zo stil je deur uit te sluipen en aan het eind van de gang in het liftje te stappen, waarvan zelfs de muren bedekt zijn met hetzelfde tapijt als de gangen en hal van het hotel.

Even later klikklakken Ilse's hakjes over het marmer en dat geeft haar echt een gevoel van „uit" te zijn.

Frans bekijkt haar hoofdschuddend. „Een kind ben je toch nog, Ilse. Om zo verrukt te zijn van zo'n onschuldig slippertje."

Ilse lacht. „Het is al nácht, Frans. Ik moest niet het hart hebben later dan twaalf uur thuis te komen, want dan zwaaide er wat..." Ilse's stem stokt even. „Vader kon ontzettend kwaad worden als je tóch na twaalven aanbelde..."

Frans ziet dat ze huivert. Hij legt het witte vestje, dat ze nonchalant in haar hand heen en weer slingert, om haar blote schouders...

Hij ziet haar op de stoep staan van dat luxueus aangeklede huis. Ziet de grimmige man met de kille visseogen, die Martin Prins tóen was.

„En daarna...," vervolgt Ilse's stem naast hem, „nou ja, toen kon het vanzelf om vaders ziekte niet... ik durfde moeder ook niet alleen te laten."

Arme meid, denkt Frans, je hebt nog niet veel zon gekend in je leven. Weinig liefde en geborgenheid, meer ruzies en onbegrip, materialisme en corruptie om je heen. En toch zo'n kwetsbaar, meelevend hartje...

Behoedzaam leidt hij haar buiten het hotel om naar de heerlijke tuin, waar het nog zo goed toeven is op dit middernachtelijk uur.

Als hij naar het dromerige, verstilde gezichtje van het meisje kijkt, vergeet hij de lange rit die hem, over enkele uren al, wacht.

Dit is Ilse's uur. Hoe intens ondergaat zij de schoonheid van de subtropische nacht onder de wuivende palmen... Zo intens, als alleen een pril mens dat kan ondergaan, die nog niet bedorven is door de glamour van nóg meer en nóg groter... Hij kan haar ogen nauwelijks meer onderscheiden, maar hij weet, hoe mistig die grijze kijkers van haar nu zijn, net zoals Hetty's ogen op die morgen toen ze samen koffiedronken in de keuken bij haar ouders thuis.

Even later hoort hij aan Ilse's stem, hoe emotioneel ze is door de sprookjessfeer om haar heen, door de lucht bezwangerd met bedwelmende geuren...

„Frans," vraagt Ilse schril, „denk je nog vaak aan Gulay? Of mag ik dat niet vragen?"

Het blijft stil na haar woorden. Heeft ze hem tóch bezeerd? Maar ze moet het weten. Om Hetty...

„Jij mag alles vragen," hoort ze zijn stem echter na een pauze. Ze weet niet, dat hij zich eerst terdege moest bezinnen op de vraag, die hij zichzelf ontelbare malen gesteld heeft sinds hij de luchtvogel nakeek, die zijn liefste van hem wegvloog, het luchtruim in, niet meer bereikbaar voor hem.

Hij zucht... wanneer leer je jezelf ooit kennen? Hoe kun je iemand uitleggen, dat je met héél je hart, met iedere vezel van je lichaam hebt liefgehad en hoe die liefde allengs heeft plaatsgemaakt voor iets anders... voor een ander gevoel, dieper, voller nog dan dat allesoverheersende van toen? Heeft hij het niet weg proberen te drukken, proberen weg te redeneren met zijn nuchtere verstand? Jij, wankele ridder, bewijs eerst maar eens, dat het je ernst is. Dat je niet voor de tweede keer een jammerlijke fout gaat maken en zo opnieuw een ander pijn gaat doen... Hij heeft Hetty immers al eerder gekwetst toen hij haar voor een ander aan de kant heeft geschoven?

Ilse wacht stil op zijn antwoord. Zelf heeft ze zich in het beschermende donker teruggetrokken, maar het gezicht van Frans kan ze heel goed onderscheiden door de gloed van het lampje dat tussen hen in op het tafeltje brandt...

Ze ziet zijn ogen, nadenkend, ernstig, zoals ze hem zo vaak heeft zien kijken naar een patiënt. Ze kijkt naar zijn handen: smalle, gevoelige doktershanden...

Ze denkt aan het medaillonnetje, dat ze een tijdlang bij zich droeg, dag en nacht. Binnenin zat een piepklein fotootje van Frans, dat ze op een dag grootmoedig versnipperd heeft...

Die snippers mag ze nooit vergeten... Ze voelt nóg, hoe ze door haar vingers glipten vóór ze in de papiermand vielen...

„Hetty geeft nog altijd om je," zegt ze een beetje ademloos. Frans knikt langzaam. „Ik weet het."

Meer niet. Ilse vecht tegen de opwelling overeind te springen en haar hoofd te verbergen aan zijn borst. En ik dan? Maar ze blijft zitten, roerloos. Hoeveel meisjesdromen zijn geen werkelijkheid geworden? Zij is de enige niet. Kijk maar naar Matteke, die nog steeds voor haar probeert te verbergen, dat ze van Bert houdt... Is dit niet één van de taken die ze zichzelf gesteld heeft, om uit te vissen hoe Bert over Matteke denkt? Maar de liefde moet van twee kanten komen. O, wat is alles toch ingewikkeld. Want ook mensen met méér levenservaring weten vaak geen raad met het magistrale woord „liefde". Neem nu Matteke's moeder, die nog steeds een fijne vent als Ruud van Houtum op een afstand houdt, uit piëteit voor haar overleden man. Neem haar eigen ouders, die elkaar toch — zij het op een wonderlijke manier — liefhebben... moeder is immers blind voor vaders fouten, juist omdat ze van hem houdt...

Ilse schuift onrustig op haar stoel. Al die gevoelens, al die mensen vloeien plotseling ineen... ze ziet alles door een waas, ondanks de heldere sterrennacht.

„Wat doe je Ilse? Je huilt...," zegt Frans geschrokken. „Kom, ik breng je onmiddellijk terug naar je bed. Je bent natuurlijk doodmoe."

Ilse laat het maar zo. Hoe kan ze hem zeggen, dat ze voor Hetty oneindig blij zou zijn als het weer goed kwam tussen Frans en haar, maar dat zijzelf nog steeds haar prille meisjesverliefdheid niet te boven is?

Naast Frans de hal en gangen doorlopend, schreit ze onhoorbaar om de kleurige zeepbel, die Frans zonder opzet heeft stukgeblazen.

Ondanks het late tijdstip waarop Frans tenslotte zijn bed opzocht, is hij de volgende morgen het eerst beneden. Hij wacht met ontbijten tot de anderen ook zover zijn. Hij hoopt, dat ze zich een beetje aan de afgesproken tijd houden. Het wordt anders vooral met het oog op meneer Prins te warm om te rijden.

Maar hij had kunnen weten, dat Hetty van stipt en op tijd houdt. Precies op de afgesproken tijd komt ze gearmd met haar moeder de eetzaal binnen. Ilse, met haar vader achter hen, ziet er maar smalletjes uit. Tijdens het eenvoudige ontbijt, bestaande uit croissants met boter en marmelade, is ze zwijgzaam. Hetty daarentegen babbelt er lustig op los. Het vooruitzicht wéér een dag dicht in Frans' nabijheid door te brengen, maakt dat ze opgewekt en vrolijk de komende vakantieweken tegemoetziet. Het waarschuwende stemmetje van binnen legt ze met kracht het zwijgen op. Ze wil niet meer denken aan de nachtelijke fluisterstemmen. Als zij inplaats van Ilse daar had gestaan, had Frans ook een gedempt gesprek gevoerd met háár. Als zíj Frans gevraagd, nee bijna gesmeekt had, nog even beneden in de tuin te kijken, was hij ook meegegaan. Want het is haar niet ontgaan, dat Ilse met Frans nog een luchtje is gaan scheppen. Maar zelfs die ontdekking kan geen schaduw werpen op deze nieuwe dag, nog maar net begonnen.

Handig helpt ze Frans de tassen die ze voor het overnachten nodig hadden, weer in de bagageruimte te zetten en daarna installeert ze haar ouders zo comfortabel mogelijk op de achterbank met een paar kussentjes in hun rug. De gordijntjes tegen de achterzijramen schuift ze maar vast dicht.

„Probeer nog maar wat te slapen," adviseert ze hartelijk.

Frans hoort de warmte in haar stem. Als ze indertijd zo was geweest, zou hij dan ook een punt achter hun relatie hebben gezet?

Haar puntige gezegdes, haar waardevolle tips tijdens het rijden, ze ontketenen in zijn binnenste zoveel tegenstrijdige gevoelens, dat hij afwezige antwoorden geeft. Het móet Hetty wel opvallen. Van de weeromstuit wordt zij nu stil. Waarom maakt Frans zo'n verwarde indruk, piekert ze. Waarom ziet hij eruit, alsof hij een onoplosbaar medisch probleem krijgt voorgeschoteld? Twijfelt hij nog aan haar, of ze haar bazige aard onder controle zal blijven houden? Of zouden er méér facetten in haar zijn die hem afstoten? Maar welke? Ze wil... ze zou...

Niets ziet ze van de fraaie natuur, waaraan Frans hen voorbij rijdt... Hoe kan ik nóg beter voldoen aan zijn ideaal? Hoe was Gulay, denkt ze koortsachtig... Knap, lief, maar vooral afhankelijk, onzelfstandig en besluiteloos tot en met. Ze was notabene naar háár toegekomen, om te vragen, wat ze doen moest: teruggaan naar Turkije, of in Nederland blijven, bij Frans.

Ik bén zo niet. Ik kan mezelf toch niet tot in de grond veranderen omwille van een man? Haar energieke „ik" komt daar hevig tegen in opstand. Ze gaat rechterop zitten en dwingt zichzelf al dat moois buiten in zich op te zuigen. De door Frans uitgestippelde route heeft van nu af aan weer haar volledige aandacht.

Frans merkt het tot zijn voldoening. „Hoe is het áchter ons?" vraagt hij gedempt. Hetty kijkt eens om haar hoofdsteun heen. Vader snurkt. Moeder heeft haar ogen dicht. Het lijkt alsof ze ook slaapt. Ilse ligt te soezen...

„Ze slapen geloof ik alle drie," zegt ze.

„Fijn, dan rusten ze wat. Wij zorgen wel dat ze er komen, wat jij?" zegt Frans met een hartelijk knikje. Hij hoort nog Ilse's stem: „Hetty geeft nog altijd om je..."

Deze vakantie, weet hij, zal beslissend zijn. Zó lang samen optrekken, moet mij duidelijk maken, of mijn gevoelens hecht en blijvend zijn.

Ze schrikken allebei van de kreet die Ilse ineens slaakt. Een verrukte jubel om het berglandschap en de stralend blauwe lucht.

Mevrouw Prins is ook wakker geworden. „Je laat me schrikken, kind," lijst Josefien. „Hè, dacht ik net nog even te kunnen slapen..."

„Dat hééft u gedaan," zegt Ilse verontwaardigd. „Toe moeder, kijk toch eens naar buiten. Wat prachtig allemaal. Die zon..."

Frans grinnikt in zichzelf. Wat zou de domper nu weer zijn? Er zijn immers mensen, die persé overal de donkere kant van moeten zien?

„Die zon brandt nu al. En het is nog zo vroeg."

Maar Ilse is van nu af aan niet meer gevoelig voor haar moeders opmerkingen. Levendig als haar aard is, somt ze alles op wat ze ziet.

Alsof ze zelf geen ogen hebben, denkt Hetty spottend. Ilse's spontaneïteit is haar altijd een doorn in het oog geweest, omdat ze zelf niet zo is. Zó vervuld is ze van haar mildere houding ten aanzien van haar ouders, dat ze niet merkt, dat ze ten opzichte van Ilse nog dezelfde naijver voelt...

De laatste honderd kilometer ratelt Ilse aan één stuk, lijkt het wel. Ze merkt het zelf, maar ze kan er niets aan doen. Ze moet onder alles door aan Bert denken. Aan de ontmoeting, die nu zo dichtbij komt... Hoe zou het gaan tussen vader en Bert? O, alsjeblieft, alsjeblieft... laat dit goedgaan... niet nog meer verdriet en narigheid. Het móet, het móet... En dan vouwt Ilse ongemerkt haar handen, zo maar onder het servet waarop nog de schillen liggen van de appel die ze voor ieder heeft klaargemaakt. God, wilt U ons helpen, straks? Dat we niet opnieuw brokken maken?

HOOFDSTUK 17

„Het ziet er allemaal erg leuk uit, Ruud."
Met een nerveus gebaar schuift Lisa de kleurige vakantiefolder over de tafel weer in Ruuds richting. „Het zal er schitterend zijn, daar twijfel ik geen ogenblik aan. Met Tom ben ik ook een paar keer in Duitsland geweest. Eén keer in de Eifel, toen waren de meisjes nog klein en één keer wat zuidelijker."
„Tommy is er dus nog nooit geweest! Lisa, het is daar een paradijs voor dat joch. Een pracht van een zwembad en meertjes en riviertjes in overvloed. Ik kan daar met hem vissen en zwemmen en misschien zelfs surfen. . ."
„Hij mág weer in het water," verzucht Lisa, een moment aan het twijfelen gebracht door Ruuds optimisme en de verleidelijk uitziende vakantiefolder.
Maar dan denkt ze weer aan de grote „men" en meteen zegt ze het ook al: „Het kan niet, Ruud. Echt niet! Wat zullen de mensen er wel niet van zeggen, als jij en ik en de kinderen. . .?"
Ruud moet er onbedaarlijk om lachen. „Lisa, kostelijk! Of nee, bekrompen! Kleinzielig! Ik heb je zojuist tot in den treure proberen uit te leggen, dat het allemaal heel degelijk en netjes en onbesproken is. . . Tommy en ik samen in een tentje en jij met de meisjes in de vouwcaravan. . . Meid, mooier kan het immers niet? Tenminste wat de gevreesde 'men' betreft. Zelf zou ik het me heel wat genoeglijker kunnen voorstellen. Maar enfin, ik kan wachten. . . ik ben net een terrier. Heb ik me eenmaal vastgebeten in iets, dan laat ik niet meer los. Laat je dat gezegd zijn, Lisa-lief. En nu stap ik weer op en laat deze folder achter. Ik wil daar wel graag zeer binnenkort — laten we zeggen binnen twee dagen — je antwoord op horen. Ik moet namelijk mijn vakantie vaststellen, daar heb ik, door jouw gezeur, al veel te lang mee gewacht."
Lisa's bleke wangen krijgen iets meer kleur.
„Denk niet alleen aan jezelf, maar ook aan de kinderen," pleit Ruud nog.
Lisa loopt met hem mee naar de gang. Het is nu al benauwd

191

in de flat, waar de zomerzon genadeloos op staat te branden. O, hoe zielsgraag zou ze deze oven voor een paar weken vaarwel zeggen en onbezorgd genieten van een vakantie in het Hoch Sauerland!

In de gang stuiten ze op Evie, die als gewoonlijk meer holt dan loopt. „Moeder, oom Ruud, er is ingebroken! Ik heb het net bij Ellen gehoord. In het huis van Ilse's ouders. Er is een heleboel antiek gestolen," hijgt ze.

Lisa en Ruud kijken elkaar verschrikt aan.

„Wanneer? Ze zijn gisteren pas vertrokken."

„Vannacht. Ze hebben natuurlijk meteen hun slag geslagen. Stom, om dingen van waarde onbeheerd achter te laten," zegt Evie eigenwijs.

„Weet Matteke het al?" informeert Lisa.

Evie schokschoudert. „Zal wel niet. Die is toch in de winkel?"

Ja, dat is waar. Matteke heeft een baantje gevonden in een schoenenzaak.

„Zal ik even bij haar langs rijden?" biedt Ruud aan. „Ik kom er in de buurt, op weg naar de krant."

„Graag, als je dat doen wilt? Het is niet leuk als ze het vanavond pas hoort als ze thuiskomt. Het is immers koopavond?"

Evie stevent in de kamer direct op de folders af, die Ruud heeft achtergelaten. Lisa, die ze weg had willen stoppen voor haar kroost, doet nog een vergeefse poging ze haar dochter afhandig te maken. Maar Evie met haar vlugge geest, heeft meteen door waar de schoen wringt.

Ze klemt haar handen om de boekjes. „Ik snap het al," roept ze stikkend van drift uit. „U wilt weer niet . . . u durft niet, u denkt alleen maar aan uzelf. En of wij het leuk vinden hier al die weken in die hete snertflat te zitten, dat kan u niet schelen. Maar ik ga weg. Ik vraag wel of ik met Ellen mee mag, die gaan tenminste drie weken naar Spanje. Wij hebben nooit wat, alleen maar omdat u altijd alleen aan pappa denkt. Als u maar weet dat hij het vreselijk zou vinden, dat wij zo zitten te kniezen en nooit meer ergens heengaan en . . . en . . ." Evie is zo door het dolle heen, dat ze niet eens merkt, hoe tranen langs Lisa's wangen lopen, die ze met een eindeloos moe gebaar afveegt, telkens weer.

Ze merkt pas hoe diep haar woorden haar moeder getroffen hebben, als deze zonder een woord te zeggen de kamer verlaat.

Evie drukt haar gloeiende gezicht tegen het glas van de grote kleurenfoto... „Pappa, pappie," snikt ze kinderlijk. „Wij vergeten u niet, nooit. Maar ik... ik zou zo graag eens weg willen van hier... en voor mamma is het toch ook goed? Dat mag toch, dat mag toch wel van jou, pappie?"

Met een ernstig gezicht kijkt Ruud de verkoopster aan. „Ik zou graag door die verkoopster dáár geholpen worden," zegt hij zonder blikken of blozen. „Zonder u te kort te doen, hoor. Maar zij kent precies mijn voetklachten, ziet u."

De verkoopster waarschuwt Matteke en die komt gehaast zijn richting uit. Als ze ziet wie er om haar gevraagd heeft, verschijnt er één van de zeldzame lachjes op haar gezicht.

„Dat moet je vaker doen, kindlief, lachen," raadt Ruud.

„Zeg, ik zag zulke scháttige schoenen in de etalage, maat vierenveertig, maar wel een beetje vlug, als het kan, want ik ben in de baas z'n tijd. Ik heb je moeder thuisgebracht, zie je. Lekke band... Dat wordt weer plakken vanavond." Hij knipoogt vrolijk tegen Matteke.

„Welke schoenen bedoel je, oom Ruud?"

„Ik loop wel even mee." Hij heeft nog steeds plezier om het compromis dat Evie en Matteke gevonden hebben. „Oom Ruud" is het al een hele tijd.

„Die daar," wijst hij op een paar beige mocassins, „lijken me heerlijk lopen."

Echt iets voor de vakantie, had hij er bijna uitgeflapt. Maar hij bedenkt zich nog net. Lisa moet uit vrije wil meegaan, hij heeft toch al op haar gemoed gewerkt, door over Tommy en de meisjes te beginnen.

Als hij met Matteke terugloopt, vertelt hij haar van de inbraak in het huis van de Prinsen. Hij ziet dat ze schrikt. „Wat erg! O, wat zal Ilse's vader hier door van streek raken. Ze hadden zoveel mooie dingen. En Ilse's moeder hield daar zo van. Wie weet, hoe ze het huis hebben achtergelaten..."

„Ik ga er vanavond wel eens een kijkje nemen. Is er nog meer familie, of zit iedereen nu in Frankrijk?"

„Ilse's oudste broer. Die zullen ze wel gewaarschuwd hebben. Zeg, ik moet weer naar m'n klanten, hoor."

„Je hebt net een goeie klant gehad," zegt Ruud, de doos onder zijn arm klemmend. „Nou meid, sterkte met de verkoop. Misschien zie ik je vanavond nog wel. Als het lek tegenvalt."

Matteke's gezicht is één groot vraagteken. Pas als hij al lang en breed weg is, schiet haar de lekke band van moeders fiets te binnen. Die Ruud, wat een type! Ze heeft ineens een binnenpretje.

Die avond staan ze samen voor het huis aan de Irisstraat, Ruud en Matteke. Nadat hij de fiets gerepareerd en ook maar meteen een grondige schoonmaakbeurt had gegeven, heeft hij boven bij Lisa koffie gedronken.

Inmiddels kwam Matteke thuis en toen ze hoorde dat hij nog even bij het huis van Ilse wilde kijken — een journalist verloochent zijn nieuwsgarende geest nooit — had Matteke gesoebat om mee te mogen.

„Vooruit, als je je koffie op hebt tenminste."

Zo zijn ze samen in Ruuds opzichtige wagen voor komen rijden. Ze zien dat er nog meer nieuwsgierigen op het trottoir voor het bewuste huis staan. Ook staan er een politieporsche en een personenauto.

„Vast van Ilse's broer," fluistert Matteke. Achter hen klinkt een vrouwenstem, niet al te zacht: „Dat is een journalist. En dat meisje naast hem is er één van Versloot. Haar moeder is weduwe. Er wordt gefluisterd dat Van Houtum — zo heet die man — iets met haar heeft. Nou, laat me niet lachen. Hij zal wel wijzer zijn en de dochter nemen. Een groen blaadje lust iedere man... en ze zeggen dat hij een echte rokkenjager is..."

Matteke heeft het woord voor woord verstaan. Met een hoogrode kleur tuurt ze strak naar de voorkant van het huis waar zo ogenschijnlijk niets aan de hand is. Zou Ruud het ook gehoord hebben?

Hij laat haar niet lang in het ongewisse. Zonder een spoortje geschoktheid draait hij zich om. „U schijnt mijn toekomstige stiefdochter te kennen, hoor ik. Matteke, stel me eens gauw aan deze dame vóór."

Het gezicht van de vrouw is een studie waard. Tina Derksen woont aan het begin van de straat en het grootste deel van de dag staat ze voor het raam op de uitkijk. Geen nieuwtje ontsnapt zodoende haar scherpe oog. Bovendien is ze al jaren bevriend met de Prinsen en heeft ze hun wel en wee van zeer nabij meegemaakt.

„Tina Derksen," mompelt ze flauwtjes, als Matteke Ruud voorstelt. „En dit is mijn buurvrouw, mevrouw ten Pas."

„Mooi, nog iets van uw dienst, dames?" vraagt Ruud schijnheilig. Matteke proest onderdrukt om zijn uitgestreken gezicht. Fijn, dat oom Ruud het zo opneemt. Maar wat zei hij zoëven? „Wat bedoelde je, oom Ruud?" fluistert ze. „Bedoel je dat... eh...?"
„We zijn er nog niet, meisje, maar ik heb alle hoop. Je moeder zal zich toch ééns gewonnen moeten geven... En het is de moeite waard erop te wachten, want behalve haar krijg ik nog twee schatten van dochters en een dito zoon..."
„Op de koop toe," vult Matteke aan. „Oom Ruud, kijk niet met zo'n verheerlijkte blik! Zulke lieverdjes zijn we niet en daarbij..."
„Ja, stil maar, dat weet ik zelf veel te goed: we zijn nog niet waar we wezen moeten."
Nee, zó verdrietig kan ze hem niet zien. Daarom legt Matteke een hand over die van Ruud. „Wat zál ik blij zijn," zegt ze zacht, „en Evie en Tommy ook. Want jij...," even stokt haar stem, „jij hebt de afgelopen tijd bewezen, dat je een echte váder bent."
En nu staat die nooit om een woordje verlegen journalist dan toch met een mond vol tanden. Hij kan niets zeggen, alleen maar die smalle meisjespols drukken. Omdat er een dikke brok in zijn keel zit.
„Laten we achter eens een kijkje gaan nemen," zegt hij na een hele poos. Daar worden ze opgemerkt door Han Prins, de oudste zoon van Martin en Josefien. Hij heeft zich nog maar weinig laten zien in het ouderlijk huis sinds die ongelukkige geschiedenis van de fraude van zijn vader, waarmee goedbeschouwd de hele ellende is begonnen. Nee, dat is niet helemaal waar, dat was al eerder, toen broertje Bert precies tegen de draad in begon te gaan...
Om zijn vrouw, of moet hij zeggen, dóór zijn vrouw, is het contact tot een minimum teruggedraaid en dat is zo gebleven. Dergelijke dingen worden al gauw gewoonte. Zaken, waar je aanvankelijk geen vrede mee hebt, lijken na enige tijd de normaalste zaak van de wereld.
Han laat net de politieambtenaren uit, die in zijn aanwezigheid nog eens uitgebreid hebben rondgekeken en alles op vingerafdrukken hebben onderzocht. Als hij daarna doorloopt naar de keuken, om een kop koffie voor zichzelf te maken, ziet hij een man en een meisje aankomen. Hè nee, nu geen bezoek,

hij wil zo vlug mogelijk terug naar huis. De herinneringen die hem in het ouderlijk huis plagen, moeten zo snel mogelijk worden teruggedrongen. Zo'n gezellige tijd was het nu ook weer niet, al heeft hij nooit openlijk met de ouwelui in de clinch gelegen. Hij is een stuk ouder dan Bert en Ilse... misschien was het anders ook wel misgegaan tussen vader en hem. Hoewel, de man heeft natuurlijk ook zijn goede kanten. Neem nu hier, dit huis... hij had het toch maar gemoderniseerd en smaakvol gemeubileerd. Dat was toch al vóór hij zo grof met geld ging smijten en zich daardoor in de nesten stak met „vreemd" geld...

Han opent de achterdeur voor Ruud en Matteke. „Ja?" Het klinkt niet erg uitnodigend.

„Ik ben Ilse's vriendin," zegt Matteke vlug. „En dit is meneer van Houtum, hij is een huisvriend van ons."

Ilse's broer steekt een onwillige hand uit. „Aangenaam," buigt hij vormelijk, en daarna, met duidelijk sarcasme: „Een beetje nieuwsgierig, hoe het er binnen uitziet?"

„Nee," Matteke kijkt hem donker aan. „We kwamen kijken of we iets konden doen. Voor Ilse en haar vader en moeder. We zijn namelijk écht vrienden en die helpen elkaar in tijden van nood."

Eén-nul, Matteke, prijst Ruud in stilte. Ík had het niet beter kunnen zeggen.

„Tja," aarzelt Han, kennelijk niet op zijn gemak. „Kom even verder. Als jullie maar niets aanraken. Het is een trieste toestand binnen en boven idem dito... alles overhoop gehaald. Ik heb één troost: dat mijn ouders deze aanblik bespaard blijft. Ik zal zorgen dat alles weer is opgeruimd voor ze terugkomen. Maar ja, er zijn wel veel waardevolle stukken verdwenen, daar valt niet aan te ontkomen."

„Jammer dat ze het niet ergens hebben ondergebracht. Bij u thuis bijvoorbeeld," verzucht Matteke met een honingzoet stemmetje.

„Ik woon in een andere stad," zegt Han stroef.

Hij gooit de deur met een weids gebaar voor hen open. Het is inderdaad een chaos in de anders zo ordelijke kamer. Niets staat meer op zijn plaats. Schilderijen zijn van de muur gerukt, stoelen liggen op hun kant, de persjes op de tafeltjes zijn verdwenen en ook die op de grond... Antieke lampjes, koper en tin, alles weg. Het is om te huilen...

Matteke staat er met een wit gezichtje naar te staren. „O,

wat vreselijk," stamelt ze tenslotte. „Oom Ruud... zullen we... laten we weer naar huis gaan. Meneer Prins moet misschien ook weer terug..."

Langs de haard die er kaal en ontluisterd uitziet, nu de koperen blaasbalg en het haardstel zijn verdwenen, stapt Matteke over het omvergeworpen haardbankje heen. En dan kan ze een kreet van schrik niet onderdrukken. Want aan haar voeten ligt de schitterende „paardjesklok" waar ze vaak vol bewondering naar heeft gekeken. Als de ruiters weer hun rondje te paard gingen lopen, terwijl het uurwerk de hele of halve uren sloeg...

„Kapot... stuk," zegt ze toonloos, terwijl ze er bij neerknielt.

„De inbrekers zijn kennelijk door het één en ander in hun 'werk' gestoord. Ze moeten in grote haast zijn vertrokken en de klok hebben achtergelaten."

„De ruiters kwamen juist naar buiten," zegt Matteke met een snik. „O, wat vreselijk voor uw moeder. Zij was aan die klok nog het meeste gehecht, geloof ik."

Het dode hart van de klok lijkt hen spottend aan te zien... Het uurwerk heeft opgehouden te tikken. Maar de tijd zelf draait door.

Dringt nu pas ten volle de betrekkelijkheid van dit vluchtige bestaan tot Han Prins door? „Ik zal u uitlaten," zegt de stem van Martins oudste zoon.

Zwijgend stappen Ruud en Matteke in de snelle wagen, die hen binnen een paar minuten terugbrengt naar de flat.

„Ik rijd meteen door, Matteke."

Ze knikt. Ruud heft haar gezicht op. „Niet zo triest, kind. Het gaat maar om stoffelijke zaken. Er zijn veel belangrijker dingen in de wereld."

Matteke kijkt hem na, zolang ze de auto zien kan. Dan, met een verwondering die allengs overgaat in diepe blijheid, weet ze: het zal straks anders worden, moeder... in de eerste plaats voor jou, maar ook voor ons. Door die vreemde man, die journalist, die mengeling van tintelende levenslust en diepe ernst... die man met zijn rotsvaste geloof. Of... gáán die dingen juist samen?

Als de lift haar terugzoeft naar de broeihete flat met de vele etensluchtjes en de ruziënde stemmen, blijft nog datzelfde gevoel. Misschien... dat het ook tussen haar en Bert nog eens in orde komt?

197

Neuriënd tast ze naar haar sleutel. Lisa hoort haar komen. Voor het eerst sinds lange tijd hoort ze Matteke's zuivere sopraan. Lisa wéét, wie dat bewerkstelligd heeft. Twijfelt ze nu nóg?

Met een snelle beweging, als was ze bang zich tóch nog te bedenken, trekt ze de vakantiefolder van Duitsland uit haar tas. Nadat Evie naar bed is gegaan, heeft ze die nog eens doorgebladerd. Niet wetend, wat morgen haar antwoord aan Ruud moet zijn.

Nu weet ze het ineens. Zodra Matteke binnenkomt, zegt ze het: „Kom eens kijken, Mattie. Ik heb een aanbod, van oom Ruud. Als we willen, kunnen we hier met elkaar een week of wat heen."

Matteke's blauwe ogen beginnen te glanzen. „Willen we?" vraagt ze ten overvloede.

Van het gezicht van haar moeder lijken alle zorgenrimpels weggestreken. Mooier lijkt ze zo. Jonger, ziet Matteke met verwondering. Dat komt door de lach, die ze zo lang op dat lieve moedergezicht heeft gemist. De sfinx heeft haar raadselachtige reserve laten vallen en zich overgegeven aan die hartverwarmende gloed die haar versteende hart doet herleven.

HOOFDSTUK 18

Het is een sprookje.

De azuurblauwe lucht die tot nu toe geen wolkenjas nodig heeft gehad, omdat er altijd de warme zonnegloed is, van 's morgens vroeg tot de zon wegzinkt achter de blauwe bergen...

In bikini ontbijten op het houten terras, uitgebouwd boven een lager gelegen pad...

Ilse zucht van verrukking. Dan, denkend aan moeders ontstemde gezicht, toen ze voor het eerst zo schaars gekleed aan de ontbijttafel, alias picknicktafel verscheen, lacht ze ondeugend...

Sindsdien zijn er meer van dergelijke momenten geweest voor moeder Josefien en... vader Martin.

Op dit moment ziet Ilse haar zuster Hetty naar buiten komen, een haakwerkje in haar hand. Ilse rilt. Bij zulke tropische temperaturen aan zo'n handwerk zitten friemelen, het gaat haar pet te boven...

Hetty bezint zich een ogenblik. Waar is het 't koelst? Op het houten terras waait een lekker windje, omdat het hoog boven de rondweg die om het bungalowpark heen slingert, is gelegen. Ze sleept een witte stoel onder een spar. De stam lijkt dwars door de plankenvloer heen te groeien, maar dat is natuurlijk niet het geval. Er zijn keurige rondjes in de vloer van het terras uitgezaagd voor de sparren, die voor wat schaduw moeten zorgen.

Toch kan ze er nog niet toe komen te gaan zitten. Ze legt het ecru-kleurige garen op de tuintafel en leunt met haar ellebogen op de balustrade.

Ze tuurt naar de wazige bergen, die de laatste keten vormen. Daarachter is de zee, waar ze 's avonds zo graag toeft. Slenterend langs de boulevard, of zo maar stil genietend vanaf een terrasje...

Ilse houdt zich muisstil. Hetty heeft haar klaarblijkelijk nog niet opgemerkt. Zij ligt hier ook wel te stoven, pal in de zon, achter de gemetselde bloembakken waarin prachtige felrode bloemen. Ze wil haar zuster roepen, maar iets in dat stille kijken weerhoudt haar vooralsnog.

Hetty bemerkt niets van Ilse's aanwezigheid. Ze geniet met volle teugen van deze heerlijke vakantie. Van dit zonovergoten land met z'n schitterende natuur. Z'n overdadige weelde aan planten en bloemen... Al mocht de temperatuur wat haar betreft wel iets minder hoog zijn. Ze zou dan vast méér ondernemen en er vaker op uit trekken. Hoewel... om vader en moeder gaat dat niet. Haar zusje wil ze zo min mogelijk inschakelen, omdat zij het hele jaar door al zoveel met de zorgen en problemen van thuis bezig is. Ilse moet in de eerste plaats een fijne vakantie hebben...

Wat komt nu als een schaduw sluipen langs de struiken en vleugt op het verkoelende briesje de geur van lavendel met zich mee, van de paars-blauwe bloempjes die overdadig bloeien langs de paden, beneden haar? Waarom heeft de zang van het onzichtbare krekelkoor ineens iets sombers? Hetty probeert zich aan die aansluipende schaduwen te onttrekken.

„Mooi hè?" vraagt een zachte stem naast haar.

Hetty draait haar hoofd naar rechts. „Je bent helemaal verbrand. In je gezicht en op je rug en benen. Je moet niet zo pal in de zon gaan liggen," zegt ze tegen Ilse. „Moet je nóg bruiner soms?"

Ilse lacht onbekommerd. „Als dát zou kunnen!" Ze wappert zich koelte toe met haar boek. „Zijn ze binnen al wakker?"

„Nee! Laat ze nog maar even. Ze kunnen slecht tegen die middagwarmte."

„Ja, jammer! Zeg, ik ga naar het zwembad hoor. Ik kom straks wel terug om wat te drinken. Ik verveel me een ongeluk. Iedereen is bij het water."

„Ga maar, ik blijf wel hier." Hetty kijkt het gebruinde figuurtje, dat zo prachtig uitkomt in de witte bikini, wat triest na. Ze ziet hoe Ilse bij iedere stap de wit met zilveren badtas — cadeautje van Bert — tegen haar lange blote benen zwiept. Een stralend jong meisje. . .

Ineens haat ze die afschuwelijke geur, die haar ook tegemoet golfde bij het lezen van Berts afscheidsbriefje, vorig jaar. . .

De geur die voor haar eenzaamheid en verdriet vertegenwoordigt, al lijkt dat onverklaarbaar. Wat heeft het parfum van die lipbloemige plant nu voor affiniteit, voor verwantschap, met háár, Hetty Prins?

Ineens is ze weer de flinke, efficiënte cheffin van de typekamer. Vooruit, Hetty Prins, géén zelfbeklag, géén muizenissen op zo'n verrukkelijke dag als vandaag. Kijk naar de natuur om je heen, geniet en wees dankbaar dat je dit mag zien en beleven. En ga met je zorgen en je diepste verlangens naar God, die je helpen zal en troosten. . .

Ze gaat aan het tafeltje zitten en pakt het door Ilse verguisde handwerkje op. Maar als het al later wordt, ze thee heeft gezet en haar ouders nog steeds de warmte ín de bungalow verkiezen boven het terras waar toch af en toe zo'n heerlijk windje waait, staat Hetty op.

Ze klimt langs hetzelfde pad omhoog waarlangs Ilse is gegaan. Eenmaal op het hoofdpad gaat ze echter het volgende zijpad weer naar beneden. In één van de bungalows aan haar rechterhand woont het gezin van Frans' zuster. Meer dan eens heeft ze daar de afgelopen week 's middags een uurtje doorgebracht. Als haar ouders en de kleintjes van Cuny siësta hielden en de zuster van Frans net als zij zelf met een hand- of verstelwerkje onder de bomen zat te luieren. Net als deze middag.

Zodra het donkerblonde figuurtje in lichtblauw-wit-gestreepte short en dito topje Hetty ziet komen, glijdt er een lach over het geestige gezicht met de zonnige blauwe ogen. Precies

Frans, in zijn onbezorgde studentenjaren, stelt Hetty opnieuw vast.

„Ha, die Hetty! Ik zat al naar je uit te zien. Iedereen ligt in of bij het zwembad, maar ik weet dat jij het te warm vindt om deze tijd. Daarom dacht ik wel dat je zou komen."

Speurt ze iets van een hunkering in Cuny's stem? Ze is nog zo bloedjong en door de twee kleintjes erg aan het bungalowtje gebonden... „Als jij een duik wilt nemen... ik blijf hier wel een poosje om op de kinderen te letten."

„Meen je dat? O, maar daarom zei ik het niet, hoor."

„Doe niet zo mal. Ik zit hier werkelijk liever in de schaduw wat te handwerken. Straks ga ik nog wel zwemmen en vanavond wil ik er eens in mijn eentje op uit."

Cuny hoeft al niet meer overgehaald te worden. Ze snakt werkelijk naar een verkoelend bad. Na een paar minuten verschijnt ze al in badpak, de badtas over haar blote schouder.

„Ik ben over een half uur terug. Je pakt maar iets fris, je weet het wel te staan. En alvast bedankt, hoor."

Hetty, nauwgezet als ze is, overtuigt zich er van tijd tot tijd van of de kleintjes nog slapen. Als ze na één zo'n verkenning terugtreedt in het helle zonlicht, staat Frans ineens voor haar neus.

„Dacht ik het niet? Aan het baby-sitten inplaats van te liggen zonnen bij het zwembad of aan het strand. Kan mijn zus zelf niet op haar spruiten passen?"

„Ik heb het áángeboden. Cuny snakte ernaar om even te zwemmen. En ik geef er niet zoveel om. Het is daar zo'n gekrioel bij dat bad en al die jongelui... daar erger ik mij tóch alleen maar aan... zo vrij als die met elkaar omgaan..."

„Stel je niet aan. Je lijkt wel een oud besje," zegt Frans kwaad. „Je moest wat van Ilse's schwung hebben, dat kind geniet hier intens. Ik zou willen dat jij dat ook deed, Hetty."

Dát had hij niet moeten zeggen. Over Ilse. Niet nu, niet zo kort na die geur die hóórt bij een oud besje. Bij alleen-zijn en zielig en... en... Driftig veegt Hetty langs haar ogen. Omdat ze plotseling weet hoe het komt, dat ze die geur haat. Vroeger, als klein meisje, zocht ze samen met moeder nogal eens een oude tante op. Ze woonde in een kamertje met een bedstee en was altijd hartroerend blij als iemand haar opzocht. Ze kon bijna niet lopen. Ze gebruikte een stok, herinnert ze zich en ze kreeg altijd een kleverige boterbal van het oude mensje als ze weer wegging. In dat kleine, bedompte kamertje hing dezelfde geur die haar toewaaide op het balkon. . .

„Wat doe je? Wat heb ik miszegd?" vraagt Frans verbaasd. „Ik bedoelde er niets kwetsends mee, Hetty."

„Daar komt je zus," ontdekt Hetty opgelucht. „Ik ga er meteen vandoor. Mijn vader en moeder zullen nu weleens uit bed zijn, denk ik."

„Wat heeft die opeens een haast." Cuny schudt haar natte hoofd. „Hebben jullie weer ruzie gemaakt? Ik had net zo'n stille hoop, dat het weer goed zou komen tussen jullie. . . Hè Frans, waarom moet dat nu zo?"

„Ik weet het ook niet. Ze is zo snel aangebrand, heel anders dan Ilse. . . Zoiets zei ik geloof ik ook. . ."

Cuny grijpt vertwijfeld naar haar natte haren. „Suffie! Dat is ongeveer het domste dat je tegen haar kon zeggen. Dan vraag je toch ook om moeilijkheden? Ilse is een stuk jonger, dat is nog een kind. En Hetty een zelfstandige vrouw met een verantwoordelijke baan. Ze is misschien niet zo vlot als haar jongere zusje, maar als je het mij vraagt, is ze híer, van binnen, veel gevoeliger, hoe moet ik het zeggen: spontaner, dan ze de goegemeente wil laten geloven."

Frans slaat zijn arm om haar schouder. „Dat is mij uit het hart gegrepen, zusjelief. Ik bestorm die moeilijk te nemen vesting nu met nieuwe moed, dankzij jou. Maar wees ervan overtuigd, dat dit niet dan met grote inspanning gepaard gaat."

„Ze is het waard," is Cuny's snedig commentaar.

Hetty, onbewust van het feit, dat ze het onderwerp van gesprek is tussen broer en zus, slentert via een omweg terug naar hun bungalow. Op haar weg komt ze langs het hart van het park, waar de winkeltjes zijn, het restaurant, de pizzeria en het trapsgewijze tegen een helling gebouwde terras, waar veel parkbewoners 's avonds genieten van het schitterende uitzicht op het verlichte zwembad beneden hen en de bergen verderop.

Op het trapje met de ruwe rotsstenen, blijft Hetty een ogenblik staan, om te kijken naar het kleurige schouwspel beneden zich. Ze ontdekt haar zusje op het plekje waar ze zich dagelijks met een stel jongelui van allerlei nationaliteiten ophoudt. Hetty voelt een steek van jaloezie, als ze het ranke, welgevormde figuurtje volgt, als ze — achterna gezeten door een paar gebronsde jongens — pardoes het water induikt. O, nog zo onbezorgd te kunnen genieten, nog zo vervuld van idealen je te koesteren in een jeugdig cocon...

Maar dan denkt ze met schaamte: Ilse is verre van onbezorgd. Ik wilde juist dat ze deze vakantie genieten zou. Hè, wat bezielt me toch? Ben ik dat kind weer ouderwets aan het afkatten. Omdat ze heel goed weet hoe dit komt, zet ze de pas er maar weer in. Nu richting tennisveld, waar ondanks de hitte van de dag toch gespeeld wordt en getuige de grote belangstelling, niet onverdienstelijk ook.

Hetty zet zich op een stenen bankje om het behendige spel van de spelers te kunnen volgen. Verrast herkent ze in één van de heren haar broer Bert. Met nog meer interesse volgt ze nu het spel, voornamelijk dat van de blonde jongeman in zijn onberispelijk witte tennistenue.

Er is nóg iemand, die zo mogelijk met nóg meer spanning dezelfde figuur volgt. Als Hetty's ogen een moment afdwalen, ziet ze haar vader verderop aan haar linkerhand. Hij ziet haar niet, hij heeft slechts oog voor haar broer Bert.

Alle teleurstelling om de lauwe begroeting tussen Bert en zijn ouders, alle vervlogen hoop op een totaal herstel van de breuk tussen hen, komen weer vol hevigheid in Hetty boven. Ze weet, dat ook Ilse die kent en Bert zelf in de eerste plaats. Na die eerste ontmoeting is hij hen stelselmatig zoveel mogelijk uit de weg gegaan. Hij moet hier hard aanpakken en zijn vrije tijd leek er dikwijls bij in te schieten. Nu ziet ze echter dat hij die wel degelijk heeft: hij heeft immers wel tijd om te tennissen?

Juist wil ze opstaan om haar moeder gezelschap te gaan houden, als ze ziet dat de set is afgelopen en haar vader naar de plaats stapt waar Bert zich met een handdoek staat af te drogen...

Martin Prins is stokstijf blijven staan, toen hij zijn zoon met zoveel verve de tennissport zag bedrijven.

Zijn vingers omgrijpen het gaas van de afrastering. Kan dit dezelfde persoon zijn, die hij heeft zien lopen in hun stadje: vuil en ongeschoren, met weinig meer dan plodden aan zijn magere lijf? Dezelfde die hem de grofste verwijten in zijn gezicht slingerde en wiens denkwereld lijnrecht tegenover die van hem zelf stond? „Hij is hard op weg een alcoholist te worden," heeft Frans hem meer dan eens gezegd en informaties en berichten die hem door anderen ter ore kwamen, bevestigden dit.

Vorige week heeft hij tegenover een totaal andere jongeman gestaan. Goed gekleed, geknipt en geschoren... gebruind door de rivièra-zon. Zo anders had hij zich de voorbijgegane maanden dit weerzien voorgesteld, dat hij totaal verbouwereerd was. En zijn vrouw Fien is het evenzo vergaan. De teleurstelling en het verdriet in de ogen van zijn zoon achtervolgen hem sindsdien.

Hij is er zich van bewust, dat de eerste stap door hem gezet dient te worden. Hij, als vader, is in hoge mate te kort geschoten. Dat zal hij Bert moeten belijden, zoals hij het God heeft gedaan. O, nog niet zo heel lang geleden. Zijn hoogmoed en trots zaten hem gruwelijk in de weg. Maar het moeilijke jaar dat achter hem ligt, is er niet voor niets geweest. Met vallen en opstaan hebben Fien en hij elkaar weer teruggevonden. Veel hebben ze elkaar moeizaam opgebiecht. Veel hebben ze samen gepraat over de fouten die ze hebben gemaakt. Maar dat is nog heel wat anders dan dat te bekennen aan je kind. . .

Toch, als het spel is afgelopen, dwingt hij zich in de richting van de beide spelers, die zich wat verfrissen.

„Bert," roept hij door het gaas heen, als hij dichtbij is.

Bert Prins hoort zijn naam roepen. Als hij ziet wie hem roept, komt hij onzeker naar de uitgang. „Hallo vader," groet hij neutraal.

„Ik heb naar je gekeken. Je speelt voortreffelijk, jongen. Ik wist niet dat je dit kón," zegt Martin en hij probeert niet te laten merken hóe gespannen hij zich voelt.

Oudergewoonte wil Bert antwoorden: Er is zoveel dat u niet weet. Of: U vindt toch dat ik niets kan? Maar dan treft hem iets hulpeloos in de ogen achter de donkeromrande bril. Zo heeft hij vader nog niet eerder zien kijken in zijn nabijheid. „Ik heb ook missers gemaakt. Heeft u die niet gezien?" tracht hij te schertsen.

„Onzin. Je spel is prachtig om te zien. Ik wist niet dat je zo'n kei was," prijst Martin nogmaals.

„Ik zelf ook niet. Misschien heb ik er een beetje feeling voor. Ik ben er hier pas mee begonnen."

„Een beetje. Kom-kom, niet zo bescheiden." Ze zien elkaar aan, tastend elkaars gedachten en gevoelens. „Moet je nog verder spelen, of. . .?" vraagt Martin dan.

„Nee. Ik wilde ginds even wat drinken bij de bar. Ik heb een dorst! Iets fris," zegt hij er haastig achteraan. Dat hij die verraderlijke drank voorgoed heeft afgezworen weten ze thuis misschien niet eens. Daarover heeft hij nooit iets geschreven. Eerst moet ik laten zien dat het me ernst is, zo heeft hij gedacht.

„Vind je... heb je er bezwaar tegen, als ik je vergezel?" vraagt Martin timide.

„Nee, natuurlijk niet, vader."

Hetty ziet die twee samen gaan en een gevoel van diepe dankbaarheid welt in haar op. Weer een stapje, denkt ze. En al die stapjes samen zullen het begrip en het respect voor elkaar langzamerhand gaan herstellen. Met energieke passen gaat ze terug naar moeder Josefien.

Mevrouw Prins zit onder de pijnbomen bezijden de bungalow. Bij eerste oogopslag constateert Hetty dat er iets mis is. Haar oog valt op een geopende luchtpostbrief.

„Van thuis?" vraagt ze haperend.

„Van je broer Han. Hij schrijft..." Josefien kan ineens niet verder spreken.

Hetty pakt de brief op. „Hij is aan mij geadresseerd, moeder," zegt ze strak.

„Ja, dat zag ik pas, toen ik hem al open had. Maar ik dacht... hij is immers van Han? Waarom zou ik als moeder niet mogen weten wat erin staat?"

„Die vraag kunt u inmiddels zélf beantwoorden, moeder. Han schrijft waarschijnlijk iets, dat hij liever eerst aan mij vertellen wilde."

„Er is ingebroken. Meteen de eerste nacht na ons vertrek al. Zou ik dat zelf niet mogen weten? Wel nu nog mooier..." Verontwaardigd kijkt Josefien haar oudste dochter door haar tranen heen aan.

Hetty begint onverstoorbaar te lezen. „Hm... nou, in ieder geval beter dat we het nu weten, dan dat we nietsvermoedend binnenstappen, over een paar weekjes," zegt ze als ze de brief uit heeft.

„Je denkt toch niet dat ik hier blijf?" vraagt Josefien met overslaande stem. „Ze hebben onze mooie antieke spulletjes meegenomen en alles overhoop gehaald... beschadigd... kapot. O, het dringt nu pas goed tot me door hoe alles eruit moet zien. En jij wilt hier rustig verder vakantie houden. Wat ben jij toch voor een ongevoelig kind? Snap je nu echt niet dat ik meteen terug moet?"

„Nee," brengt Hetty er gesmoord uit. Ze vliegt naar binnen, zó tegen haar beheerste natuur in, dat Josefien op slag haar eigen schrik en ellende vergeet. Ze staat op en gaat achter haar dochter aan.

Ze vindt Hetty star voor zich uit starend op haar bed zitten.

„U had me niets ergers kunnen zeggen, dan juist dát," zegt ze met verstikte stem. „Laat me alstublieft alléén."

Josefien sluit zacht de deur. Wat heb ik gezegd? vraagt ze zich geschrokken af, dat ik Hetty zó gekwetst heb? Dat ze ongevoelig was of zoiets... moet ze zich dat nu zó aantrekken? Zuchtend gaat ze terug naar haar plaatsje in de schaduw. Ik weet zeker, dat Martin ook terug wil, denkt ze.

Ze draait haar hoofd om, als ze voetstappen hoort op de kiezelstenen van het pad. Een ogenblik is het alsof alles om haar heen draait. Daar komt Martin en naast hem loopt Bert. En ze praten samen en gebaren naar elkaar en...

Alle spanning, zorg om Martin, plus het nare bericht van thuis, eisen nu hun tol... Duizelig grijpt ze zich vast aan de rand van de tafel. Als ze bij haar zijn, is ze dat vreemde gevoel min of meer weer meester. „Martin... Bért," zegt ze stotend...

„Die Bert van ons, die kan ténnissen," zegt Martin met gepaste trots. „Daar moet jij ook eens naar komen kijken, moeder. Maar hij heeft nu vreselijk dorst."

„Ik wilde naar bar Cri cri om iets te drinken. Maar toen stelde vader voor dat hier te doen." Het klinkt als een verontschuldiging. En of het nu de stomme bede is, die als twee levensgrote vraagtekens in zijn ogen staat te lezen, of het nerveuze kuchje, dat ze nog zo goed kent van vroeger, Josefien weet het niet. Maar wél dat haar moederhart zich ineens wijd opent voor dit kind, dat zolang verstoken is gebleven van ouderliefde. Als Mártin de weg terug heeft gevonden, kan zíj dan achterblijven?

„Bert, jongen," zegt ze met een snik en dan gaat ze op haar tenen staan en trekt dat gebruinde jongensgezicht naar zich toe. En Bert slaat zijn armen om zijn moeder en zo staan ze een tijdlang, omdat ze nog geen woorden vinden om de kloof te overbruggen, huiverig als ze zijn om een verkeerd woord te gebruiken. Maar de wijze waarop ze elkaar omarmen is welsprekend genoeg.

De aanblik van moeder en kind drijft Martin de tranen naar de ogen en hij, de nuchtere, de hoogmoedige, schaamt zich er niet voor. Net als bij het tennisveld beseft hij dat het veel tijd, veel strijd gekost heeft om te buigen. Om zich gewonnen te geven aan een liefde die ons verstand te boven gaat. Om met zijn hárt te belijden: God, ik heb het zo verprutst. Ik heb het zo vreselijk verknoeid. Neemt U dat broddelwerk mij uit handen.

Vergeef mij, help mij en leer mij voortaan mijn weg te gaan met U.

Vreemd, nu hij dit zo overweegt, lijkt ook dat allerlaatste restje trots te smelten, dat hem nog steeds belemmert helemaal schoon schip te maken.

Hij omvat die twee — en toch één — met beide armen en dan vraagt hij, híj, Martin Prins: „Bert, Bert... jongen, kun jij het je vader en moeder vergeven? Alles wat gepasseerd is? Wat gezegd is en nooit gezegd had mógen worden? Wij hebben elkaar een heleboel verdriet gedaan, jongen."

En dan staat daar ineens dat bruine jongenslijf van een meter zevenentachtig lang ook een potje te huilen. Maar dat geeft helemaal niet, want hij doet het niet alleen. Samen met zijn ouders en o, hij heeft immers zelf ook schuld? Hij is bij lange na geen lekkere jongen geweest. Hij zal ook nooit een Han-figuur worden. Altijd zal er wel iets zijn om tegen te steigeren en over veel dingen die oneerlijk zijn op dit keiharde wereldje zal hij zijn gal blijven spuwen. Maar er is een dag geweest dat hij diep-ellendig lag op zijn matras en plotseling een stem hoorde...een vreemde voorkeur... God zélf heeft een vreemde voorkeur. Want hij zoekt juist mensen als hij. Mislukkelingen, verslaafden, wanhopigen, gedemoraliseerden... voor hen heeft Hij een zwak. En Hij maakt zich aan hen bekend door middel van mensen. Soms alleen maar door zich te bedienen van een stem... Dit alles doorflitst Bert, maar hij kan zijn ervaring nog niet doorgeven aan de twee mensen, waaruit hij geboren werd... Misschien zal hij het nooit kunnen. Er zullen weer misverstanden komen en verwijten over en weer. Hij is realistisch genoeg om dat te zien. Maar toch... er is schuld beleden, niet alleen met de mond. Het is zijn vader aan te zien, dat hij een zwaar jaar achter zich heeft. En ook moeder is oud geworden...

Hij kust, wat schuw nog, haar natte wangen en dan legt hij ook, in een oud, vergeten gebaar zijn hoofd tegen vaders schouder. „Ik vraag jullie hetzelfde," zegt hij schor. „Ik heb het jullie ook verdraaid lastig gemaakt. Ik... ik heb daar veel spijt van. Ik hoop, dat ik jullie kan laten zien dat het me ernst is om mijn leven anders in te richten."

„Dat zien we immers al? Kom Bert, we gaan hier een glas op drinken. Een glas op een nieuwe toekomst. Voor jou en voor ons..."

Ilse komt het pad aflopen op het moment dat ze hun glas

heffen: vader, moeder en Bert.

Met stralende ogen vliegt ze op hen af. „O, jongens, nu is alles pas echt fijn. Jullie zijn weer helemaal goed op elkaar, hè?" is haar wat kinderlijke commentaar. Moeder Josefien zegt met een gelukkig lachje: „Ja kind, we hebben eindelijk alle drie ons koppige hoofd gebogen."

„Onze knieën," verbetert Martin. Maar omdat ze één voor één weten, dat het waar is en niet slechts een vroom gezegde, volgt er geen spottende opmerking. Noch van Bert noch van Ilse.

„Mag ik ook een glas fris? Ik haal zelf wel," zegt Ilse en er in één adem achteraan: „Waar is Hetty? We gaan vanavond met het hele stel een boulevardje pikken. Jullie doen toch ook mee?"

„Als de uitnodiging ook voor ons bedoeld is?"

„Tuurlijk. De zuster van Frans en haar man gaan ook. Cuny heeft het speciaal gevraagd. En jij Bert, jij bent toch ook van de partij?"

„Vanzelf," zegt zijn vader voor hem. „Hij hoort er toch ook bij?"

„Nou, waar is Hetty nou?" herhaalt Ilse al met een voet binnen.

„Op jullie kamer. Ze is van streek. Oh. . ." Josefien denkt nu pas weer aan de brief met de onheilstijding. Haastig steekt ze hem haar man toe. „Van Han, lees maar gauw." En tegen Bert: „Er is ingebroken, thuis. Veel weggehaald en overhoop."

Maar gek, het lijkt ineens niet meer zo heel belangrijk. En Martin vergaat het precies zo.

Zodra hij de brief heeft gelezen, steekt hij hem zijn zoon toe. „We zijn blijkbaar veel kwijtgeraakt, Fien. Maar we hebben er veel meer voor teruggekregen, dacht ik zo."

Voor dit antwoord moet Josefien hem spontaan een kus geven en Bert zendt die twee een blik, waarvan hijzelf niet beseft, hoeveel warmte en genegenheid die inhoudt.

Ilse vindt haar zuster in een van de twee slaapkamers die het bungalowtje rijk is.

„Hetty," vraagt ze ontdaan, „wat is er? Is het om die inbraak? Huil je daarom?"

Hetty schudt wild haar hoofd. Woedend omdat haar jongere zus haar in haar zwakte heeft betrapt.

„Bert is er. Het is nu echt goed! Ben je een beetje blij, Hetty?"

„Natuurlijk," zegt deze gesmoord. „Toe, laat me nu maar even. Het gaat wel weer over."

Zou het met Frans te maken hebben? gist Ilse. „We gaan allemaal met elkaar naar de boulevard vanavond. Bert gaat ook mee," bericht ze dan.

„O, nou reken maar niet op mij. Ik ga er alleen op uit, vanavond."

Ilse gaat verslagen terug naar de anderen. Is eindelijk alles fijn en dan zet Hetty weer een domper op je blijheid. Waarom wil dat nare kind nu niet mee? Zul je Frans horen, hij rekent er natuurlijk vast op, dat Hetty ook van de partij is.

„Ik ga nog even naar de supermarkt. Haarversteviger halen," zegt Ilse als ze haar glas leeg heeft. „Ik ga zover mee," zegt Bert. Gearmd, ondanks de warmte, zien Martin en Fien de twee het pad opklimmen.

Er is een vlugge blik over en weer, waarin de één bij de ander eenzelfde gelukkige glans ontdekt.

„Daar gaan onze jongsten," zegt Martin schor.

„Ik ga even bij Hetty kijken. Die heeft het op het ogenblik moeilijk," is Josefiens antwoord. Als Martin hierop een wedervraag stelt: „Wat is er dan met Hetty?" weet Josefien dat er wel degelijk iets veranderd is.

Dat ze nu pas echt ouders zijn, al hebben ze dan vier volwassen kinderen...

HOOFDSTUK 19

Ilse heeft zich die avond extra mooi gemaakt. Het is zo'n feestelijk gevoel om uit te gaan. Al is het fantastisch de hele lange dag door te brengen in en bij het schitterende zwembad, nog fijner is het om je 's avonds mooi aan te kleden. Altijd in bikini lopen gaat tenslotte ook vervelen.

Ilse kiest een lichtrose pakje van zeer dunne stof, dat bestaat uit een lange, wijde rok en een diep uitgesneden bloesje. Haar blonde haren heeft ze gewassen, zodat ze glanzen en nog lichter lijken door de zon...

Kritisch bekijkt ze het meisje in de spiegel. Hoe zie ik er uit? vragen haar ogen.

Frans geeft daar antwoord op, als hij, ruim voor de afgesproken tijd, bij de familie Prins verschijnt.

„Wat zie jij er adembenemend uit, baby," begroet hij haar, nadat hij dat eerst Ilse's ouders heeft gedaan.

Josefien kijkt gealarmeerd bij die woorden. Ze ziet, als door vréémde ogen, het fijne gezichtje, het prachtige, gebruinde figuurtje... Frans... Ilse... en Hétty dan? vraagt ze zich bekommerd af. Ze voelt pijn om haar oudste dochter, als ze de ogen van haar jongste óp ziet lichten bij Frans' onversneden compliment.

O, als Hetty hem maar niet gehoord heeft. De ramen van haar slaapkamer staan wagenwijd open en Josefien weet, dat Hetty daar bezig is zich te verkleden. Maar niet om met hen mee te gaan.

„Ik ga alleen. Laat me met rust...," heeft ze nog eens nadrukkelijk herhaald.

Josefiens hoop wordt niet bewaarheid. Hetty heeft wel degelijk gehoord hoe Frans Ilse zijn bewondering liet blijken. Sterker: ze heeft gezíen hoe hij naar haar jongere zusje keek. Koortsachtig heeft ze de knoopjes vastgemaakt van haar witte bloes. O, wat is het verstandig, dat ze gezegd heeft niet mee te gaan vanavond. Ze vóélt gewoon dat er iets staat te gebeuren... Ze ziet ze al zitten samen op het terras: Frans' familie en de hare. Samen het glas heffend op het jonge paar... ze heeft het immers aan zien komen? Ze heeft het gevoeld, gemerkt aan kleine dingen. Alleen: ze heeft het niet wíllen zien, dwaas die ze is.

Hardhandig haalt ze een kam door haar korte lokken. Hoe kom ik weg zonder dat ze het merken? Er is maar één oplossing: door het raam en dan tussen de struiken door. Als ze over het pad gaat, zullen ze haar zeker opmerken. Ze schaaft haar been aan het ruwe hout van de vensterbank, maar dat merkt ze pas veel later. Nu is er maar één ding van belang: weg! Weg van al die blijde gezichten, omdat ze zelf niet anders voelt dan een vreemde, knagende pijn binnenin haar. Natuurlijk is ze dankbaar en opgelucht dat Bert eindelijk in de ogen van zijn ouders is gerehabiliteerd en dat ze de weg naar elkaar hebben teruggevonden. Maar zelfs deze wetenschap vermag niet dat andere weg te drukken. Ze had nooit aan dit plan moeten meewerken. Het is moordend om drie weken in Frans' nabijheid te vertoeven en aan te moeten zien, hoe er een romance opbloeit tussen hem en haar zusje...

Hetty schramt ook haar arm als ze tussen de struiken door

zich een weg baant naar de rij bungalows achter die van hen. Maar het lukt. Eenmaal op het hoofdpad, dwingt ze zich gewone stappen te nemen. Ze hoopt, dat ze niet lang hoeft te wachten op de bus, die vlak voor het park stopt. Ze boft, want binnen vijf minuten ziet ze hem al komen. Snel stapt ze in. Ook dwingt ze zich alles in zich op te nemen, waaraan het hobbelende vervoermiddel haar voorbijvoert. De fruit- en wijnstalletjes langs de weg, de ruïne van een oud kasteel, te midden van de meest vreemdsoortige coniferen die ze ooit zag. En daar is al het gebouwencomplex van de infanterie. Overal ziet ze groene uniformen nog volop bezig op de militaire oefenterreinen...

Nu weet Frans intussen dat ik er op zo'n kinderachtige manier vandoor ben gegaan. Nee, niet aan denken. Kijk, die ananasboom, schitterend, en o, nu rijden ze al langs de oude brokkelige stadswal of wat daar van over is... Daar is alweer de rue Gambetta, nog éven en ze zijn aan het begin van de boulevard.

Zodra de bus stopt, wipt Hetty eruit. Ze mengt zich tussen de vele wandelaars, vastbesloten om ergens een stil plekje op te zoeken langs het smalle zandstrand om te kijken naar de blauwe zee, net zo lang, tot het pijnlijke bonzen van haar hart minder wordt...

Frans heeft al een paar keer terloops op zijn horloge gekeken. Hetty zal zich binnen ook aan het kleden zijn. Maar hij kan zich niet voorstellen, dat dit zoveel tijd vergt. Hetty houdt immers niet van make-up en opsmuk. Als het Ilse nu was... En zíj zit hier al minstens een kwartier mooi te wezen.

Eindelijk kan hij het niet meer uithouden. „Hetty binnen?" vraagt hij.

„Ja, op haar kamer. Ze is zich aan het omkleden," vertelt Josefien nerveus.

Frans trekt zijn wenkbrauwen op. „Ze weet toch dat we om half acht bij Cuny en Patrick zouden zijn?"

Er valt een pijnlijk stilzwijgen. Ilse verbreekt dit. „Hetty gaat niet mee. Ze wil er alleen op uit, vanavond."

Het gezicht van de jonge dokter wordt donker. Zijn ogen krijgen iets getergds. Wil ze me ontlopen? Is dat om vanmiddag, of vergissen Ilse en ik ons grandioos? Maar dan, vastberaden, springt hij overeind. Hij gaat zonder meer naar binnen.

Martin en Josefien kijken elkaar bedrukt aan. Maar Ilse zegt gnuivend: „Zo mag ik het zien, Frans. Actie en je niet laten intimideren door vrouwengrillen."

Binnen de kortste keren is Frans terug. Zonder Hetty, maar met een gezicht dat op tien dagen storm staat.

„Ze is er niet," bericht hij met nauw bedwongen woede. „Iemand van de aanwezigen misschien gemerkt, dat ze weg is gegaan?"

„Ze was er nog toen jij kwam. Dat weet ik zeker. Ik zal wel even kijken. Misschien dat ze op onze kamer is." Josefien gaat haastig het huisje binnen.

Frans doet er het zwijgen toe. Hij kan moeilijk vertellen dat hij al zo brutaal geweest is, om ook in het andere slaapvertrek te kijken. Hetty is gevlogen en heeft zo een spaak gestoken in hun plannetje om met allemaal — Bert incluis — vanaf een terrasje op de boulevard van de zee te genieten.

„Ze is weg," bericht ook Josefien bedrukt. „Hè, waarom niet even gedag gezegd?" Ze moet gehoord hebben wat Frans tegen Ilse zei, denkt ze zorgelijk.

Ilse merkt pienter op: „Ze is niet door de deur gegaan. Er is er maar één en daar zitten we allemaal met onze neus op."

„Dus door het raam. Nou, een flauwe kwajongensstreek. Ik had Hetty hoger geschat," briest Frans.

Ilse schiet in de lach. Ze ziet haar zuster al „op hoge benen" door het raam stappen. Haar rokken bijeenhoudend, vér opgestroopt.

Frans kijkt haar vernietigend aan. „Valt er te lachen?"

„Ik zie het voor me: mijn kuise, degelijke zuster, klimmend door een raam," sniklacht Ilse . . .

Maar Frans kan er op dit moment de humor niet van inzien. „Ilse, ga jij maar met je ouders naar Cuny. Bert zou daar ook komen. Ik kijk of ik Hetty nog kan tegenhouden bij de bushalte. En komen jullie dan zo gauw mogelijk naar het parkeerterrein. Ik breng jullie naar de boulevard en probeer dan Hetty op te sporen. Tenminste . . . als de bus weg is, wat ik vrees."

„Hoe weet je dat Hetty naar de kust is? Ze kan het binnenland wel zijn ingegaan. Er gaat ook een bus de ándere kant uit," kan Martin niet nalaten op te merken.

Frans heeft daar geen antwoord op. Hij weet hoe Hetty urenlang kan genieten van de aanblik van de blauwe Méditerranée. Hij weet ook, dat ze deze avond daar haar troost moet hebben gezocht.

Zodra ze de boulevard opdraaien, zegt Bert enthousiast: „Er ligt een oorlogsschip gemeerd in het haventje. Wie heeft er belangstelling?"

„Ik," zeggen Martin en Ilse tegelijkertijd.

„Nou, dan gaan jullie daar eerst kijken. Ik zal Cuny en Patrick waarschuwen, dat ze moeten stoppen."

Ze spreken af, dat Josefien en Patricks ouders vast ergens een gezellig plekje zullen zoeken op een terras en dat de rest naar het haventje zal wandelen.

„Behalve ik," zegt Frans. „Ik wil proberen onze wegloopster op te sporen. Ik heb er alle mogelijke begrip voor, dat iemand er graag eens alleen op uit wil gaan. Maar niet op zó'n manier!"

„Waar zien we elkaar?" vraagt Martin praktisch.

„Er is een enig dingske, 'la Lavande', ongeveer halverwege de boulevard. Er is daar later op de avond altijd een strijkje. Sfeertje, mensen!" zegt Cuny levendig.

„Goed, bij 'la Lavande'. Nemen jullie gerust vast wat, als ik te lang op me laat wachten." Met een armzwaai verdwijnt Frans tussen de vele geparkeerde auto's door.

„Die schijnt precies te weten, waar hij Hetty moet zoeken," zegt Cuny verbaasd. Ze denkt aan het voorval van deze middag. Je hebt het door die opmerking danig verprutst, broertjelief. Ik hoop, dat je de zaak weer recht kunt breien. Maar o, wat kunnen mannen ontactisch zijn. Nou ja, niet iedere man natuurlijk, denkt ze met een gelukkig lachje naar de Engelsman die nog steeds alles voor haar betekent.

Frans zoekt automatisch zijn weg tussen de vele slenterende badgasten door. Verder, steeds verder dwaalt hij af van de anderen, van het plaatsje hoog tegen de bergen gebouwd, dat straks, als de lichten weer aangaan, een sprookjesachtige aanblik zal bieden.

Zijn scherpe blik tuurt de smalle kuststrook af. Veel verder kan hij niet, want het strand houdt hier op en rotsblokken belemmeren een verdere doorgang.

Als hij die enorme steenbrokken heeft bereikt, is er van Hetty nog steeds geen enkel spoor. Zou ze dan tóch het drukke gewoel op de boulevard verkozen hebben boven de afzondering?

Halverwege een rotsklomp gaat Frans teleurgesteld zitten. Onder hem breekt de rots het zeewater, dat hier met kracht tegenaan slaat. Hij laat zijn ogen verder dwalen, tot áchter de rots waar hij is gaan zitten. En dan ziet hij haar plotseling. Onbeweeglijk, haar armen om haar opgetrokken knieën, zit ze daar. Turend over het aanstuwende water beneden haar... Hij bedenkt zich geen ogenblik. Alle opgekropte woede en teleurstelling om haar onverklaarbare houding borrelt naar boven. Glijdend, tastend, zoekt hij zijn weg naar het volgende rotsblok, waar Hetty zit als een beeld, zo star en stil. Zelfs als hij áchter haar staat, ziet ze niet op. Maar dat wordt Frans te kras. Hij doet een greep naar een schouder, een arm, en dwingt haar zó op te staan.

„Frans," jammert ze geschrokken. „Ik heb je niet horen komen. Wat kom je dóen?"

„Je halen, wat anders? Is dit een manier van doen? Er stiekem tussenuit knijpen! En nog wel juist nú... we zouden met elkaar..."

Geschrokken slikt hij zijn verdere beschuldigingen in. Want inplaats van in te gaan op zijn aantijgingen, keert ze hem weer de rug toe. Frans ziet, hoe haar schouders schokken en hoe binnen enkele tellen weinig meer over is van de evenwichtige cheffin van de typekamer. Zó ontredderd, zó intens verdrietig heeft hij haar nog niet eerder gezien.

Hij moet krampachtig slikken. Dit... dit... zíjn schuld? O, heeft hij haar nu opnieuw pijn gedaan? Door zijn ondoordachte woorden over Ilse, zoals Cuny hem al verweet? Of... voelt ze waar hij op aanstuurt en kan ze zijn gevoelens niet meer beantwoorden? Heeft hij haar indertijd té diep gekwetst? Immers, juist in zaken als liefde en het uitwisselen van de intiemste gedachten, zijn mensen het meest kwetsbaar. Kunnen mensen elkaar het diepst krenken...

„Hetty," vraagt hij onzeker, tegen die afwerende rug aankijkend, „kun je me vertellen waarom je zo verdrietig bent?"

Het blijft stil. Frans had ook niet anders verwacht. Hij bezint zich hoe het verder moet. Hij, die het altijd zo goed weet. Die dagelijks zijn diagnoses stelt... hij weet nu niet hoe te handelen. Hoe verder brokken maken te voorkomen. Onhoorbaar vraagt hij om kracht, om de juiste woorden te vinden...

Onder hen breken de golven stuk tegen de onwrikbare rotswand... Even onwrikbaar als zijn liefde voor haar. Het is alsof het klotsende, schuimende water beneden hem plotseling stem krijgt en voor hem verwoordt wat hij zelf niet vertolken kan...

214

„Hetty, lieveling, vertel het mij. Ik kan het niet aanzien, dat jij zó verdrietig bent. Is het... is het om mij?"
Dan keert ze met een ruk haar gezicht naar hem toe, hem haar rampzalige gezicht met de rood beschreide ogen tonend. „Kijk maar, kijk maar... ja, het is om jou. Zó, zó heb ik zoveel nachten gehuild, Frans, sinds jij uit mijn leven ging... Kijk maar. Nu weet je het. Nu heb je het met eigen ogen gezien. En laat me nu met rust. Ga terug naar Ilse, naar de anderen, en vertel ze van jullie geluk. Ik... ik gun het jullie, maar ik kan er nog niet naar kijken, Frans. Dat begrijp je toch wel?"
Hij begrijpt er niets van. Niets dan dat ene: dat ze huilt, zoveel heeft gehuild om hém! En al pijnigt, nee ránselt hem die wetenschap als een lijfelijk zeer, tegelijkertijd laait een helle vreugde in hem op. Ze huilt, om hém! Dat betekent...
Hij neemt haar in zijn armen en trekt zich niets aan van het onsolide plaatsje waarop ze staan, noch van Hetty's protesten. Te veel tijd, door wikken en wegen, is er door zijn vingers geglipt. Hij heeft immers altijd van haar gehouden, al was zijn liefde aanvankelijk zonder diepgang. De achterliggende jaren hebben hem geleerd, dat liefde niet alleen bestaat uit romantiek en maanwandelingetjes. Hetty had dat tóen al ervaren, maar hij, dwaas, dacht nog in rose onvolwassen termen. Liefde is ondánks en ínclusief en juist dáárdoor een onwrikbare rots die een leven lang stand kan houden. Schaduwen en diepe dalen zullen de bergtoppen van geluk afwisselen, hij beseft het nu eerst ten volle. Slechts onbaatzuchtige liefde, die zichzelf wegcijfert omwille van de ander, díe zal tenslotte zegevieren. En láten er dan stormen komen, láten ze elkaar dan uit het oog verliezen, ze zullen elkaar terugvinden, met behulp van de Gids, die hen voor wil gaan.
„Hetty, durf je het opnieuw met mij aan?" vraagt hij, haar gezicht naar zich opheffend.
„Ja, Frans, maar ik dacht, dat Ilse..."
„Ilse is ons lieve, dappere zusje. Ik heb haar nooit anders gezien. Lieve, dwaze Hetteke..."
Met een zucht legt Hetty haar hoofd tegen zijn schouder. Het is alsof zich een grote rust in haar legt. „Frans, ik heb zo lang naar je verlangd... ik heb altijd van je gehouden."
Niet veel woorden zijn er nu nog nodig. Stil blijven ze daar nog, hun ogen op de oneindige zee. Op de hemel, die steeds van een dieper blauw wordt boven hen...
Tot Frans zich een terras herinnert: 'la Lavande', waar men

215

ongetwijfeld naar hen uitkijkt.

Met de armen om elkaar heen wandelen ze later over de boulevard, tot aan het bewuste terras met de terrakleurige parasols en de witte stoelen. Er is een plaatsje voor hen vrijgehouden door de rest van het gezelschap.

„We hebben onze café au lait al op, hoor," roept Cuny hen toe. „En als ik het zo bekijk, kunnen we meteen op een feestdronk overstappen."

„Hoezo?" vraagt Frans schijnheilig. Maar nu worden ze om het hardst gehoond en het eindigt natuurlijk met een rondje van het jonge paar.

Hetty bedenkt, hoe ze dit heimelijk gevreesd heeft en er zelfs voor op de vlucht is geslagen: voor deze toost van Frans. Alleen: zíj is nu het middelpunt, inplaats van Ilse. Ongemerkt neemt ze Ilse's fijne profiel in zich op. Ze voelt hoe een warm gevoel voor dit zusje haar hart binnenstroomt. Ilse, ik hoop dat jij net zo gelukkig wordt als ik. Ze kan het ineens niet meer bevatten: dat zij hier nu zit met Frans' arm beschermend om haar heen . . . , en al die gelukkige mensen die naar hen kijken. Het is te véél, het lijkt zo onwerkelijk . . . Het leven is geen happy end, geen rozegeur, immers?

„Kijk," hoort ze de stem van haar aanstaande schoonzus, „ze steken die grappige aardewerken kannetjes aan. Bovenin is een reservoirtje, daarin zit water plus een paar druppels parfum. Als het waxinelichtje het water verhit, ruik je het parfum, let maar eens op."

En ja, niet veel later vleugt er een aroma over het terras, specifiek voor deze streek.

„De geur van lavendel," zegt Hetty. En verbaasd omdat die nu niets afschrikwekkends meer heeft, maar beelden oproept van blauw-lila bloemenvelden, van bloesem, beloften en bevende verwachtingen, verzucht ze nóg eens: „Het is lavendel, Frans, rúik je dat?"

„Ik ruik alleen maar jóu," fluistert hij verliefd in haar geurende haren. Hij wenkt, een tikkeltje ongeduldig, een jongen met ogen als zwarte kolen. Hij tast in zijn zak en gooit een paar geldstukken op het tafeltje. Ze kijken allemaal toe, hoe de jongen een mand met langstelige rozen neerzet.

„Pour la belle dormante."

„Merci."

„Wat zei dat joch?" vraagt Hetty achterdochtig.

„Alsjeblieft, chérie," zegt Frans met een hoofse buiging.

216

„Voor de schone slaapster! Ze houden hier kennelijk nog van sprookjes."

Hetty neemt de bloem van hem aan. Verward strijkt ze met haar vinger langs de fluweelzachte blaadjes die, nog gesloten, een knop vormen. „Frans," fluistert ze hulpeloos. Haar oude gêne, haar onmacht haar gevoelens te tonen, weerhouden haar nog. Zéker in bijzijn van haar ouders en de anderen. Maar die staan eenparig op. „Laten we dit tortelende paar maar alleen laten," plaagt Cuny. „We zien elkaar straks wel op de parkeerplaats. Goed?" Ze kijkt de kring rond.

„Over een uur," bedingt Martin, die zijn hoofd voelt kloppen door alle ongewone dingen van deze dag. Bert en Ilse kijken elkaar veelbetekenend aan. „Zullen wij samen nog even een boulevardje?" vraagt Ilse aan haar broer.

„Graag! Ik moet jou nog een heleboel vragen," zegt Bert grif.

Over Matteke, weet Ilse, zo zeker als had hij het haar al gezegd. Ze is blij voor haar vriendin, die haar hart zo trouw is gebleven, al die maanden. Maar ook is er een droefheid, omdat ze zelf nog niet gevonden heeft waarnaar ook haar hart zo hunkerend uitziet. Frans... hij moet lijken op Frans, weet ze met koppige vasthoudendheid. Zoals hij nu kijkt naar Hetty, zó zal hij moeten kijken naar mij: de man die van mij houdt, met al m'n onhebbelijkheden en gebreken...

Dan gaan daar Josefien en Martin, als laatsten.

Ze vinden geen woorden, omdat zoveel zeer dat achter hen ligt, toch weer schrijnt.

„Waarom?" vormen Hetty's lippen eindelijk. Frans heeft geen uitleg nodig.

„Omdat wij mensen zijn, gebrekkig en onvolkomen. Wij maken fouten, wij kwetsen en doen dát wat we niet willen... maar altijd is er een weg terug. Dat hebben we zelf aan den lijve ondervonden, nietwaar, mijn lief?"

„Ja," zucht Hetty en het klinkt als een belijdenis. Ze streelt met een tederheid, die Frans meer dan woorden zegt hóezeer ze hem liefheeft, zijn gezicht. Omdat het Hetty is, die zich nooit geven kon. Die altijd weer geremd werd door een schroom, die zij in zichzelf verachtte...

Inniger nog omvat ze zijn lieve gezicht en als ze kijkt naar het warme licht in zijn ogen, kust ze hem spontaan.

En om hun hoofden geurt de lavendel.